UNE ÉDUCATION

Née en 1986, Tara Westover est une mémorialiste. Elle a obtenu son diplôme à la Brigham Young University en 2008, puis un diplôme de deuxième cycle en lettres au Trinity College en 2009. Elle a ensuite soutenu sa thèse de doctorat en histoire en 2014. *Une éducation* est son premier livre.

TARA WESTOVER

Une éducation

TRADUIT DE L'ANGLAIS
PAR JOHAN FREDERIK HEL GUEDJ

JC LATTÈS

Titre original :

EDUCATED
Publié par Random House USA et Hutchinson,
une filiale de Penguin Random House UK.

Ce livre est une œuvre de non-fiction écrite à partir des expériences et des souvenirs de l'auteure. Les noms de certaines personnes et d'autres détails permettant leur identification ont été changés pour protéger leur vie privée. L'auteure précise que, sauf pour quelques détails mineurs n'altérant pas la véracité des faits, le contenu de ce livre est véridique.

Pour Tyler

« Je peux seulement noter que le passé est beau parce que l'on ne réalise jamais une émotion à l'instant même. Elle se développe plus tard, et donc nous n'avons pas des émotions complètes à l'instant présent mais uniquement au passé. »

Virginia WOOLF

« Je crois, enfin, qu'il faut concevoir l'éducation comme une reconstruction continue de l'expérience ; que le processus et le but de l'éducation ne sont qu'une seule et même chose. »

John DEWEY,
Mon credo pédagogique.

Un mot de l'auteure

Cette histoire n'a pas trait au mormonisme. Elle n'aborde aucune autre forme de foi religieuse non plus. On y rencontre quantité d'individus différents, certains sont croyants, d'autres non, certains sont bons, d'autres pas. L'auteure refuse toute corrélation, positive ou négative, entre les uns et les autres.

Les noms suivants sont des pseudonymes :

Aaron, Audrey, Benjamin, Emily, Erin, Faye, Gene, Judy, Peter, Robert, Robin, Sadie, Shannon, Shawn, Susan, Vanessa.

Prologue

Je suis debout sur le wagon rouge laissé à l'abandon à côté de la grange. Le vent se lève, mes cheveux me fouettent le visage et un frisson de froid pénètre par le col ouvert de ma chemise. Si près de la montagne, les bourrasques sont violentes, comme si c'était le sommet en personne qui soufflait. Tout en bas, la vallée est calme, paisible. Sur notre ferme, en revanche, tout danse : les lourds conifères oscillent lentement, l'armoise et les chardons frémissent, se courbent devant chaque expiration, chaque poche d'air. Derrière moi, une colline qui monte en pente douce est comme cousue au pied de la montagne. Si je lève les yeux, j'entrevois la forme sombre de la Princesse indienne.

La colline est tapissée de blé sauvage. Si les conifères et l'armoise sont des solistes, le champ de blé est un corps de ballet, chaque tige suivant les autres par mouvements brusques, et ce sont un million de ballerines qui s'inclinent sous les rafales qui creusent leurs têtes dorées. La forme de ces entailles ne dure qu'un moment, et c'est la seule marque visible du vent.

En me tournant vers notre maison à flanc de coteau, je perçois des mouvements différents ; de hautes ombres poussent avec fermeté contre le courant. Mes frères sont réveillés, ils tâtent le temps. J'imagine ma mère au fourneau, occupée à cuire ses galettes de son. Je me représente mon père courbé en deux près de la porte de derrière ; il lace ses bottes au bout en acier et enfile ses gants de soudure sur ses mains calleuses. Sur la grande route en contrebas, les bus scolaires passent sans s'arrêter.

Je n'ai que sept ans, mais je comprends que c'est surtout ça qui rend ma famille différente : nous n'allons pas à l'école.

Papa redoute que le Gouvernement ne nous force à y aller, mais cela est impossible, parce que les autorités ignorent que nous existons. Quatre des sept enfants de mes parents n'ont pas d'acte de naissance. Nous n'avons pas de dossiers médicaux, parce que nous sommes nés à la maison et n'avons jamais vu un médecin ou une infirmière[1]. Nous n'avons pas de dossiers scolaires parce que nous n'avons jamais mis les pieds dans une salle de classe. À neuf ans, on me délivrera un «acte de naissance tardif», mais pour le moment, à en croire l'État d'Idaho et le gouvernement fédéral, je n'existe pas.

Enfin si, j'existais, bien sûr. J'avais grandi en me préparant aux Jours de l'Abomination, en guettant le

---

1. Sauf ma sœur Audrey, qui s'est cassé une jambe et un bras quand elle était petite. On avait dû l'emmener se faire plâtrer.

moment où le soleil s'assombrirait, où la lune dégouli-
nerait de sang. Je passais mes étés à mettre des pêches
en bocaux et mes hivers à faire tourner les réserves de
nourriture. Quand le Monde des Hommes sombrerait,
ma famille continuerait d'avancer, sans en être affectée.

J'ai été élevée au rythme de la montagne, un rythme
dans lequel les changements n'étaient jamais fonda-
mentaux, toujours cycliques. Chaque matin, le même
soleil faisait son apparition, traçait sa courbe au-
dessus de la vallée et plongeait derrière le sommet. Les
neiges qui tombaient en hiver fondaient toujours au
printemps. Nos vies décrivaient un cycle – celui de la
journée, celui des saisons –, un changement perpétuel
qui, une fois achevé, signifiait que rien n'avait changé
du tout. Je croyais que ma famille faisait partie d'un
schéma universel, que nous étions en un sens éternels.
Mais que l'éternité n'appartenait qu'à la montagne.

Mon père avait l'habitude de nous raconter une
histoire au sujet de ce sommet. Il était grand et vieux,
une cathédrale dans la montagne. Bien sûr, le massif
comptait d'autres pics, plus grands, plus imposants,
mais Buck's Peak était le plus finement taillé. Sa
base s'étendait sur plus de mille cinq cents mètres, sa
sombre silhouette saillait hors de terre pour se dresser
en une flèche parfaite. À bonne distance, on pouvait
distinguer sur le flanc de la montagne l'empreinte d'un
corps de femme : ses jambes composées d'immenses
ravins, sa chevelure, un éventail de pins déployés sur
sa crête septentrionale. Sa stature était pleine d'autorité, une jambe lancée vers l'avant dans un mouvement

puissant qui ressemblait davantage à une foulée qu'à un simple pas.

Mon père l'appelait la Princesse indienne. Chaque année, au début de la fonte des neiges, elle émergeait face au sud, surveillant le retour des bisons dans la vallée. Papa expliquait que les tribus indiennes nomades guettaient son apparition comme le signe avant-coureur du printemps, le signal que l'hiver était fini, et qu'il était temps pour les Indiens de rentrer chez eux.

Toutes les histoires de mon père tournaient autour de notre montagne, de notre vallée, de notre petit bout de terre déchiquetée d'Idaho. Il ne m'a jamais dit quoi faire si je quittais la montagne, si je traversais les océans et les continents, si je me retrouvais en terre étrangère, et que je ne pouvais plus scruter l'horizon à la recherche de la Princesse. Il ne m'a jamais dit quel serait le signe pour moi qu'il était temps de rentrer chez nous.

I

1

Choisir le bien[1]

Mon souvenir le plus fort n'est pas un souvenir. C'est un moment que j'ai imaginé, avant de me l'approprier comme s'il était réellement arrivé. Ce souvenir s'est formé quand j'avais cinq ans, juste avant mes six ans, à partir d'une histoire que mon père nous a racontée avec tant de détails que mes frères, ma sœur et moi en avions tous composé notre propre version digne d'un film, avec ses coups de feu et ses cris. Dans la mienne, il y avait des criquets. C'est leur chant que j'entends alors que ma famille s'est tapie dans la cuisine, lumières éteintes, pour se cacher des agents fédéraux qui ont encerclé la maison. Une femme tend la main pour prendre un verre d'eau et sa silhouette est éclairée par la lune. Un coup de feu claque comme un coup de fouet et elle tombe. Dans mon souvenir, c'est toujours ma mère qui tombe, et elle tient un bébé dans ses bras.

---

1. Isaïe, 7:15 : « Il mangera de la crème et du miel, jusqu'à ce qu'il sache rejeter le mal et choisir le bien. »

Le bébé n'a aucun sens – je suis la plus jeune des sept enfants de ma mère –, mais, comme je l'ai déjà dit, rien de cela n'est jamais arrivé.

Un an après que mon père nous a raconté cette histoire, nous étions réunis un soir pour l'écouter nous lire à voix haute Isaïe, une prophétie au sujet d'Emmanuel. Il avait pris place sur notre sofa couleur moutarde, une grande bible ouverte sur les genoux. Mère était à côté de lui. Le reste d'entre nous s'était éparpillé sur le tapis marron élimé.

« Il mangera de la crème et du miel », ânonnait papa d'une voix sourde et monocorde, fatigué d'une longue journée passée à charrier de la ferraille. « Jusqu'à ce qu'il sache rejeter le mal et choisir le bien. »

Un lourd silence est tombé. Plus personne ne bougeait.

Mon père, qui n'était pas grand, avait cependant assez d'autorité pour s'imposer. Il possédait une présence, la solennité d'un oracle. Ses mains épaisses et parcheminées – les mains d'un homme qui avait travaillé durement toute sa vie – tenaient fermement la bible.

Il a relu ce passage à voix haute une deuxième fois. Puis une troisième, et ensuite une quatrième. Chaque fois qu'il reprenait, sa voix grimpait d'un ton. Ses yeux, gonflés de fatigue un instant auparavant, étaient désormais grands ouverts, le regard vif. Il y avait là une doctrine divine, expliquait-il. Il allait s'en enquérir auprès du Seigneur.

Le lendemain matin, il a vidé notre frigo du lait, des yaourts et du fromage qu'il contenait et, à son retour à la maison le soir, sa camionnette était chargée de cinquante gallons de miel – près de deux cents litres.

« Isaïe ne précise pas où est le mal, dans le beurre ou dans le lait, a-t-il déclaré avec un grand sourire, tandis que mes frères traînaient les bidons blancs au sous-sol. Mais si vous lui posez la question, le Seigneur vous répondra ! »

Quand il eut fini de lire ce verset à sa mère, elle lui a ri au nez.

« J'ai quelques pennys dans mon porte-monnaie, lui a-t-elle dit. Tu ferais bien de les prendre. Au moins, tu auras deux sous de bon sens. »

Ma grand-mère avait un visage mince, anguleux et une réserve illimitée de faux bijoux indiens, tous en argent serti de turquoise, qui pendaient en grappes à son cou décharné et ornaient ses doigts grêles. Comme elle habitait plus bas que nous dans la colline, près de la route nationale, nous l'appelions grand-mère-en-bas-de-la-colline. C'était pour la distinguer de la mère de notre mère, que nous appelions grand-mère-en-ville parce qu'elle habitait à une vingtaine de kilomètres plus au sud, dans la seule bourgade du comté, qui n'avait qu'un seul feu de circulation et une épicerie.

Papa et sa mère s'entendaient comme chien et chat. Ils pouvaient se parler pendant une semaine et ne tomber d'accord sur rien, mais ils étaient liés par leur dévotion envers la montagne. La famille de mon père habitait au pied de Buck's Peak depuis un demi-siècle.

Les filles de grand-mère s'étaient mariées, puis elles étaient parties vivre ailleurs, mais mon père était resté. Il avait construit une maison jaune un peu miteuse, qu'il ne terminerait jamais tout à fait, au pied de la montagne, et déversait tout un tas de ferraille – l'une de ses nombreuses décharges – à côté de la pelouse impeccablement entretenue de grand-mère.

Ils se disputaient tous les jours, à cause de la ferraille, mais plus souvent à notre sujet, les enfants. Grand-mère estimait que nous devrions être à l'école et pas, selon sa formule, « à rôder dans la montagne comme des sauvages ». Papa soutenait que l'école publique était un stratagème du Gouvernement pour éloigner les enfants de Dieu. « Je ferais aussi bien de livrer mes enfants au diable en personne, s'exclamait-il, plutôt que de les envoyer dans cette école en bas de la route ! »

Dieu avait soufflé à mon père de partager cette révélation avec ses voisins – ceux qui vivaient et cultivaient dans l'ombre de Buck's Peak. Les dimanches, presque tout le monde se réunissait à l'église, dans la chapelle couleur de noyer blanc d'Amérique, un peu en retrait de la grande route, avec son petit clocher discret, commun à toutes les églises mormones. Papa coinçait alors les autres pères dès qu'ils quittaient leur banc. Il commençait par le cousin Jim, qui l'écoutait avec bienveillance quand papa brandissait sa bible en lui expliquant le péché du lait. Jim lui adressait un grand sourire, puis il lui flanquait une tape sur l'épaule en lui répliquant qu'aucun dieu juste ne priverait un homme

d'une glace à la fraise faite maison, par une chaude
après-midi d'été. Ensuite, l'épouse de Jim le tirait par
le bras, et quand il passait devant nous, je reniflais un
relent de fumier. Et puis je me souvenais : la grande
ferme laitière, à un peu moins de deux kilomètres au
nord de Buck's Peak, c'était celle de Jim.

Après que papa eut entamé sa croisade contre le
lait, grand-mère en avait rempli son frigo à ras bords.
Grand-père et elle ne buvaient que du lait écrémé, mais
assez vite, elle en avait stocké de toute sorte – du lait à
2 % de matière grasse, du lait entier, et même du lait
chocolaté. Elle semblait vouloir marquer là une limite
importante.

Le petit déjeuner est devenu un test de loyauté.
Tous les matins, ma famille s'asseyait autour d'une
grande table en chêne rouge recyclé et se nourrissait
soit de céréales aux sept graines, avec du miel et de
la mélasse, soit de crêpes aux sept graines aussi, également accompagnées de miel et de mélasse. Comme
nous étions neuf, les crêpes n'étaient jamais assez
cuites. Les céréales ne me gênaient pas si je pouvais
les avaler avec du lait, mais depuis la révélation de
papa, on nous les servait avec de l'eau. C'était comme
manger de la boue.

Très vite, je me suis mise à penser à tout ce lait qui
se perdait dans le frigo de ma grand-mère. Ensuite,
j'ai pris l'habitude, chaque matin, de sauter le petit
déjeuner et de me rendre tout droit dans la grange.
Je donnais à manger aux cochons et je remplissais la

mangeoire des vaches et des chevaux, puis je sautais par-dessus la clôture du corral, contournais la grange et franchissais la porte latérale de la maison de ma grand-mère.

Un de ces matins où j'étais assise au comptoir de sa cuisine à la regarder verser des corn-flakes dans un bol, elle m'a questionnée :

«Tu aimerais aller à l'école ?

— Non, je n'aimerais pas.

— Comment le sais-tu ? Tu n'as jamais essayé.»

Elle m'a servi du lait et m'a tendu le bol, puis elle s'est juchée sur le comptoir, juste en face de moi, et m'a regardée enfourner les céréales dans ma bouche.

«Nous partons demain pour l'Arizona», a-t-elle annoncé. Je le savais déjà. Grand-père et elle partaient toujours en Arizona lorsque le temps commençait à changer. Grand-père se disait trop vieux pour les hivers de l'Idaho. Le froid lui causait des douleurs dans les os. «Lève-toi vraiment tôt, vers 5 heures, a continué grand-mère, et nous t'emmènerons. On te mettra à l'école.»

Je me suis tortillée sur mon tabouret. J'essayais d'imaginer ce que ça pouvait signifier, mais j'en étais incapable. À la place, je me suis représenté l'école du dimanche, à laquelle j'assistais chaque semaine et que je détestais. Un garçon, un dénommé Aaron, avait raconté à toutes les filles que je ne savais pas lire parce que je n'allais pas en classe, et maintenant aucune d'elles ne voulait plus me parler.

«Papa a dit que je pouvais y aller ?

— Non, a reconnu grand-mère. Mais le temps qu'il se rende compte que tu n'es plus là, nous serons partis depuis longtemps. »

Elle a déposé mon bol dans l'évier et regardé par la fenêtre.

Grand-mère était une force de la nature – impatiente, agressive, sans complexe. Il suffisait de la regarder pour avoir envie de reculer d'un pas. Elle se teignait les cheveux en noir, ce qui accentuait la sévérité de sa mine déjà sévère. Tous les matins, elle soulignait ses sourcils d'un trait noir trop épais qui déséquilibrait son visage. Elle les dessinait trop haut, et cela lui donnait une expression d'ennui, presque de sarcasme.

« Tu devrais être à l'école, a-t-elle insisté.

— Papa ne va pas t'obliger à me ramener ?

— Ton papa ne peut m'obliger à rien, bon sang de bois ! » Elle s'est levée, s'est redressée, m'a fait face. « S'il te veut, il devra venir te chercher. » Elle a hésité, et, l'espace d'un instant, elle a paru honteuse. « Je lui ai parlé, hier. Il ne sera pas en mesure de venir te récupérer avant un bon bout de temps. Il est en retard pour cet appentis qu'il construit en ville. Il ne pourra pas prendre ses affaires et rouler jusqu'en Arizona, pas tant que la météo se maintient et que les gars et lui peuvent travailler tard le soir. »

Le plan de grand-mère était bien pensé. Les semaines précédant les premières neiges, papa travaillait toujours du lever au coucher du soleil, tâchant d'engranger assez d'argent en ramassant de la ferraille et en construisant des granges, pour survivre à l'hiver, quand le boulot se faisait plus rare. Même si sa mère décampait avec la cadette de ses enfants, il ne serait pas en mesure de s'arrêter de travailler, pas tant que le chariot élévateur ne serait pas pris dans la glace.

«Je vais devoir nourrir les bêtes avant d'y aller, ai-je dit. Si les vaches piétinent la palissade pour aller boire, c'est sûr qu'il va remarquer que je suis partie. »

Cette nuit-là, je n'ai pas dormi. Je suis restée assise par terre dans la cuisine et j'ai regardé les heures s'écouler. 1 heure du matin. 2 heures. 3 heures.

À 4 heures, je me suis levée et j'ai placé mes bottes près de la porte de derrière. Elles étaient couvertes d'une croûte de fumier, et j'étais sûre que grand-mère ne les accepterait pas dans sa voiture. Je me les représentais abandonnées sous sa véranda, pendant que je m'enfuirais sans souliers en Arizona.

Je songeais à ce qui se produirait quand ma famille découvrirait que j'avais disparu. Mon frère Richard et moi avions l'habitude de passer nos journées dans la montagne, il était donc probable que personne ne remarquerait rien avant le coucher du soleil, avant le retour de Richard à la maison sans moi. Je me figurais mes frères ressortant pour se lancer à ma recherche. Ils essaieraient d'abord du côté de la ferraille, soulevant les morceaux de métal au cas où une plaque de fer m'aurait écrasée. Ensuite, ils pousseraient plus loin, ils ratisseraient la ferme, grimperaient dans les arbres, dans le grenier du hangar, avant de prendre la direction de la montagne.

À ce stade, ce serait le crépuscule – ce moment juste avant que la nuit ne s'installe, quand le paysage est enveloppé par une obscurité plus ou moins dense, et que vous sentez le monde alentour plus que vous ne le voyez. J'imaginais mes frères se déployant dans la montagne, fouillant les forêts sombres. Personne ne prononcerait un mot, tout le monde aurait les mêmes pensées. Il pouvait se passer des choses terribles dans la montagne. Des précipices surgissaient du néant. Dans leur course effrénée, des chevaux sauvages sautaient au-dessus d'épais massifs de ciguë aquatique, et les serpents à sonnette n'étaient pas rares. Nous avions déjà dû mener ce genre de battue un jour où un veau avait disparu de la grange. Dans la vallée, vous retrouviez un animal blessé. Sur la montagne, il était mort.

Je me représentais ma mère à la porte de derrière, fouillant la crête noire des yeux quand mon père reviendrait à la maison lui annoncer qu'ils ne m'avaient pas retrouvée. Ma sœur, Audrey, suggérerait que quelqu'un pose la question à grand-mère, et ma mère répondrait que grand-mère était partie ce matin pour l'Arizona. Ces mots-là resteraient un instant en suspens, puis tout le monde comprendrait où j'étais partie. Je voyais le visage de mon père, ses yeux noirs se rétrécir, ses lèvres se contracter lorsqu'il se tournerait vers ma mère : « Tu crois qu'elle a décidé de filer ? »

Sa voix résonnait en moi, sourde et triste. Ensuite, elle était couverte par le souvenir de clameurs – des cigales, puis des coups de feu, et enfin le silence.

L'événement était connu, je l'apprendrais plus tard – comme Wounded Knee ou Waco[1] –, mais quand mon père nous a raconté cette histoire pour la première fois, nous avions l'impression que personne n'était au courant, sauf nous.

Cela a commencé vers la fin de la saison des conserves, que d'autres enfants appelaient sans doute «l'été». Ma famille consacrait toujours les mois chauds à mettre des fruits en bocaux pour alimenter les réserves dont, selon papa, nous aurions besoin pour les Jours de l'Abomination. Un soir, à son retour de la ferraille, on l'a senti perturbé. Pendant le dîner, il n'arrêtait pas d'aller et venir dans la cuisine, sans presque rien avaler. Puis il a annoncé qu'on devait tout mettre en ordre. On avait peu de temps.

On a passé la journée du lendemain à faire bouillir des pêches et à les peler. Au coucher du soleil, des dizaines de bocaux étaient remplis et disposés en rangées parfaites, encore chauds de la cocotte-minute. Papa a inspecté notre travail, compté les bocaux en marmonnant, puis il s'est tourné vers ma mère.

«Ce n'est pas suffisant.»

Ce soir-là, il a convoqué une réunion de famille, et nous nous sommes réunis autour de la table de la

---

1. Du 28 février au 19 avril 1993, à Waco (Texas), la secte adventiste des Branch Davidians est assiégée pour détention illégale d'armes de guerre. L'assaut fera quatre-vingt-deux morts. À Wounded Knee, le 27 février 1973, l'American Indian Movement occupe la réserve de Pine Ridge, et se rend après soixante et onze jours. (*N.d.T.*)

cuisine, qui était suffisamment longue et large pour qu'on s'y installe tous. Debout en tête de table, il a expliqué qu'on avait le droit de savoir à quoi on était confrontés. Juchés sur nos bancs, nous gardions les yeux rivés sur les lames de chêne rouge.

« Pas très loin d'ici, il y a une famille, a-t-il commencé. Ce sont des combattants de la liberté. Comme ils refusaient de laisser le Gouvernement embrigader leurs enfants dans leurs écoles publiques, les Fédéraux s'en sont pris à eux. » Il a lâché un long soupir. « Les Fédéraux ont encerclé leur bungalow et les ont gardés enfermés là-dedans pendant des semaines. Quand un enfant affamé, un petit garçon, s'est faufilé dehors pour aller chasser, ils lui ont tiré dessus. Il est mort. »

J'ai observé mes frères. Je n'avais encore jamais vu la peur sur le visage de Luke.

« Ils sont encore dans leur bungalow, a continué mon père. Ils laissent les lumières éteintes, ils marchent à quatre pattes, en se tenant loin des portes et des fenêtres. Je ne sais pas quelle quantité de nourriture ils ont. Avant que les Fédéraux décident de laisser tomber, ça se peut qu'ils meurent de faim. »

Personne n'a pipé mot. Ensuite, Luke, qui avait douze ans, a demandé si nous pouvions leur venir en aide.

« Non, a répliqué papa. Personne ne peut. Ils sont pris au piège dans leur propre maison. Mais ils ont des fusils, et il y a gros à parier que c'est pour ça que les Fédéraux ne donnent pas l'assaut. » Il s'est tu, le temps de s'asseoir sur le banc avec des mouvements lents et raides. Il me semblait vieux, usé.

«Nous ne pouvons pas les aider, par contre nous pouvons nous venir en aide. Quand les Fédéraux arriveront à Buck's Peak, nous serons prêts.»

Ce soir-là, il a ressorti du sous-sol un tas de vieux sacs de l'armée. Il nous a expliqué que c'étaient nos sacs «pour prendre le large». Nous avons passé la nuit à les remplir de provisions – plantes médicinales, épurateurs d'eau, pierres à briquet et acier. Papa avait acheté plusieurs caisses de MRE – Meals Ready-to-Eat, les rations de repas tout prêts de l'armée – et nous en avons pris autant que nous pouvions dans nos paquetages, en imaginant le moment où, ayant fui la maison, nous les mangerions cachés dans les pruniers sauvages près du ruisseau. Certains de mes frères ont dissimulé des armes dans leur sac – moi, je n'avais qu'un petit canif, et malgré ça, une fois terminé, mon sac était aussi grand que moi. J'ai demandé à Luke de le mettre sur une étagère de mon placard, mais papa m'a conseillé de le laisser en bas ; je pourrais l'attraper en vitesse. J'ai donc dormi avec dans mon lit.

Je me suis exercée à charger le sac sur mon dos et à courir avec – je n'avais aucune envie de me retrouver à la traîne. J'imaginais notre fuite, en pleine nuit, pour nous mettre à l'abri de la Princesse. La montagne, je l'avais compris, était notre alliée. Pour ceux qui la connaissaient, elle pouvait se montrer bienveillante, mais pour les intrus, elle n'était que traîtrise, et cela nous procurerait un avantage. En même temps, je ne comprenais pas pourquoi nous mettions toutes ces pêches en bocaux, si nous devions aller nous abriter dans la montagne quand les Fédéraux arriveraient. Jamais nous ne réussirions à monter mille pots Mason en verre aussi lourds jusqu'au sommet. À moins que ces pêches nous permettent de nous barricader dans la maison, comme les Weaver ? et de combattre jusqu'au bout ?

Combattre jusqu'au bout, c'était ce qui paraissait le plus vraisemblable. Surtout lorsque, quelques jours plus tard, papa est revenu à la maison avec une dizaine de fusils et de carabines, des surplus de l'armée, principalement des SKS[1], avec leur baïonnette en acier gris soigneusement repliée sous le canon. Les armes sont arrivées dans d'étroites boîtes en fer-blanc et enrobées de Cosmoline, une substance brunâtre qui avait la consistance du lard et qu'il fallait arracher. Une fois les armes nettoyées, mon frère Tyler en a choisi une et l'a couchée sur une bâche de plastique noir, qu'il a repliée, avant de refermer le paquet avec des mètres et des mètres d'adhésif argenté d'électricien. Hissant le colis sur son épaule, il l'a descendu en bas de la colline et l'a laissé tomber au sol à côté du wagon rouge. Ensuite, il s'est mis à creuser. Quand le trou a été assez large et profond, il a jeté le fusil dedans, et je l'ai regardé le recouvrir de terre, les muscles gonflés sous l'effort, la mâchoire serrée.

---

1. SKS, *Samozariadni Karabin sistemy Simonova*, carabine semi-automatique de l'armée soviétique, en dotation jusqu'en 1954, très répandue en Corée du Nord et au Nord-Vietnam. *(N.d.T.)*

Peu après, papa a acheté une machine pour fabriquer des munitions avec des cartouches usagées. En cas de siège, nous pourrions ainsi tenir plus longtemps, affirmait-il. Je pensais à mon sac «pour prendre le large», qui m'attendait sous mon lit, à la carabine dissimulée près du wagon, et à l'appareil à fabriquer des balles. Il était encombrant et boulonné sur un établi au sous-sol. Si nous nous faisions surprendre, nous n'aurions sans doute pas le temps de descendre le récupérer. Et je me demandais s'il ne fallait pas l'enterrer, avec le fusil.

Nous continuions de préparer des conserves de pêches. Je ne sais plus combien de jours nous avons passés ni combien de pots nous avions ajoutés à nos stocks avant que papa nous raconte la suite de l'histoire.

«Ils ont abattu Randy Weaver, a-t-il annoncé, d'une voix étranglée. Randy est sorti du bungalow pour aller chercher le corps de son fils, et les Fédéraux lui ont tiré dessus.» Je n'avais jamais vu mon père pleurer, mais à présent les larmes s'écoulaient de son nez. Il ne les essuyait pas, il les laissait goutter sur sa chemise. «La femme de Randy a entendu le coup de feu et elle a couru à la fenêtre, avec leur bébé dans ses bras. Ensuite, il y a eu un deuxième coup de feu.»

Ma mère était assise, les bras croisés, une main sur la poitrine, l'autre plaquée sur la bouche. Je regardais fixement notre lino moucheté pendant que papa nous racontait qu'on avait retiré le bébé des bras de sa maman, sa frimousse barbouillée de son sang.

Jusqu'à ce moment, j'avais espéré que les Fédéraux arrivent. Je mourais d'envie de vivre cette aventure. Ensuite, j'avais eu vraiment peur. Je me représentais mes frères tapis dans l'obscurité, leurs mains moites glissant le long de leur fusil. Je me représentais ma mère, fatiguée, la bouche desséchée, s'écartant de la fenêtre. Je me représentais moi-même allongée par terre, immobile et silencieuse, écoutant le crissement suraigu des criquets dans le champ. Ensuite, je voyais ma mère se lever et tendre la main vers le robinet de l'évier. Un éclair blanc, le crépitement des coups de feu, et elle tombait. Je me précipitais pour rattraper le bébé.

Papa ne nous a jamais raconté la fin de l'histoire. Nous n'avions ni télé, ni radio, donc lui-même n'a peut-être jamais su comment elle s'était terminée. Dans mon souvenir, la dernière remarque qu'il ait dite à ce sujet, c'était : « La prochaine fois, ça pourrait être nous. »

Ces mots allaient rester en moi. J'entendrais leur écho dans le chant strident des criquets, dans le chuintement liquide des pêches glissant au fond d'un pot en verre, dans le tintement métallique d'une carabine SKS qu'on nettoyait. Je les entendais chaque matin en passant devant le wagon rouge et quand je m'arrêtais au-dessus du massif de mouron blanc et de chardons qui poussaient là où Tyler avait enterré le fusil. Bien plus tard, alors que papa avait oublié sa révélation dans Isaïe et que ma mère recommençait à entasser des pots de fromage blanc « Western Family 2 % » dans le frigo, moi, je n'oubliais pas les Weaver.

Il était presque 5 heures du matin.

J'ai regagné ma chambre, la tête pleine de criquets et de coups de feu. Dans le lit superposé du bas, Audrey ronflait. Son bourdonnement sourd et repus m'invitait à faire de même. Au lieu de quoi, après avoir grimpé dans mon lit, je me suis assise en tailleur et j'ai regardé par la fenêtre. 5 heures. Puis 6 heures. À 7 heures, ma grand-mère a fait son apparition et je l'ai regardée aller et venir en bas dans son patio, en se retournant de temps à autre pour lever les yeux vers la colline et notre maison. Ensuite, grand-père et elle sont montés dans leur voiture et se sont engagés sur la grande route.

Une fois leur véhicule parti, je suis sortie de mon lit et j'ai mangé mon bol de son avec de l'eau. Dehors, la chèvre de Luke, Kamikaze, m'a accueillie en mordillant ma chemise. En me dirigeant vers la grange, je suis passée devant le kart que Richard construisait à partir d'une vieille tondeuse à gazon. J'ai nourri les cochons, j'ai rempli l'abreuvoir et j'ai transféré les chevaux de grand-père dans un nouvel herbage.

Après avoir terminé, j'ai grimpé sur le wagon pour observer la vallée. Il était facile de croire que le wagon bougeait, qu'il s'éloignait à toute vitesse de la vallée et que, d'un instant à l'autre, elle pourrait disparaître derrière moi. Je passais des heures à jouer mentalement avec ces inventions, mais aujourd'hui la bobine du film refusait de s'enclencher. Je me suis tournée vers l'ouest, à l'opposé des champs, face au sommet.

C'était toujours au printemps que la Princesse était la plus éclatante, juste après que les conifères avaient émergé de la neige, leurs aiguilles vert foncé paraissant presque noires sur la terre et l'écorce aux bruns mordorés. Désormais, c'était l'automne. Elle était encore visible mais elle s'effaçait : les rouges et les jaunes des derniers feux de l'été masquaient sa forme noire. Il allait bientôt neiger. Dans la vallée, cette première neige fondrait, mais sur la montagne elle persisterait, enfouissant la Princesse jusqu'au printemps, avant qu'elle réapparaisse, sur ses gardes.

2

La sage-femme

« Vous avez du calendula ? a demandé la sage-femme. Il me faut aussi de la lobélie et de l'hamamélis. »

Assise au comptoir de la cuisine, elle regardait maman fouiller dans nos placards en bouleau. Une balance électrique trônait sur le comptoir entre elles et ma mère s'en servait de temps à autre pour peser des feuilles séchées. C'était le printemps. Il régnait une fraîcheur matinale, malgré le soleil éclatant.

« J'ai préparé un nouveau lot de calendula la semaine dernière, a répondu ma mère. Tara, file nous les rapporter ! »

Je suis allée récupérer la teinture, et ma mère l'a emballée dans un sac plastique avec les herbes séchées. « Rien d'autre ? » a-t-elle demandé d'une voix haut perchée et nerveuse. La sage-femme l'intimidait, et quand elle était intimidée, ma mère, comme en apesanteur, s'agitait dans tous les sens chaque fois que l'autre esquissait un geste.

La sage-femme a consulté sa liste. « Ça ira. »

Celle-ci était une petite dame enrobée, proche de la cinquantaine, gratifiée d'enfants et d'une verrue couleur brun-roux au menton. Elle avait les cheveux les plus longs que j'aie jamais vus, une cascade couleur mulot, qui retombaient jusqu'aux genoux quand elle les libérait de son chignon. Ses traits étaient épais, et sa voix pleine d'autorité. Elle ne possédait ni diplôme ni certificat. Elle était devenue sage-femme par autoproclamation, ce qui était amplement suffisant.

Il était question que ma mère devienne son assistante. Je me souviens de les avoir observées, ce jour-là, de les avoir comparées. Mère avec sa peau couleur pétale de rose et ses cheveux dont les douces ondulations dansaient légèrement sur ses épaules. Ses paupières avaient un éclat chatoyant. Elle se maquillait tous les matins, et si elle n'avait pas le temps, elle ne cessait de s'en excuser durant toute la journée, comme si cela avait incommodé tout le monde.

La sage-femme donnait l'impression de ne plus s'être souciée de son allure depuis dix ans et, à sa manière de se tenir, on se sentait déjà bête de l'avoir remarqué.

D'un signe de tête, elle nous a saluées, les bras remplis des plantes médicinales de ma mère.

À sa visite suivante, elle a amené sa fille Maria, qui restait tout près de sa mère, imitant ses mouvements, un bébé calé contre son buste maigrichon de gamine de neuf ans. Je l'observais avec une pointe d'espoir. Je n'avais jamais rencontré de filles qui, comme moi, n'allaient pas à l'école. Je me rapprochais un peu d'elle,

tâchant d'attirer son attention, mais elle était complètement absorbée par ce que disait sa mère – qu'il fallait
administrer de la viorne obier et de l'agripaume pour
traiter les contractions post-partum. Maria approuvait
en hochant la tête, sans que ses yeux ne quittent un
instant la sage-femme.

Je me suis dirigée vers ma chambre, seule, d'un pas
lourd, mais au moment de fermer la porte, elle se tenait
devant moi, portant toujours le bébé en équilibre sur
sa hanche. C'était un paquet de chair bien dodu, et elle
penchait fortement le torse pour compenser son poids.

« Tu vas y aller ? » a-t-elle demandé.

Je ne comprenais pas la question.

« Moi, j'y vais toujours. Tu as déjà vu un bébé qu'on
met au monde ?

— Non.

— Moi, si. Plein de fois. Tu sais ce que ça veut dire
quand un bébé se présente par le siège ?

— Non », ai-je dit, en guise d'excuses.

La première fois que ma mère a secondé un accouchement, elle s'est absentée deux jours. À son retour,
elle s'est glissée par la porte de derrière, si pâle qu'elle
semblait transparente. Elle a flotté jusqu'au canapé,
où elle est restée, tremblante. « C'était épouvantable,
a-t-elle murmuré. Même Judy m'a avoué qu'elle avait
eu peur. » Mère a fermé les yeux. « Pourtant, elle
n'avait pas l'air. »

Elle s'est reposée plusieurs minutes, elle a repris un
peu de couleurs, puis elle a raconté. Le travail avait été

long, éprouvant, et quand le bébé était enfin sorti, la mère avait subi une vilaine déchirure. Il y avait du sang partout. L'hémorragie refusait de s'arrêter. C'est alors que ma mère s'était rendu compte que le cordon ombilical s'était entortillé autour du cou du bébé. Il était violet, si immobile qu'elle l'avait cru mort. Elle relatait ces moments en s'étreignant la poitrine, et son visage s'est vidé de son sang jusqu'à devenir aussi pâle qu'un œuf.

Audrey a préparé une camomille et nous avons mis notre mère au lit. Lorsque papa est rentré ce soir-là, elle lui a répété son récit. «Je ne peux pas, en a-t-elle conclu. Judy peut, mais moi non.» Papa l'a prise par l'épaule. «C'est un appel du Seigneur, a-t-il dit. Et parfois le Seigneur exige des choses difficiles.»

Ma mère ne voulait pas être sage-femme. C'était une idée de mon père, cela faisait partie de ses projets d'autosuffisance. Il n'y avait rien qu'il ait plus en horreur que notre dépendance vis-à-vis du Gouvernement. Un jour, il nous a annoncé que nous allions nous déconnecter du réseau électrique. Et, dès qu'il aurait réuni l'argent, qu'il projetait de construire une canalisation pour amener l'eau de la montagne. Après cela il installerait des panneaux solaires partout dans la ferme. De la sorte, à la Fin des Temps, nous aurions de l'eau et de l'électricité, quand tous les autres boiraient l'eau des mares et vivraient dans l'obscurité. Mère étant herboriste, elle pourrait veiller sur notre santé, et si elle apprenait à être sage-femme, elle serait capable de mettre au monde ses petits-enfants à mesure qu'ils arriveraient.

Quelques jours après la première naissance, la sage-femme est revenue rendre visite à notre mère. Elle a amené Maria, qui m'a encore suivie jusqu'à ma chambre. «C'est dommage que ta mère en ait eu un premier qui a été dur, a-t-elle dit en souriant. Le prochain, ce sera plus facile.»

Quelques semaines plus tard, cette prédiction s'est trouvée mise à l'épreuve. Il était minuit. Comme nous n'avions pas le téléphone, la sage-femme a appelé grand-mère-en-bas-de-la-colline, qui est montée, fatiguée et ronchonne, pour aboyer qu'il était l'heure pour maman d'aller «jouer au docteur». Elle n'est restée que quelques minutes, mais elle a réveillé toute la maisonnée.

«Pourquoi vous autres ne pouvez pas simplement aller à l'hôpital comme tout le monde? Ça me dépasse», a-t-elle vociféré avant de ressortir en claquant la porte.

Ma mère a attrapé sa besace et la boîte de matériel de pêche qu'elle avait remplie de flacons d'une teinture sombre, puis elle s'est dirigée lentement vers la porte. J'étais inquiète et j'ai mal dormi, mais à son retour le lendemain matin, les cheveux décoiffés et des cernes sombres sous les yeux, j'ai vu ses lèvres se fendre d'un grand sourire. «C'était une fille», a-t-elle déclaré. À la suite de quoi, elle est allée se coucher et elle a dormi toute la journée.

Des mois se sont écoulés de cette manière : mère quittait la maison à toute heure du jour ou de la nuit et rentrait, tremblante, soulagée au tréfonds d'elle-même que ce soit fini. Lorsque les feuilles se sont mises à tomber, elle avait secondé une dizaine de naissances. À la fin de l'hiver, plusieurs dizaines. Au printemps, elle a annoncé à mon père qu'elle en avait assez, qu'elle pourrait toujours mettre au monde un bébé s'il le fallait, quand la Fin du Monde viendrait. En attendant, rien ne l'empêchait de s'arrêter.

À ces mots, le visage de papa s'est décomposé. Il lui a rappelé qu'il s'agissait de la volonté de Dieu, que ce serait la bénédiction de notre famille.

« Tu dois devenir sage-femme, a-t-il insisté. Tu dois savoir mettre un bébé au monde toi toute seule. »

Mère a secoué la tête.

« Je ne peux pas. En plus, qui ferait appel à moi quand tout le monde peut se reposer sur Judy ? »

Elle préférerait s'attirer le mauvais sort, s'exposer à la colère divine. Peu de temps après, Maria m'a appris que son père avait signé pour un nouvel emploi dans le Wyoming.

« Maman dit que ta mère devrait prendre sa suite. »

Une image enthousiasmante a aussitôt pris forme dans mon esprit, moi dans le rôle de Maria, la fille de la sage-femme, confiante, experte. Mais quand je me suis tournée pour regarder ma mère qui se trouvait à côté de moi, cette image s'est évaporée.

Dans l'État d'Idaho, s'improviser sage-femme n'était pas illégal, mais ce n'était pas officiellement approuvé non plus. Si un accouchement se déroulait mal, une sage-femme encourait des poursuites pénales pour exercice illégal de la médecine. Et si les choses s'envenimaient vraiment, elle s'exposait même à des poursuites pour homicide, voire à une peine d'emprisonnement. Peu de femmes souhaitaient prendre un tel risque, et les sages-femmes étaient donc rares : le jour où Judy est partie pour le Wyoming, mère est devenue la seule sage-femme à près de deux cents kilomètres à la ronde.

Des femmes au ventre arrondi se sont peu à peu présentées à la maison en la suppliant de mettre leur bébé au monde. À cette seule idée, ma mère se décomposait. Je revois l'une de ces femmes, assise au bord de notre canapé jaune défraîchi, les yeux baissés, expliquant que son mari était au chômage et qu'ils n'avaient pas d'argent pour payer l'hôpital. Ma mère est restée assise, silencieuse, les yeux rivés sur elle, les lèvres pincées, impénétrable. Et puis ses traits se sont relâchés et elle a dit d'une petite voix : « Je ne suis pas sage-femme, juste une aide. »

Cette femme est revenue à plusieurs reprises. Et, toujours assise au bord de notre canapé, elle s'obstinait à décrire les naissances sans histoire de ses autres enfants. Chaque fois que papa apercevait sa voiture depuis la ferraille, il retournait discrètement dans la maison, par la porte de derrière, sous prétexte de venir prendre de l'eau ; ensuite, il restait dans la cuisine, l'oreille tendue vers le salon, à boire de lentes gorgées silencieuses. Et chaque fois que cette visiteuse repartait, papa avait du mal à contenir son excitation. Tant et si bien que, succombant au désespoir de cette femme ou au ravissement de papa, ou aux deux, mère s'est résignée.

La naissance s'est déroulée sans encombre. Ensuite, ma mère a également mis au monde le bébé d'une amie de cette jeune accouchée. Et puis cette femme avait une amie. Mère a pris une aide. Assez vite, elle aidait tant de bébés à naître qu'Audrey et moi passions nos journées à sillonner les routes de la vallée avec elle. Nous la regardions procéder à des examens prénataux, prescrire des plantes médicinales ; elle est devenue notre professeur comme jamais elle ne l'avait été, puisque nous avions rarement classe à la maison. Elle expliquait chaque remède et chaque traitement palliatif. Si Unetelle avait une tension élevée, il faudrait lui administrer de l'aubépine pour stabiliser le collagène et dilater les vaisseaux sanguins coronaires. Si Mme X ou Y déclenchait des contractions précoces, elle avait besoin d'un bain de gingembre pour augmenter l'apport en oxygène de l'utérus.

Être sage-femme a transformé ma mère. Avec ses sept enfants, elle était déjà une adulte accomplie, mais c'était la première fois de sa vie qu'elle était responsable, sans aucun doute ou restriction. Par moments, les journées suivant une naissance, je percevais chez elle quelque chose de Judy, dans son port de tête volontaire, ou dans sa manière de hausser le sourcil avec autorité. Elle a cessé de se maquiller, puis elle a cessé de s'excuser de ne pas mettre de maquillage.

Ma mère demandait à peu près cinq cents dollars par accouchement, et c'est un autre aspect de cette activité qui l'a transformée : subitement, elle avait de l'argent. Papa ne croyait pas que les femmes devaient travailler, mais il jugeait acceptable, j'imagine, qu'elle soit payée pour son rôle de sage-femme, parce que cela sapait l'autorité du Gouvernement. Et puis nous avions besoin de cet argent. Papa travaillait plus dur que tous les hommes que je connaissais, mais la récupération de métaux, la construction de granges et de hangars à foin ne rapportaient pas grand-chose, et cela aidait que maman puisse payer les commissions avec des enveloppes de petites coupures qu'elle conservait dans son sac à main. Parfois, si nous avions parcouru la vallée toute la journée, pour livrer des plantes médicinales et effectuer des examens prénataux, elle utilisait cet argent pour nous emmener, Audrey et moi, déjeuner dehors. Grand-mère-en-ville m'avait donné un journal intime, une couverture rose décorée d'un ours couleur caramel, et la première fois que maman nous a emmenées au restaurant, je l'ai consignée dedans. «Un endroit très chic avec des menus et tout», ai-je écrit. D'après mes indications, mon repas avait coûté 3,30 dollars.

Ma mère a aussi utilisé cet argent pour améliorer ses prestations de sage-femme. Elle a acheté une bouteille d'oxygène pour le cas où un bébé ne pourrait pas respirer après être sorti, et elle a suivi un cours pour apprendre à suturer, afin d'être capable de recoudre une parturiente dont les chairs seraient déchirées. Judy avait toujours envoyé ces femmes-là à l'hôpital, mais ma mère était décidée à apprendre. Elle devait penser «autonomie», m'imaginais-je.

Avec le reste de son pécule, elle a commandé l'installation d'une ligne téléphonique[1]. Un jour, une camionnette blanche est arrivée, et une équipe de messieurs en combinaisons sombres a grimpé en haut des poteaux de la grande route. Papa a fait irruption par la porte de derrière en exigeant de savoir ce qui se passait, nom de Dieu.

«J'ai pensé que tu aurais envie, toi, d'un téléphone», a répondu ma mère, avec une telle expression de surprise dans le regard qu'on n'aurait rien pu songer à lui reprocher. «Tu disais que si une femme entrait en travail et si grand-mère n'était pas à la maison pour passer un appel, ce serait un souci. J'ai pensé : il a raison, il nous faut un téléphone ! Quelle sotte je suis ! Je me suis trompée ? »

Il est resté planté là quelques secondes, bouche bée. Bien sûr qu'une sage-femme a besoin d'un téléphone, a-t-il reconnu. Puis il est retourné à sa ferraille et c'était tout, plus rien ne s'est jamais dit à ce sujet. Aussi loin que remontaient mes souvenirs, nous n'avions jamais eu de téléphone, mais le lendemain, il était là, posé sur un support vert citron, et son boîtier en plastique

---

1. Si tout le monde s'accorde à penser que, pendant de nombreuses années, mes parents n'avaient pas le téléphone, un complet désaccord subsiste au sein de la famille sur les années où nous en avons eu un. J'ai questionné mes frères, mes tantes, mes oncles et cousins, mais je n'ai pas été en mesure d'arrêter une chronologie, et je me suis donc appuyée sur mes propres souvenirs.

brillant avait l'air complètement déplacé au milieu des pots d'herbe à punaise et de scutellaire.

Luke avait quinze ans quand il a demandé à ma mère s'il pouvait obtenir son acte de naissance. Il voulait s'inscrire à l'auto-école parce que Tony, notre frère aîné, gagnait pas mal d'argent en conduisant des camions de gravier – ce qu'il avait le droit de faire puisqu'il avait le permis. Shawn et Tyler, les plus âgés après Tony, disposaient d'un acte de naissance. Seuls les quatre plus jeunes – Luke, Audrey, Richard et moi – n'en avaient pas.

Ma mère a rempli les formulaires. J'ignore si elle en avait préalablement discuté avec papa. Si c'est le cas, je suis incapable d'expliquer ce qui l'a amené à changer d'avis – pourquoi, subitement et sans affrontement, un terme a-t-il été mis à une politique de refus de figurer dans les registres du Gouvernement vieille de dix ans –, mais j'ai l'impression que c'est lié à ce téléphone. Comme si mon père avait fini par accepter l'idée que s'il devait réellement se battre contre le Gouvernement, il allait devoir prendre certains risques. Le travail de sage-femme de notre mère subvertissait la Médecine officielle mais, pour être sage-femme, elle avait besoin d'un téléphone. La même logique s'appliquait peut-être à Luke : l'obligation d'avoir un revenu pour subvenir aux besoins d'une famille, acheter des provisions et se préparer à la Fin des Temps – donc il aurait besoin d'un acte de naissance. L'autre hypothèse, c'est que maman n'ait pas consulté papa. Peut-être a-t-elle simplement pris cette décision de son propre chef, et il s'y est rangé. Peut-être même, malgré un charisme capable d'emporter tout sur son passage, s'est-il laissé temporairement mettre sur la touche par la détermination de ma mère.

Après avoir rempli les papiers pour Luke, mère a décidé qu'elle ferait aussi bien de nous procurer un acte de naissance à tous. Cela s'est révélé d'une complication inattendue. Elle a mis la maison sens dessus dessous à la recherche de documents prouvant que nous étions ses enfants. Elle n'a rien trouvé. Dans mon cas, personne n'était sûr de ma date de naissance. Mère gardait le souvenir d'une date, papa d'une autre, et grand-mère-en-bas-de-la-colline, qui est allée en ville remplir une attestation sous serment que j'étais sa petite-fille, en a fourni une troisième.

Mère a téléphoné au siège de l'Église, à Salt Lake City. Là-bas, un clerc a déclaré avoir le certificat de mon baptême, à ma naissance, et un autre de ma confirmation qui, comme chez tous les mormons, m'avait été donnée à mes huit ans révolus. Maman en a demandé des extraits qui sont arrivés au courrier quelques jours plus tard. « Mais enfin, bon sang de bonsoir ! » s'est-elle exclamée quand nous avons ouvert l'enveloppe. Chaque document portait une date de naissance différente, et aucune ne concordait avec celle que grand-mère avait mentionnée dans sa déclaration sous serment.

Cette semaine-là, mère est restée des heures pendue au téléphone. Le combiné calé au creux de l'épaule, le cordon tendu en travers de la cuisine, elle cuisinait, nettoyait, et filtrait des teintures d'hydraste du Canada et de chardon béni, tout en ayant indéfiniment la même conversation.

«Évidemment que j'aurais dû l'enregistrer à la naissance, mais je ne l'ai pas fait. Donc voilà où nous en sommes.»

Des voix murmuraient à l'autre bout du fil.

«Je vous ai déjà expliqué, et à votre adjoint, et à l'adjoint de votre adjoint, et à cinquante autres personnes toute cette semaine, qu'elle n'a pas d'école et pas de dossier médical. Elle n'en a pas! Ils n'ont pas été perdus. Je ne peux pas demander de copies. Ils n'existent pas!»

«Son jour de naissance? Eh bien, disons le vingt-sept.»

«Non, je ne suis pas sûre.»

«Non, je n'ai pas de documents.»

«Non, je ne quitte pas.»

Dès que mère admettait ne pas connaître ma date de naissance, les voix la mettaient en attente et la transféraient à leur supérieur, comme si ne pas savoir le jour où j'étais née invalidait le principe même de mon identité. On ne peut pas être une personne sans date de naissance, semblaient-ils dire. Je ne comprenais pas pourquoi. Jusqu'à ce que ma mère décide de se procurer mon acte de naissance, ne pas connaître la date de ma venue au monde ne m'avait jamais paru étrange. Je savais que j'étais née cet automne-là, un dimanche, et chaque année je choisissais un jour, qui ne tombe pas un dimanche parce que ce n'était pas drôle de passer son anniversaire à l'église. J'aurais aimé que ma mère me passe l'appareil pour que je puisse leur expliquer : «J'ai une date d'anniversaire, tout comme vous. Simplement, elle change. Vous n'auriez pas envie de pouvoir changer votre date d'anniversaire, vous ?»

Par la suite, mère a convaincu grand-mère-en-bas-de-la-colline de rédiger une nouvelle déclaration sous serment selon laquelle j'étais née le vingt-sept, quand bien même elle croyait toujours que c'était le vingt-neuf, et l'État d'Idaho finit par émettre un acte de naissance. Je me souviens du jour où il est arrivé au courrier. En recevant cette première preuve juridique de ma propre personne, je me suis sentie curieusement dépossédée : jusque-là, il ne m'était jamais venu à l'esprit que cette preuve était obligatoire.

En fin de compte, j'ai reçu mon acte de naissance bien avant que Luke n'ait le sien. Quand mère avait expliqué à ces voix au téléphone qu'elle pensait que j'étais née un jour de la dernière semaine de septembre, elles étaient restées silencieuses. Mais quand elle leur avait avoué ne pas être certaine de savoir si Luke était né en mai ou en juin, cela les avait franchement mises en émoi.

Cet automne-là, j'avais neuf ans, et j'accompagnais maman pour une naissance. Je le lui réclamais depuis des mois, lui rappelant qu'au même âge que moi, Maria avait déjà assisté à une dizaine d'accouchements.

«Je ne suis pas une mère poule, a-t-elle répliqué. Je n'ai aucune raison de t'emmener. En plus, ça ne te plairait pas.»

Par la suite, une femme qui avait plusieurs enfants en bas âge a fait appel à elle. Tout le monde s'est mis d'accord : je me chargerais des petits pendant l'accouchement.

L'appel est arrivé au milieu de la nuit. La sonnerie a retenti au bout du couloir, et j'ai retenu mon souffle, espérant que ce ne soit pas une erreur. Une minute plus tard, ma mère était à mon chevet. «C'est le moment», m'a-t-elle annoncé, et nous avons couru toutes les deux à la voiture.

Pendant une quinzaine de kilomètres, elle a répété avec moi ce que je devais dire si le pire survenait et si les Fédéraux arrivaient sur place. En aucun cas je ne devais révéler que ma mère était sage-femme. S'ils nous demandaient pourquoi nous étions là, je devais garder le silence. Mère appelait cela «l'art de la boucler». «Tu te contentes de leur raconter que tu t'étais endormie, tu n'as rien vu, tu ne sais rien et tu es incapable de te rappeler pourquoi nous sommes là, me répétait-elle. Ne leur tends pas plus de verges qu'ils n'en ont déjà pour me battre.»

Mère a fini par se taire. Pendant qu'elle conduisait, je l'observais. Son visage était éclairé par les voyants du tableau de bord et, par contraste avec la noirceur des routes de campagne, il semblait d'une pâleur fantomatique. La peur s'était imprimée dans ses traits creusés, les plis de son front et le pincement de ses lèvres.

Seule avec moi, elle avait fait tomber le masque qu'elle réservait aux autres. Elle redevenait celle qu'elle était, fragile, inquiète.

J'entendais des murmures feutrés, et je me suis rendu compte qu'ils venaient d'elle. Elle ressassait toutes sortes de cas de figure. Et si quelque chose tournait mal ? Et si cette femme avait des antécédents médicaux dont on ne lui aurait pas parlé ? des complications ? Ou s'il arrivait quelque chose d'ordinaire, un incident banal, et qu'elle paniquait et ne réussissait pas à stopper l'hémorragie à temps ? D'ici peu, nous allions arriver, et elle tiendrait deux vies dans ses mains tremblantes. Jusqu'à cet instant, je n'avais jamais mesuré les risques qu'elle prenait. « Des gens meurent dans les hôpitaux, chuchotait-elle, tel un spectre, les doigts agrippés au volant. Parfois, Dieu les rappelle à lui, et on ne peut rien y faire. Mais si cela arrive à une sage-femme… » Elle s'est tournée, s'est adressée directement à moi. « Il suffit d'une seule bévue, et tu devras me rendre visite en prison. »

À notre arrivée, ma mère s'est transformée. Elle a lancé tout un chapelet d'instructions, au père, à la mère, et à moi. J'en ai presque oublié de faire ce qu'elle me demandait, je ne pouvais plus détacher mon regard d'elle. Je me rends compte maintenant que, cette nuit-là, je la découvrais pour la première fois, elle et la force secrète qu'elle recelait.

Elle aboyait des ordres et nous avons tous obéi sans un mot. Le bébé est né sans problème. C'était à la fois mythique et romantique d'être ainsi l'intime témoin de ce grand moment du cycle de la vie, mais ma mère avait raison : cela ne me plaisait pas. C'était long et épuisant, et cela sentait la sueur d'entrejambe.

Pour la naissance suivante, je ne lui ai pas demandé de l'accompagner. Mère est rentrée à la maison pâle et bouleversée. D'une voix tremblante, elle nous a raconté toute l'histoire, à ma sœur et à moi : le rythme cardiaque du bébé encore à naître avait chuté dangereusement, jusqu'à n'être plus qu'un murmure ; elle avait appelé une ambulance, puis décidé qu'elle ne pouvait plus attendre et emmené la mère dans sa voiture. Elle avait conduit si vite qu'à son arrivée à l'hôpital, elle avait bénéficié d'une escorte de police. Aux urgences, elle s'était efforcée de fournir aux médecins les informations dont ils avaient besoin sans paraître trop informée, pour qu'ils ne la soupçonnent pas d'être une sage-femme sans diplôme.

L'équipe médicale avait pratiqué une césarienne d'urgence. La mère et le bébé sont restés plusieurs jours à l'hôpital, et lorsqu'ils ont pu sortir, ma mère avait cessé de trembler. En fait, elle était aux anges et a commencé à raconter l'histoire autrement, savourant le moment où les policiers, l'ayant invitée à se ranger sur le bas-côté de la route, avaient été surpris de découvrir sur la banquette arrière une femme qui gémissait, manifestement en plein travail.

« Je me suis coulée dans le rôle de l'écervelée, nous expliquait-elle, à Audrey et moi, d'une voix plus affirmée. Les hommes aiment s'imaginer qu'ils vont secourir une pauvre dinde qui s'est mise dans de beaux draps. Tout ce que j'avais à faire, c'était de me mettre en retrait et de les laisser jouer les héros ! »

Pour ma mère, l'épisode le plus périlleux était survenu quelques minutes plus tard, à l'hôpital, après qu'on eut emmené la femme sur une civière. Un médecin l'avait interpellée et lui avait demandé quelle était la raison de sa présence au moment de la naissance. Elle se remémorait cette scène avec un sourire : « Je lui ai posé les questions les plus niaises auxquelles je pouvais penser. » Elle a pris une voix haut perchée de coquette, tout à fait l'opposé de la sienne. « Ah ! C'était la tête du bébé ? Les bébés ne sont pas censés sortir par les pieds ? » Et le médecin avait été convaincu qu'elle n'aurait pu jouer les sages-femmes.

Comme il n'y avait pas au Wyoming d'herboristes aussi compétents que ma mère, quelques mois plus tard, Judy est venue se réapprovisionner à Buck's Peak. Tandis que les deux femmes bavardaient à la cuisine, Judy juchée sur un tabouret, ma mère penchée au-dessus du comptoir, sa main soutenant paresseusement sa tête, je suis allée chercher la liste des plantes médicinales dans la réserve. Maria, un autre bébé dans les bras, m'a suivie. J'ai sorti des feuilles séchées et des bocaux de liquides troubles des rayonnages, tout en vantant les récents exploits de maman et sa confrontation avec le personnel de l'hôpital. Maria avait elle aussi ses histoires à raconter sur leurs démêlés avec les

Fédéraux et leur manière de les éviter, mais dès qu'elle a entamé la première, je l'ai interrompue :

« Judy est une bonne sage-femme, ai-je déclaré en gonflant la poitrine. Mais côté flics et médecins, personne ne joue les idiotes aussi bien que maman. »

3

Des chaussures crème

Ma mère, Faye, était fille de postier. Elle a grandi en ville, dans une maison jaune ceinturée d'une palissade blanche bordée d'iris violets. Sa mère était couturière, la meilleure de la vallée, au dire de certains, si bien que Faye portait de beaux vêtements, tous parfaitement coupés, que ce soient des vestes en velours et des pantalons en polyester, ou des tailleurs-pantalons de laine et des robes en gabardine. Elle allait à l'église et, à l'école, prenait part aux activités collectives. Sa vie avait quelque chose de passionnément ordonné, d'une normalité et d'une respectabilité irréprochable.

Cet air de respectabilité avait été soigneusement entretenu par sa mère, ma grand-mère LaRue. Celle-ci avait atteint la majorité dans les années 1950, au cours de cette décennie brûlante de ferveur idéaliste, après la Seconde Guerre mondiale. Le père de LaRue était un alcoolique – à cette époque, la terminologie de l'addiction et de l'empathie n'avait pas encore été inventée, et les alcooliques étaient encore des ivrognes. Si elle appartenait à la « mauvaise sorte » de famille, elle était néanmoins profondément intégrée dans une communauté mormone très pieuse qui, comme beaucoup de ces communautés, châtiait ses enfants pour les péchés de leurs parents. On la jugeait impossible à marier aux messieurs respectables de la ville. Quand elle rencontra et épousa mon grand-père – un jeune homme au naturel enjoué fraîchement démobilisé de la marine –, elle s'appliqua à fonder une famille parfaite – du moins en apparence. Cela protégerait ses filles, croyait-elle, de ce mépris social qui l'avait tant blessée.

C'était notamment une des raisons d'être de la palissade blanche et des armoires remplies de vêtements confectionnés par ses soins. L'autre conséquence fut le mariage de sa fille avec un jeune homme strict aux cheveux d'un noir de jais et doté d'un certain goût pour le non-conformisme.

Autrement dit, ma mère avait résolument réagi à la respectabilité dont on l'abreuvait. Grand-mère voulait offrir à sa fille ce cadeau qu'elle n'avait jamais reçu : être de bonne famille. Mais Faye refusait d'en entendre parler. Ma mère n'entendait pas révolutionner la société – même au plus fort de sa rébellion, elle a conservé sa foi mormone, et son attachement au mariage et à la maternité –, mais les mouvements sociaux des années 1970 semblent avoir exercé sur elle au moins un effet : elle n'avait aucune envie d'une palissade blanche et de robes de gabardine.

Ma mère m'a raconté des dizaines d'histoires sur son enfance, sur grand-mère s'inquiétant du statut social de sa fille aînée, de la coupe de sa robe en piqué, ou de la couleur de son pantalon de velours. Ces histoires s'achevaient presque toujours avec mon père qui faisait irruption et troquait le velours contre un blue-jean. L'un de ces récits m'est resté. J'ai sept ou huit ans, je suis dans ma chambre et me prépare pour l'église. Je me passe un linge mouillé sur le visage, les mains et les pieds, ne frottant que les endroits où la peau sera visible. Ma mère me regarde enfiler une robe de coton – que j'ai choisie pour ses manches longues, pour ne pas être obligée de me laver les bras – et une ombre passe dans ses yeux.

« Si tu étais la fille de grand-mère, explique-t-elle, nous nous serions levées au point du jour pour t'arranger les cheveux. Ensuite, nous aurions passé le reste de la matinée à nous ronger les sangs pour décider quelles chaussures feraient bonne impression, les blanches ou les crème. »

Un vilain sourire barre le visage de ma mère. Elle tente de faire de l'humour, mais c'est un souvenir amer.

« Même après avoir choisi la paire de chaussures crème, nous serions en retard, car à la dernière minute grand-mère paniquerait et irait en voiture chez cousine Donna lui emprunter ses chaussures crème, car le talon des siennes était plus bas. »

Mère regarde fixement par la fenêtre. Elle s'est repliée en elle-même.

« Blanches ou crème ? dis-je. Ce n'est pas la même couleur ? » Je ne possédais qu'une seule paire de chaussures. Elles étaient noires, ou du moins elles avaient été noires quand ma sœur les portait.

Je me suis tournée vers le miroir et j'ai frotté la saleté incrustée sur le col de ma robe, en songeant à la chance qu'avait eue ma mère d'échapper à un monde dans lequel la différence entre le blanc et le crème était si importante, et où de telles questions pouvaient ruiner une si belle matinée – une matinée qui pouvait être consacrée à piller la ferraille de papa avec la chèvre de Luke.

Mon père, Gene, faisait partie de ces jeunes hommes qui réussissent, on ne sait comment, à se montrer à la fois solennels et malicieux. Il avait un physique étonnant – cheveux d'ébène, visage sévère, anguleux, un nez comme une flèche pointée entre des yeux farouches et profondément enfoncés. Il gardait souvent les lèvres serrées dans un sourire enjoué, comme s'il se moquait du monde entier.

Bien que j'aie vécu mon enfance sur cette même montagne où mon père avait passé la sienne, à nourrir les cochons dans la même mangeoire en fer, je sais très peu de choses sur son adolescence. Il n'en parlait jamais, je ne peux donc m'appuyer que sur les allusions de ma mère, qui me racontait que, plus jeune, grand-père-en-bas-de-la-colline était d'un tempérament violent et explosif. L'usage que faisait ma mère de l'imparfait m'avait toujours paru curieux. En effet, nous nous gardions tous bien de fâcher grand-père. Il était soupe au lait, c'était un fait avéré, et n'importe qui dans la vallée aurait pu le confirmer. Il était aussi buriné à l'extérieur qu'à l'intérieur, aussi tendu et farouche que les chevaux sauvages qu'il laissait galoper dans la montagne.

La mère de papa travaillait en ville à l'agence locale du Farm Bureau[1]. Adulte, papa adopterait des opinions extrêmement radicales au sujet du travail des femmes, même au sein d'une communauté mormone rurale. «La place d'une femme est au foyer», répétait-il chaque fois qu'il voyait une femme mariée travailler en ville. Maintenant que je suis plus âgée, je me demande parfois si cette véhémence en la matière n'était pas plus liée à sa mère qu'à une doctrine. Et s'il n'aurait pas seulement préféré que ma grand-mère soit une mère au foyer, ce qui lui aurait ainsi évité d'être livré aux humeurs de mon grand-père paternel.

Le travail de la ferme a consumé l'enfance de papa. Je doute qu'il ait espéré entrer à l'université. Pourtant, selon ma mère, à l'époque, il débordait d'énergie, de rire et de panache. Il roulait dans une Volkswagen Coccinelle bleu layette, portait des costumes extravagants coupés dans des tissus multicolores et arborait une épaisse moustache alors à la mode.

Ils se sont rencontrés en ville. Faye travaillait comme serveuse au club de bowling, un vendredi soir où Gene s'était aventuré à l'intérieur avec une bande d'amis.

---

1. Créé en 1911, l'American Farm Bureau Federation (AFBF) est un organisme de défense des intérêts du monde agricole. *(N.d.T.)*

Elle ne l'avait encore jamais vu, elle avait donc tout de suite compris qu'il n'était pas de la ville et qu'il devait venir des montagnes. La vie de la ferme avait rendu Gene différent des autres jeunes gens : il était sérieux pour son âge, plus impressionnant physiquement et plus indépendant d'esprit.

La montagne nous confère un sentiment de souveraineté, d'intimité et d'isolement, et même d'emprise sur les choses. Dans ce vaste espace, on peut marcher des heures sans croiser personne, comme en apesanteur au-dessus des pins, des broussailles et des rochers. Cette tranquillité résulte d'une sensation de pure immensité qui vous calme et rend la banalité de l'existence humaine sans importance. Gene a été façonné par cette sorte d'hypnose des montagnes, qui réduit les drames humains au silence.

Dans la vallée, Faye tentait, elle, de fermer ses oreilles aux rumeurs permanentes d'une petite ville, qui pénétraient par les fenêtres et se glissaient sous les portes. Mère se décrivait souvent comme quelqu'un qui voulait plaire : elle disait qu'elle ne pouvait s'empêcher de se demander comment les gens voulaient qu'elle soit, et se sentait obligée de se plier malgré elle à tout ce que cela impliquait. Dans sa maison respectable du centre-ville, sur laquelle empiétaient quatre autres bâtisses si proches que n'importe qui pouvait surveiller par les fenêtres et critiquer à voix basse, Faye se sentait prise au piège.

J'ai souvent imaginé le moment où Gene emmena Faye au sommet de Buck's Peak et où, pour la première fois, elle fut dans l'impossibilité de voir les visages ou d'entendre les voix des gens de la ville en contrebas. Ils étaient bien loin. Éclipsés par la montagne, réduits au silence par le vent.

Peu après, ils étaient fiancés.

Mère racontait souvent une histoire du temps où elle n'était pas encore mariée. Elle avait emmené son frère Lynn, dont elle était proche, faire la connaissance de l'homme qu'elle espérait épouser. C'était l'été, à la tombée du jour, et les cousins de papa faisaient un raffut terrible comme toujours après une moisson. En arrivant sur place, Lynn avait découvert une pièce remplie de grosses brutes aux jambes arquées qui se hurlaient dessus en fouettant l'air de leurs poings serrés. Croyant assister à une bagarre tout droit sortie d'un film avec John Wayne, il avait voulu appeler la police.

« Je lui ai conseillé de mieux écouter », expliquait mère en riant aux larmes. Elle racontait toujours cet épisode de la même manière, et c'était l'un de nos préférés, si bien que lorsqu'elle s'écartait du scénario habituel, nous le reprenions à sa place. « J'ai conseillé à Lynn de prêter un peu plus d'attention à ce que braillaient ces messieurs. On se serait cru dans un nid de frelons, tout le monde avait l'air furieux, mais en réalité ils avaient une charmante conversation. Il fallait surtout écouter ce qu'ils se disaient, et pas leur manière de se le dire. Je lui ai expliqué : "C'est comme ça qu'on se parle, chez les Westover !" »

En général, quand elle arrivait au bout de l'histoire, nous roulions par terre de rire. Rien que d'imaginer notre oncle si guindé, à l'allure si professorale, rencontrant la turbulente troupe de papa, on rigolait à en avoir des douleurs aux côtes. Lynn avait trouvé cette scène si déplaisante qu'il n'était jamais revenu et, de toute mon existence, je ne l'ai jamais vu dans la montagne. C'était bien fait pour lui, pensions-nous, car il était venu pour ramener maman vers son monde de robes en gabardine et de chaussures couleur crème. Nous comprenions que la dissolution de la famille de maman avait permis l'investiture de la nôtre. Les deux ne pouvaient coexister. Seule l'une des deux pourrait l'avoir pour elle tout entière.

Mère ne nous a jamais révélé que sa famille s'était opposée à ses fiançailles, mais nous le savions. Il subsistait des traces que les décennies n'avaient pas effacées. Mon père mettait rarement les pieds dans la maison de grand-mère-en-ville et, quand ça lui arrivait, il gardait un air maussade, les yeux rivés sur la porte. Enfant, je connaissais à peine mes tantes, oncles ou cousins du côté de ma mère. Nous leur rendions rarement visite – je ne savais même pas où la plupart d'entre eux habitaient – et il était encore plus rare qu'ils viennent nous rendre visite dans la montagne. À l'exception de ma tante Angie, la sœur cadette de ma mère, qui vivait en ville et insistait pour voir ma mère.

Ce que je sais des fiançailles de mes parents m'est parvenu par bribes, pour l'essentiel grâce aux récits que m'en faisait ma mère. Je sais qu'elle avait déjà la bague au doigt avant que papa ne parte deux ans pour la Floride, en mission de prosélytisme – une obligation pour tous les hommes mormons croyants. Lynn a profité de cette absence pour présenter à sa sœur tous les hommes célibataires qu'il avait pu dénicher de ce côté-ci des Rocheuses, mais aucun d'eux n'avait pu faire oublier à ma mère ce garçon de ferme d'allure sévère qui régnait sur son bout de montagne.

Gene était rentré de Floride et mes parents s'étaient mariés.

C'est LaRue qui avait cousu sa robe de mariage.

Je n'ai qu'une seule photographie des noces. C'est celle de mes parents qui posent devant un rideau de tulle couleur ivoire. Mère porte une robe traditionnelle de soie brodée de perles et de dentelle de Venise, dont le col masque la clavicule. Un voile brodé lui couvre la tête. Mon père porte un costume crème à larges revers noirs. Ils sont tous deux ivres de bonheur, mère sourit, aux anges, et le sourire de papa est si grand que les commissures de ses lèvres pointent aux deux extrémités de sa moustache.

J'ai du mal à croire que le jeune homme tranquille sur cette photographie soit mon père. L'image, très nette, que j'ai de lui est celle d'un homme d'âge mûr et fatigué, craintif et inquiet, amassant provisions et munitions.

Je ne sais quand l'homme de cette photographie est devenu l'homme que je connais comme étant mon père. Peut-être n'y a-t-il jamais eu de moment précis. Papa s'est marié à vingt et un ans, a eu son premier fils, mon frère, Tony, à vingt-deux. À vingt-quatre ans, il avait demandé à ma mère s'ils pouvaient recourir à une herboriste pour mettre au monde mon frère Shawn. Elle avait accepté. Était-ce le premier indice, ou était-ce juste Gene tel qu'en lui-même, excentrique et non-conformiste, cherchant à choquer ses beaux-parents, qui désapprouvaient ? Toujours est-il que Tyler était né, vingt mois plus tard, à l'hôpital. Papa avait vingt-sept ans quand Luke était né à la maison, mis au monde par une sage-femme. Il avait décidé de ne pas demander d'acte de naissance, une décision qu'il avait reproduite avec Audrey, Richard et moi. Quelques années plus tard, à peu près à l'époque où il passait le cap de la trentaine, papa avait retiré mes frères de l'école. Je ne m'en souviens pas, parce que c'était avant ma naissance, mais je me demande si cela n'a pas été un tournant. Au cours des quatre années qui avaient suivi, papa s'était débarrassé du téléphone et avait choisi de ne pas renouveler son permis de conduire. Il avait arrêté d'immatriculer et d'assurer la voiture de la famille. Ensuite, il s'était mis à stocker des aliments.

Cette dernière partie ressemble bien à mon père, mais ce n'est pas le père dont mes frères aînés gardent le souvenir. Papa venait d'avoir quarante ans quand les Fédéraux ont assiégé la maison des Weaver, un événement qui l'avait conforté dans ses pires frayeurs. Après cela, il était parti en guerre – même si la guerre n'a jamais eu lieu que dans sa tête. C'est peut-être pour cela que Tony regarde cette photo et y voit son père, et moi, un étranger.

Quatorze ans après l'incident avec les Weaver, assise dans une salle à l'université, j'écoutais un professeur de psychologie décrire ce qu'il appelait le trouble bipolaire. Jusqu'à ce moment, je n'avais jamais entendu parler de maladie mentale. Je savais que des gens pouvaient devenir fous – ils se coiffaient la tête d'un chat mort ou tombaient amoureux d'un navet –, mais l'idée qu'une personne pouvait être fonctionnelle, lucide, persuasive, et qu'il puisse y avoir quand même un problème, ne m'était jamais venue à l'esprit.

Le professeur exposait les faits d'une voix monocorde et rauque : l'âge moyen des premières manifestations se situe autour de vingt-cinq ans ; avant cela, il peut n'y avoir aucun symptôme.

L'ironie de la chose, c'était que si papa se révélait bipolaire – ou s'il était atteint de n'importe quel mal parmi la dizaine d'affections susceptibles d'expliquer son comportement –, cette même paranoïa, qui était un symptôme de sa maladie, l'empêcherait à jamais de recevoir un diagnostic ou un traitement. Personne n'en saurait jamais rien.

Grand-mère-en-ville est morte il y a trois ans, âgée de quatre-vingt-six ans.

Je ne l'ai pas bien connue.

Toutes ces années que j'avais passées plus ou moins dans sa cuisine, elle ne m'avait jamais dit ce que lui avait inspiré le fait de voir sa fille s'enfermer, s'emmurer entre fantômes et délires.

Quand je me la représente maintenant, cela m'évoque une seule et unique image, comme un projecteur de diapositives dont le carrousel serait bloqué. Elle est assise sur une banquette rembourrée. Ses cheveux encadrent son visage de leurs boucles serrées, et ses lèvres sont pincées comme soudées en un sourire poli. Son regard est agréable, mais vide, comme si elle suivait le déroulement d'une pièce de théâtre.

Ce sourire me hante. Il était permanent, c'était le seul élément éternel, impénétrable, détaché, dépassionné. Maintenant que je suis plus âgée et que je me suis donné la peine de mieux la connaître, surtout par l'intermédiaire de mes tantes et de mes oncles, je sais qu'elle n'était rien de tout cela.

J'ai assisté au service funéraire. Le cercueil était ouvert et je me suis surprise à scruter son visage. Les embaumeurs n'avaient pas su reproduire l'expression des lèvres – elles étaient dépouillées du gracieux sourire qu'elle portait comme un masque de fer. C'était la première fois que je la voyais sans, et au même instant j'ai songé que grand-mère était la seule personne qui aurait pu comprendre ce qui m'arrivait. En quoi la paranoïa et le fondamentalisme ont déstructuré mon existence, en quoi ils me privaient des gens auxquels je tenais pour les remplacer par des diplômes et des certificats – une façade de respectabilité. Ce qui se passait maintenant s'était déjà produit. C'était la seconde rupture entre mère et fille. La bande tournait en boucle.

4

Femmes apaches

Personne n'a vu la voiture sortir de la route. Mon frère Tyler, qui avait dix-sept ans, s'était endormi au volant. Il était 6 heures du matin et il avait conduit en silence presque toute la nuit, pilotant notre break à travers l'Arizona, le Nevada et l'Utah. Nous étions à Cornish, une petite ville à une trentaine de kilomètres au sud de Buck's Peak, quand le break s'est déporté, a franchi la ligne médiane, traversé la voie d'en face et quitté la nationale. Le véhicule a sauté un fossé, heurté deux poteaux électriques en cèdre massif, avant de finalement s'immobiliser après avoir percuté un tracteur en train de labourer.

Ce voyage était une idée de maman.

Quelques mois plus tôt, alors que les premières feuilles friables et déjà desséchées voletaient jusqu'au sol, signalant la fin de l'été, papa était euphorique. Au petit déjeuner, il tapait du pied sur des airs de comédies musicales, et au dîner il désignait souvent la montagne, les yeux brillants, et nous expliquait où il allait poser des conduites pour acheminer l'eau tout en bas, jusqu'à la maison. Il nous avait promis qu'aux premières chutes de neige il fabriquerait la plus grosse boule de tout l'État d'Idaho. Pour cela, disait-il, il marcherait jusqu'au pied de la montagne et confectionnerait une petite boule de neige, puis il la roulerait tout en bas de la pente, la verrait tripler de taille chaque fois qu'elle franchirait une bosse ou dévalerait un ravin. Lorsqu'elle atteindrait la maison, située au sommet de la dernière colline avant la vallée, elle serait aussi grosse que la grange de grand-père. Alors les gens sur la nationale lèveraient le nez vers cette apparition, sidérés. Il nous fallait juste la bonne neige. De gros flocons collants. Après chaque chute de neige, nous lui en rapportions par brassées et le regardions la tâter. Trop fine. Celle-ci, trop mouillée. Après Noël, promettait-il. C'est à cette période qu'on obtient de la vraie et bonne neige.

Mais après Noël, papa avait semblé se décourager, s'effondrer sur lui-même. Il avait cessé de parler de la boule de neige, puis de parler tout court. Une noirceur s'accumulait dans son regard, jusqu'à le noyer. Il marchait les bras ballants, les épaules voûtées, comme si quelque chose l'entraînait vers la terre.

En janvier, il était incapable de sortir de son lit. Il restait allongé sur le dos à contempler fixement le plafond en stuc avec ses moulures aux creux et aux reliefs compliqués. Quand je lui apportais son dîner le soir, il ne bronchait pas. Je ne suis pas certaine qu'il percevait ma présence.

C'est alors que ma mère nous avait annoncé notre départ pour l'Arizona. Elle prétendait que papa était comme un tournesol – sous la neige, il allait dépérir – et que, d'ici février, il fallait le transplanter au soleil. Nous nous étions donc tous entassés dans le break et avions roulé durant douze heures, franchi des canyons, suivi des routes sinueuses, foncé sur des autoroutes, jusqu'à ce que nous arrivions au désert brûlant d'Arizona, dans le mobile home où mes grands-parents attendaient que l'hiver se passe.

Nous étions arrivés quelques heures avant le coucher du soleil. Papa avait réussi à marcher jusqu'à la véranda de grand-mère, où il était resté jusqu'à la fin de la journée, un coussin en tricot sous la tête, une main calleuse sur le ventre. Il avait conservé cette posture deux jours, les yeux ouverts, sans prononcer un mot, aussi immobile qu'un buisson dans cette chaleur sèche et sans vent.

Le troisième jour, il avait paru recouvrer ses esprits et, au lieu de regarder fixement le tapis, prendre conscience de l'activité autour de lui, et écouter nos bavardages lors des repas. Ce soir-là, après le dîner, grand-mère avait écouté ses messages téléphoniques – surtout des voisins et des amis qui la saluaient. Ensuite, une voix de femme rappelant à grand-mère son rendez-vous du lendemain chez le médecin avait retenti dans le haut-parleur. Ce message avait eu un effet dramatique sur papa.

Au début, il avait posé des questions à grand-mère : à quoi servait ce rendez-vous, pourquoi voulait-elle voir un docteur alors que mère pouvait lui donner des teintures ?

Papa avait toujours cru passionnément aux vertus des plantes médicinales de maman, mais ce soir-là, l'impression était différente, comme si quelque chose en lui se déplaçait, comme si une nouvelle certitude s'emparait de lui. La phytothérapie, estimait-il, était une doctrine spirituelle qui séparait le bon grain de l'ivraie, les croyants des incroyants. Ensuite, il avait usé d'un mot que je n'avais encore jamais entendu : Illuminati. Ce terme avait une consonance exotique, puissante, sans que j'en sache la nature. D'après lui, grand-mère était à son insu un agent des Illuminati.

Dieu ne pouvait tolérer l'incroyance, avait-il poursuivi. C'est pour cela que les pécheurs les plus odieux étaient ceux qui refusaient de trancher, ceux qui utilisaient à la fois des plantes et des médicaments, qui venaient solliciter notre mère le mercredi avant d'aller consulter le médecin le vendredi – ou qui, selon sa formule, « adoraient Dieu en son autel un jour et offraient un sacrifice à Satan le lendemain ». Ces gens étaient comme les anciens Israélites, parce qu'ils étaient dévoués à la vraie religion, mais s'inféodaient à de fausses idoles.

« Docteurs et pilules ! s'était écrié papa. C'est leur dieu, et ils se prostituent pour lui. »

Mère avait gardé le nez baissé sur son assiette. Mais à ces mots – « ils se prostituent » –, elle s'était levée, lui avait lancé un coup d'œil furieux, puis s'était retirée dans sa chambre en claquant la porte. Mère n'était pas toujours d'accord avec papa. Quand il n'était pas là, je l'avais entendue dire des choses qu'il – ou du moins sa nouvelle incarnation – aurait jugées sacrilèges. Des choses comme : «Les plantes médicinales sont un complément. Pour les cas graves, il faut aller consulter un docteur.»

Papa n'avait pas remarqué la chaise vide de maman.

«Ces médecins ne sont pas là pour te sauver, s'obstinait-il devant grand-mère. Ils essaient de te tuer.»

Quand je repense à ce dîner, la scène me revient clairement. Je suis à table. Papa parle, d'une voix impérieuse. Grand-mère est assise en face de moi, elle mâche son asperge, interminablement, la mâchoire de travers, comme le ferait une chèvre, elle boit de petites gorgées de son eau glacée, sans rien qui laisse entrevoir qu'elle ait retenu un mot de ce qu'a dit papa. Seul son regard contrarié se tourne par instants vers la pendule, qui lui indique qu'il est encore trop tôt pour aller se coucher. «Tu participes sciemment aux desseins de Satan», poursuit papa.

Cette scène m'est revenue tous les jours, parfois plusieurs fois par jour, pendant le reste du voyage. Chaque fois, elle suivait le même canevas. Sa ferveur ainsi attisée, papa ne s'arrêtait plus de discourir pendant une heure voire plus, rabâchait les mêmes phrases, alimenté par une passion intérieure qui continuait de brûler longtemps après que ce sermon nous eut plongés dans une espèce de stupeur froide.

À la fin de ces sermons, grand-mère avait une manière mémorable de rire. C'était une sorte de soupir, un long filet d'air qui n'en finissait pas de s'échapper et qui s'achevait lorsqu'elle levait les yeux au ciel avec une mimique supposée imiter l'exaspération, comme si elle avait envie de tendre les mains vers le ciel, mais était trop fatiguée pour achever son geste. Ensuite, elle souriait – non pas un sourire réconfortant adressé à l'autre, mais un sourire pour elle-même, d'amusement déconcerté, un sourire qui pour moi semblait vouloir dire : *Il n'y a rien de plus drôle que la vie, c'est moi qui vous le dis.*

Par un après-midi caniculaire, si brûlant qu'on ne pouvait marcher pieds nus sur le dallage, grand-mère nous a emmenés, Richard et moi, faire un tour en voiture dans le désert, non sans nous avoir forcés à boucler nos ceintures de sécurité, que nous n'avions encore jamais attachées jusque-là. Nous avons roulé jusqu'à ce que la route commence à monter, puis l'asphalte s'est changé en poussière sous nos roues. Pourtant, grand-mère a continué de grimper dans ces collines blanchies, pour ne s'arrêter qu'au bout de la piste de terre, au début d'un chemin de randonnée. Ensuite nous avons marché. Au bout de quelques minutes, grand-mère était à bout de souffle. Elle s'est assise sur une pierre rouge et plate et nous a montré une formation rocheuse au loin, composée d'aiguilles écroulées, semblables à de petites ruines, et suggéré d'aller dans cette direction. Une fois sur place, nous devions chercher des pépites de roche noire.

« Ils appellent cela des larmes d'Apache », a-t-elle expliqué. Elle a plongé la main dans sa poche et en a ressorti un petit caillou noir, sale et irrégulier, veiné de gris et de blanc, comme du verre fêlé. «Et c'est à ça qu'elles ressemblent quand elles ont été un peu polies.» De son autre poche, elle a retiré une seconde pierre, qui était d'un noir d'encre et si lisse qu'elle en paraissait molle.

Richard les a identifiées toutes les deux : c'était de l'obsidienne.

«Ce sont des roches volcaniques, a-t-il commenté d'un ton d'encyclopédiste. Mais pas celle-là.» Il a donné un coup de pied dans une pierre délavée, avec un geste vers la formation rocheuse. «Ce sont des sédiments.» Richard avait un talent pour les anecdotes à caractère scientifique. D'ordinaire, je ne tenais aucun compte de ses leçons, mais ce jour-là ses propos et ce terrain étrange et privé d'eau m'ont captivée. Nous avons marché tout autour de cette formation pendant une heure et sommes revenus auprès de grand-mère, nos pans de chemise remplis de cailloux. Grand-mère était contente, elle pourrait les vendre. Elle les a entassés dans le coffre et, sur la route du retour, nous a raconté la légende des larmes d'Apache.

Selon elle, une centaine d'années plus tôt, une tribu apache avait combattu contre la cavalerie des États-Unis, sur ces rochers émoussés. La tribu était en infériorité numérique : la bataille perdue, la guerre était terminée. Il ne restait plus qu'à attendre de mourir. Dès le début des combats, les guerriers avaient été pris au piège sur une corniche. Refusant d'essuyer une défaite humiliante, fauchés les uns après les autres en tentant de se forcer un passage dans les rangs de la cavalerie, ils avaient enfourché leurs montures et chargé vers la falaise. Quand les femmes apaches avaient retrouvé les corps disloqués sur les rochers en contrebas, leurs larmes de désespoir s'étaient transformées en pierre en touchant le sol.

Grand-mère ne nous a jamais raconté ce qu'il était advenu de ces femmes. Les Apaches étaient en guerre mais n'avaient plus de combattants, aussi trouvait-elle peut-être la fin trop sinistre pour la prononcer à voix haute. Le mot « abattoir » venait à l'esprit, parce que c'était le terme approprié pour une bataille où l'un des deux camps n'oppose aucune défense. C'est le mot que nous utilisons à la ferme. Nous abattions des poulets, nous ne les combattions pas. Un massacre, telle était l'issue probable de la bravoure de ces guerriers. Ils avaient péri en héros, et leurs épouses en esclaves.

Tandis que nous roulions en direction du mobile home, et que le soleil étirait ses derniers rayons en travers de la route, je pensais aux femmes apaches. Comme l'autel de pierre sur lequel les Indiens étaient morts, la forme de leur existence avait été déterminée des années auparavant – bien avant que leurs chevaux n'entament leur galop et ne décrivent la courbe qui les entraînerait vers la chute finale. Longtemps avant le grand saut, la manière dont ces femmes vivraient et dont elles mourraient était déjà fixée. Par ces guerriers. Par ces femmes. Ces choix, aussi innombrables que des grains de sable, avaient été empilés, comprimés, fondus en sédiments, puis en roches, jusqu'à ce que le tout soit scellé dans la pierre.

Je n'avais encore jamais quitté notre montagne et celle-ci me manquait. Je songeais à la Princesse inscrite dans les pins, d'un bout à l'autre du massif. Je me surprenais à lancer des regards vers ce ciel vide de l'Arizona, espérant voir sa forme noire enfler et sortir de terre, revendiquer sa moitié des cieux. Mais elle n'était pas là. Outre le spectacle qu'elle offrait, c'étaient ses caresses qui me manquaient – le vent qu'elle envoyait dans les canyons et les ravins pour balayer mes cheveux tous les matins. En Arizona, il n'y avait pas de vent. Juste une suite d'heures pétrifiées de chaleur.

Je passais mes journées à me traîner d'un bout à l'autre du mobile home, puis je sortais par la porte du fond, je traversais le patio, jusqu'au hamac, et revenais sur mes pas, jusqu'à la véranda, où j'enjambais la silhouette à demi-consciente de papa, avant de retourner à l'intérieur. Ce fut un grand soulagement quand, le sixième jour, le tout-terrain de grand-père est tombé en panne et que Tyler et Luke ont dû le démonter pour étudier le problème. Je les regardais s'affairer, assise sur un gros bidon de plastique bleu, me demandant quand nous allions pouvoir repartir. Quand papa s'arrêterait de parler des Illuminati. Quand ma mère cesserait de sortir de la pièce dès que mon père y entrait.

Ce soir-là, après le dîner, papa a décidé qu'il était temps de rentrer : «Rassemblez vos affaires ! On prend la route dans une demi-heure.» C'était en début de soirée, et grand-mère a répliqué qu'il était ridicule d'entamer un tel trajet à cette heure. Ma mère a suggéré d'attendre le lendemain matin. «Je ne peux pas me permettre de perdre encore d'autres journées de travail», a-t-il décrété.

Les yeux de ma mère se sont assombris, mais elle n'a rien ajouté.

Je me suis réveillée quand la voiture a heurté le premier poteau. Je m'étais endormie sur le plancher, aux pieds de ma sœur, une couverture sur la tête. J'ai tenté de me redresser, mais le break tremblait, secoué en tous sens, comme s'il se démantibulait, et Audrey m'est tombée dessus. J'étais dans l'incapacité de voir ce qui se passait, mais je le sentais et l'entendais. Un autre coup violent et sourd. Une autre embardée. Ma mère qui hurle «Tyler!», et une dernière secousse brutale avant que tout s'arrête et que le silence s'installe.

Plusieurs secondes se sont écoulées durant lesquelles il ne s'est rien passé. Ensuite, j'ai entendu la voix d'Audrey. Elle nous a appelés par nos noms, l'un après l'autre.

«Tout le monde est là, sauf Tara!» s'est-elle exclamée.

J'ai essayé de crier, mais mon visage était coincé sous le siège, ma joue plaquée contre le plancher. Je me suis démenée, écrasée sous le poids d'Audrey alors qu'elle prononçait mon nom. Enfin, j'ai cambré le dos pour la repousser, puis j'ai pointé la tête de la couverture.

«Je suis là!»

J'ai regardé autour de moi. Tyler avait le haut du corps complètement tordu, pratiquement retourné contre la banquette arrière ; ses yeux exorbités en scrutant chaque coupure, chaque contusion, chacune de nos mines ébahies. Son visage ne ressemblait plus à son visage. Du sang lui giclait de la bouche, coulait sur son tee-shirt. J'ai fermé les yeux, m'efforçant d'oublier ses dents de travers, sanguinolentes. Quand je les ai rouverts, c'était pour vérifier l'état de chacun de nous. Richard se tenait la tête, une main sur chaque oreille, comme pour empêcher un bruit de l'atteindre. Le nez d'Audrey était bizarrement devenu crochu et le sang qui en sortait dégoulinait sur son bras. Luke tremblait, mais je ne voyais aucun sang sur lui. J'avais une entaille à l'avant-bras, provoquée par le choc avec l'armature du siège.

« Tout le monde va bien ? » C'était la voix de ma mère. Il y a eu un grommellement collectif.

« Il y a des câbles électriques qui sont tombés sur la voiture, a annoncé papa. Personne ne sort tant que le courant n'est pas coupé. »

Sa portière s'est ouverte. Un instant, j'ai cru qu'il avait été électrocuté, mais je l'ai vu sauter, suffisamment loin pour que son corps ne touche pas en même temps la carrosserie et le sol. Je me souviens de l'avoir regardé faire le tour du break à travers ma vitre éclatée. Sa casquette rouge pointée en arrière lui donnait l'air d'un gamin.

Il a donc fait le tour du véhicule, avant de s'accroupir, la tête à hauteur du siège passager.

«Est-ce que ça va ?» a-t-il demandé. Puis il a répété la question plusieurs fois. À la troisième, sa voix tremblait.

Je me suis penchée par-dessus le siège pour voir à qui il parlait, et c'est seulement à ce moment-là que j'ai mesuré la gravité de l'accident. Tout l'avant était compressé, le moteur rabattu sur lui-même, comme un pli dans la roche.

Le soleil matinal a projeté sa lumière éblouissante sur le parebrise, révélant des motifs entrecroisés de fissures et de fêlures dans le verre. Cette vision m'était familière. Sur la ferraille de papa, j'avais vu des centaines de parebrises fracassés, chacun d'eux était unique, avec une espèce de nuage de gaze comme sorti du point d'impact, véritable chronique de la collision. Les fissures de notre parebrise traçaient leur propre histoire. Leur épicentre était un petit anneau cerclé de fissures concentriques pointant vers l'extérieur. Cet anneau était juste devant le siège du passager.

«Ça va ? a demandé papa. Chérie, tu m'entends ?»

Dans le siège passager, le corps de ma mère était détourné de la fenêtre. Je ne pouvais voir son visage, mais sa posture affaissée avait quelque chose de terrifiant.

«Tu m'entends ?» a insisté papa. Enfin, avec un mouvement quasi imperceptible, maman a hoché la tête, et j'ai pu voir le bout de sa queue-de-cheval remuer.

Papa s'est redressé, il a regardé les fils électriques, la terre, puis ma mère d'un air impuissant.

«Tu crois que… je devrais appeler une ambulance ?»

Je crois l'avoir entendu poser cette question. Et s'il l'a posée – ce qui était sûrement le cas –, mère a dû murmurer une réponse ; ou alors elle était peut-être incapable de murmurer quoi que ce soit, je ne sais pas. Je me suis toujours imaginé qu'elle avait réclamé d'être ramenée à la maison.

Plus tard, on m'a expliqué que le fermier dont nous avions heurté le tracteur s'était précipité hors de chez lui. Il allait appeler la police, et nous savions que cela nous vaudrait de gros ennuis, parce que la voiture n'était pas assurée, et qu'aucun de nous n'avait attaché sa ceinture. Il a fallu peut-être vingt minutes après que le fermier eut informé la compagnie d'électricité, Utah Power, pour qu'ils coupent le courant mortel qui courait dans les câbles. Ensuite, papa a soulevé maman hors du break et j'ai pu voir son visage – ses yeux, cachés sous deux cercles noirs de la taille d'une prune, et le gonflement qui déformait ses traits délicats, étirant certaines parties de son visage, en comprimant d'autres.

Je ne sais pas comment nous sommes arrivés à la maison, ni quand, mais je me souviens que le versant de la montagne baignait dans une lumière orangée. Une fois à l'intérieur, j'ai vu Tyler cracher des filets de salive écarlate dans le lavabo de la salle de bains. Ses dents de devant s'étaient cassées contre le volant et déchaussées, si bien qu'elles pointaient vers l'intérieur de sa bouche, vers le palais.

Allongée sur le canapé, mère marmonnait que la lumière lui faisait mal aux yeux. Nous avons fermé les volets. Comme elle voulait descendre au sous-sol, où il n'y avait pas de fenêtres, papa l'a portée en bas et je ne l'ai plus revue avant plusieurs heures, pas avant le soir, lorsque je me suis servie de la faible lumière d'une lampe de poche pour lui apporter son dîner. Et, quand je l'ai vue, je ne l'ai pas reconnue. Ses deux yeux étaient violet foncé, si foncé qu'ils paraissaient noirs, et si gonflés que j'étais incapable de savoir s'ils étaient ouverts ou fermés. Elle m'a appelée Audrey, même après que je l'ai corrigée à deux reprises. «Merci, Audrey. Juste l'obscurité et le silence, ça suffira. L'obscurité. Le silence. Reviens me voir dans un petit moment, Audrey.»

Pendant une semaine, mère n'est pas ressortie du sous-sol. De jour en jour, le gonflement empirait, les hématomes déjà noirs noircissaient encore plus. Tous les soirs, j'étais certaine qu'un visage ne pourrait être plus déformé, mais tous les matins il était encore plus noir, plus tuméfié. Au bout d'une semaine, lorsque le soleil se couchait, nous éteignions les lumières et elle montait. Elle donnait l'impression d'avoir deux boules sanglées au front, aussi grosses que des pommes, aussi noires que des olives.

Il n'a plus jamais été question d'hôpital. Le moment d'une telle décision était passé, et y retourner eût été revenir à toute la violence et à toute la peur de l'accident proprement dit. Papa affirmait que de toute manière, à ce stade, les médecins ne pourraient plus rien pour elle. Elle se trouvait entre les mains de Dieu.

Au cours des mois suivants, mère m'a appelée de quantité de noms. Quand elle m'appelait Audrey, je ne m'inquiétais pas, mais cela devenait troublant lorsque nous avions des conversations et qu'elle m'appelait Luke ou Tony. Dans la famille, tout le monde, même notre mère, a toujours reconnu qu'après l'accident, elle n'avait plus été tout à fait la même. Nous, les enfants, nous l'appelions « Yeux de Raton Laveur ». Nous trouvions ça drôle ; elle avait ces cernes noirs depuis plusieurs semaines, depuis suffisamment longtemps pour qu'on s'y fasse et qu'on les prenne pour sujets de plaisanteries. Nous ignorions que c'était un terme médical. Les yeux de raton laveur. L'hématome en lunettes. Un signe de lésion cérébrale grave.

Tyler était rongé par la culpabilité. Il se sentait responsable de cet accident et n'arrêtait pas de s'accuser des décisions prises par la suite, de leurs répercussions, dont l'écho n'a cessé de résonner, toutes ces années. Il a assumé ce moment et toutes ses conséquences, comme si le temps avait commencé à la seconde où notre break quittait la route, comme s'il n'existait aucune histoire, aucun contexte, aucune action antérieure à cet instant où, à seize ans, il s'était endormi au volant. Aujourd'hui encore, quand mère oublie un détail, si futile soit-il, il a cette expression dans les yeux – celle qu'il avait juste après la collision, quand, la bouche pleine de sang, il avait contemplé ce qu'il s'imaginait être l'œuvre de ses mains. De ses mains seules.

Moi, je n'ai jamais accusé personne de cet accident, et surtout pas Tyler. Cela faisait simplement partie de ces choses qui arrivent. Dix ans plus tard, ma perception changerait, lorsque je basculerais dans l'âge adulte. En repensant à l'accident je songerais toujours aux femmes apaches, et à toutes les décisions qui finissent par façonner une vie – les choix que font les gens, à plusieurs et de leur propre initiative, qui se combinent pour produire un événement donné. Un nombre incalculable de grains de sable qui, comprimés, deviennent sédiment, puis rocher.

5

De la saleté qui ne ment pas

La montagne entamait son dégel et la Princesse s'est profilée sur le versant, sa tête effleurant le ciel. C'était un dimanche, un mois après l'accident, et tout le monde s'était réuni au salon. Papa avait commencé d'expliquer par le menu le sens des Saintes Écritures quand Tyler s'est raclé la gorge avant de prendre la parole.

«Je v-v-vais à l'université», a-t-il annoncé, le visage figé. Alors qu'il forçait ces mots à sortir, une veine saillait dans son cou, disparaissant toutes les deux ou trois secondes, comme un long serpent en difficulté.

Tout le monde a regardé papa. Il avait une expression fermée, impassible. Ce silence était pire que des hurlements.

Tyler serait le troisième de mes frères à quitter la maison. L'aîné, Tony, conduisait des poids lourds, charriait du gravier ou de la ferraille, s'efforçant d'amasser assez d'argent pour épouser la fille du bout de la rue. Le suivant, Shawn, s'était querellé avec papa quelques mois auparavant et avait pris le large. Depuis lors, je ne l'avais plus revu, mais il appelait rapidement maman toutes les deux ou trois semaines pour lui assurer qu'il allait bien, qu'il faisait de la soudure ou conduisait des camions. Si Tyler partait à son tour, papa n'aurait plus d'équipe – et, sans équipe, il ne pouvait plus construire de granges ou d'appentis. Il serait obligé de se rabattre sur sa ferraille.

« Quelle université ? ai-je demandé.

— L'université, c'est de l'école en plus pour des gens qui sont trop bêtes pour apprendre du premier coup », a lâché papa.

Tyler regardait fixement par terre, le visage crispé. Ensuite, il a rentré les épaules, son visage s'est relâché et il a levé les yeux vers le plafond. J'ai eu l'impression qu'il était comme sorti de lui-même. Son regard s'était adouci. Je ne le voyais plus, comme s'il n'était plus là.

Il a écouté papa, qui se lançait dans un sermon : « Les profs d'université, il y en a de deux sortes. Ceux qui mentent et qui le savent, et ceux qui croient dire la vérité. » Il a eu un grand sourire. « Je ne sais pas ce qui est pire, un agent de bonne foi des Illuminati, qui sait au moins qu'il émarge chez le diable, ou un professeur à l'esprit noble qui s'imagine que son savoir est plus important que celui de Dieu. » Papa continuait de sourire. La situation n'était pas grave ; il avait juste besoin de raisonner un peu son fils.

Mère a répliqué que papa perdait son temps, que personne ne parviendrait à convaincre Tyler, maintenant qu'il avait pris sa décision.

« Tu pourrais aussi bien prendre un balai et te mettre à balayer la terre de la montagne », a-t-elle ironisé avant de se lever. Il lui a fallu quelques instants pour trouver son équilibre, et elle est repartie d'un pas lourd.

Elle avait la migraine – elle souffrait tout le temps de maux de tête. Elle continuait de passer ses journées au sous-sol et ne montait qu'après le coucher du soleil. Et même à ce moment-là, elle ne restait guère plus d'une heure avant que la combinaison du bruit et de l'épuisement ne lui déclenche des élancements dans le crâne. J'ai suivi des yeux sa lente et prudente descente dans l'escalier, le dos voûté, les deux mains agrippées à la barre, comme si elle était aveugle et cherchait son chemin à tâtons. Elle attendait d'avoir les deux pieds fermement posés sur le sol avant de faire le pas suivant. Les hématomes de son visage s'étaient presque résorbés, et elle était presque redevenue elle-même, excepté les cernes qui, après être passés du noir au violet foncé, avaient à présent pris une teinte à mi-chemin entre le lilas et le raisin.

Une heure plus tard, papa ne souriait plus du tout. Tyler n'avait pas réitéré son souhait d'aller à l'université, mais n'avait pas promis de rester non plus. Il demeurait assis là, avec le même air absent, laissant passer l'orage.

« Un homme ne peut pas vivre de livres et de bouts de papier, disait papa. Tu vas devenir chef de famille. Comment subviendras-tu aux besoins d'une épouse et de tes enfants avec des bouquins ? »

Tyler a baissé la tête – c'était sa façon de montrer qu'il écoutait.

« Un de mes fils, qui va aller se coller dans la file pour se faire laver le cerveau par des socialistes et des espions des Illuminati…

— La f-f-faculté est dirigée par l'É-é-glise. Ça n-ne p-peut pas être si mal, non ? »

Papa a laissé échapper un lourd soupir.

« Tu ne crois pas que les Illuminati ont infiltré l'Église ? » s'est-il écrié. Chaque mot se répercutait avec une puissante énergie. « Tu ne crois pas que le premier endroit où ils iraient, c'est cette faculté, où ils peuvent dresser toute une génération de socialistes mormons ? Je t'ai mieux élevé que ça ! »

Je me souviendrai toujours de mon père à cet instant, de sa force, et de son désespoir. Il se penche en avant, la mâchoire contractée, les yeux plissés, scrutant le visage de son fils à la recherche d'un assentiment, d'un signe qui exprimerait une conviction partagée. En vain.

La manière dont Tyler a décidé de quitter la montagne est étrange, pleine de gags et de rebondissements. Ça commence avec Tyler et sa bizarrerie. Cela arrive parfois, dans les familles : un enfant qui ne cadre pas, au rythme décalé, dont le compteur est réglé sur la mauvaise fréquence. Dans notre famille, c'était Tyler. Pendant que nous nous trémoussions, lui dansait la valse. Il était sourd à la cacophonie de nos existences, et nous étions sourds à sa calme polyphonie.

Tyler aimait les livres, appréciait le silence. Il aimait s'organiser, ranger, étiqueter. Un jour, mère a trouvé dans son placard une étagère remplie de boîtes d'allumettes, empilées par année. Tyler lui a expliqué qu'elles contenaient ses taillures de crayon des cinq dernières années, qu'il avait gardées pour en faire des allume-feu à glisser dans nos sacs, quand nous prendrions le large. Le reste de la maison n'était qu'un vaste fouillis : des piles de linge graisseux et noirci par la ferraille, en attente d'être lavé, encombraient le sol des chambres ; dans la cuisine, des bocaux de teinture au contenu trouble étaient alignés un peu partout sur les meubles, qu'on ne débarrassait que pour permettre des travaux encore plus salissants – comme peut-être dépecer une carcasse de cerf ou nettoyer la gangue de Cosmoline qui enveloppait un fusil. Mais au cœur de ce chaos, Tyler, lui, possédait une moitié de décennie de rognures de crayon rangées par année.

Mes frères étaient comme une meute de loups. Ils se provoquaient en permanence, et des bagarres éclataient chaque fois qu'un jeune louveteau traversait une crise de croissance et rêvait de monter en grade. Ces disputes s'achevaient généralement avec ma mère qui poussait des cris en découvrant une lampe ou un vase brisés, mais à mesure que je grandissais, il y avait de moins en moins de choses à casser. Mère disait que dans le temps, quand j'étais bébé, nous avions possédé une télévision, jusqu'à ce que Shawn y envoie valdinguer la tête de Tyler.

Pendant que ses frères se battaient, Tyler écoutait de la musique. Il possédait le seul ghetto-blaster que j'aie jamais vu. À côté de l'appareil se trouvait un tas de CD avec des noms étranges inscrits dessus, comme « Mozart » et « Chopin ». Un dimanche après-midi, Tyler devait avoir seize ans, il m'a surprise en train de les examiner. Lorsque j'ai voulu m'enfuir, parce que je croyais qu'il allait me flanquer une baffe, il m'a pris la main et m'a conduite à sa pile de disques.

« L-l-lequel te p-plaît le plus ? » a-t-il demandé.

L'un d'entre eux était tout noir avec, sur la pochette, une centaine d'hommes et de femmes habillés en blanc. Je le lui ai désigné, il m'a regardée d'un air sceptique.

« C-c-c'est de la musique de chœur », a-t-il dit.

Il a inséré le disque dans le ghetto-blaster noir, puis s'est assis à son bureau pour lire. Je me suis accroupie par terre, à ses pieds, j'ai gratté des formes dans le tapis. La musique a commencé : un souffle de cordes, puis un murmure de voix qui psalmodiaient, aussi douces que de la soie, mais aussi avec quelque chose de perçant. Ce cantique m'était familier – nous le chantions à l'église, tel un chœur de voix dépareillées réunies dans la foi –, mais là c'était différent. La dévotion religieuse était bien là, mais avec une dimension supplémentaire, qui avait trait à l'étude, la discipline et la collaboration. Une dimension que je ne comprenais pas encore.

Le chant s'est achevé et je suis restée assise, sidérée, jusqu'au morceau suivant, puis les autres, jusqu'à la fin du CD. Sans cette musique, la chambre paraissait sans vie. J'ai demandé à Tyler si nous pouvions le réécouter et, une heure plus tard, quand la musique s'est arrêtée, je l'ai supplié de la remettre. Il était très tard, et la maison était silencieuse quand il s'est levé de son bureau pour appuyer sur « Play », m'avertissant que c'était la dernière fois.

« N-n-nous pourrons l-l'écouter encore demain. »

La musique est devenue notre langage. Les difficultés d'élocution de mon frère l'incitaient à se taire. C'est pourquoi nous n'avions jamais beaucoup parlé, lui et moi ; je ne le connaissais pas. Désormais, tous les soirs, quand il rentrait de la ferraille, je l'attendais. Après s'être débarrassé sous la douche de la crasse de la journée, il s'installait à son bureau et me demandait : « Q-q-qu'est-ce que n-n-nous allons é-é-écouter ce soir ? » Je choisissais alors un CD, et il lisait pendant que je m'allongeais par terre à ses pieds, les yeux fixés sur ses chaussettes. J'écoutais.

J'étais aussi bagarreuse que mes frères, mais quand j'étais avec Tyler, je me transformais. Était-ce la musique, la grâce de ces chants, ou sa grâce à lui ? En un sens, il m'amenait à me regarder avec ses yeux à lui. J'essayais de me souvenir de ne pas hurler, d'éviter les bagarres avec Richard – surtout celles qui se terminaient avec nous deux roulant par terre, lui me tirant les cheveux, moi plantant mes ongles dans son visage.

J'aurais dû savoir qu'un jour Tyler partirait – Tony et Shawn étaient partis, et ils étaient liés à la montagne comme Tyler ne l'avait jamais été. Il avait toujours aimé ce que papa appelait « l'apprentissage livresque », qui nous était parfaitement indifférent, à l'exception de Richard.

À une époque, alors que Tyler était encore un jeune garçon, mère faisait preuve d'idéalisme par rapport à l'éducation. Elle répétait souvent qu'on nous gardait à la maison pour que nous puissions recevoir une meilleure instruction que les autres enfants. Mais elle était la seule à nous tenir ce discours, car papa estimait que nous devions acquérir des connaissances plus pratiques. C'était alors un affrontement quotidien : mère s'efforçant de faire cours tous les matins, et papa conduisant les garçons à la ferraille dès qu'elle avait le dos tourné.

Ma mère allait finir par perdre la bataille. Cela a commencé par Luke, le quatrième de ses cinq fils. S'agissant de la montagne, Luke avait un don particulier – il travaillait avec les animaux comme s'il leur parlait – mais il souffrait d'un grave trouble de l'apprentissage. Pendant cinq années, tous les matins, mère s'est installée avec lui à la table de la cuisine pour lui expliquer les mêmes sons, sans relâche. Mais à douze ans, la seule chose dont il était capable, c'était de débiter une citation de la Bible lors des séances familiales d'étude des Saintes Écritures. Mère ne comprenait pas. Elle n'avait eu aucun mal à apprendre à lire à Tony et Shawn, et tous les autres y étaient plus ou moins arrivés. Quant à moi, j'avais appris à lire à quatre ans, avec Tony, pour gagner un pari avec Shawn, je crois.

Une fois que Luke est parvenu à griffonner son nom et à lire des phrases courtes et simples, mère a abordé les maths. Le peu de mathématiques qu'on m'ait jamais enseignées, je l'ai appris en faisant la vaisselle du petit déjeuner et en écoutant ma mère expliquer, inlassablement, ce qu'était une fraction ou comment manier les nombres négatifs. Luke ne faisant aucun progrès, au bout d'un an, ma mère a renoncé. Elle a cessé de nous parler de nous dispenser une meilleure éducation qu'aux autres enfants. Elle finissait par reprendre le langage de papa. «Tout ce qui compte vraiment, nous a-t-elle dit un matin, c'est que vous, les gosses, vous appreniez à lire. Les autres âneries, c'est rien que du lavage de cerveau.» Notre père a commencé à récupérer les garçons de plus en plus tôt jusqu'à ce que – j'avais alors huit ans, et Tyler seize – l'école ait été totalement chassée de notre quotidien.

La conversion de notre mère à la philosophie de vie de papa n'était toutefois pas complète et, à l'occasion, elle était rattrapée par son ancien enthousiasme. À cette période, quand la famille était réunie autour de la table du petit déjeuner, mère annonçait que ce jour-là nous allions faire école. Elle conservait au sous-sol une bibliothèque remplie d'ouvrages sur l'herboristerie, ainsi que quelques vieux livres de poche. Il y avait aussi quelques manuels de mathématiques, que nous nous partagions, et un livre d'histoire de l'Amérique, mais je n'ai jamais vu aucun d'entre nous l'ouvrir, sauf Richard. Il y avait également un livre de sciences, qui devait être destiné aux jeunes enfants car il était plein d'illustrations colorées.

En général, il fallait une demi-heure pour regrouper tous les livres, ensuite nous nous les répartissions et nous installions dans des pièces distinctes, pour «faire l'école». Je n'ai aucune idée de ce que mes frères fabriquaient quand ils faisaient l'école, mais pour ma part, j'ouvrais mon manuel de maths et je consacrais dix minutes à tourner les pages, en appuyant du bout de l'index sur le pli central, de haut en bas. Lorsque mon doigt était entré en contact avec cinquante pages, j'annonçais à maman que j'avais fait cinquante pages de maths.

«Incroyable! s'exclamait-elle. Tu vois? Ce rythme ne serait jamais possible à l'école publique. Tu ne peux faire ça qu'à la maison, où tu peux vraiment te concentrer, sans distractions.»

Mère ne nous faisait jamais de cours, n'organisait jamais de contrôles. Elle ne nous donnait jamais de devoirs. Il y avait un ordinateur au sous-sol, avec un logiciel, le Mavis Beacon, qui donnait des leçons de dactylographie.

Parfois, quand elle allait livrer des plantes médicinales, si nous avions terminé nos devoirs, elle nous déposait à la bibliothèque Carnegie, dans le centre de la ville. Au sous-sol, il y avait une salle pleine de livres pour enfants, que nous lisions. Richard prenait même des ouvrages de l'étage, des volumes pour adultes, avec des titres sérieux où il était question d'histoire et de sciences.

Dans notre famille, l'apprentissage était donc entièrement autodirigé: une fois votre travail terminé, vous pouviez apprendre tout ce que vous étiez capable de vous enseigner à vous-même. Certains d'entre nous étaient plus disciplinés que d'autres, ce qui n'était pas mon cas. Si bien qu'à dix ans, le seul sujet que j'avais étudié à fond, c'était le code Morse, parce que papa avait insisté pour que je l'apprenne.

« Si les lignes téléphoniques sont coupées, nous serons les seules personnes de la vallée à pouvoir communiquer », soutenait-il, même si je ne savais pas trop avec qui nous communiquerions, puisque nous étions les seuls à l'apprendre.

Tony, Shawn et Tyler, mes aînés, avaient grandi dans une autre décennie, et c'était presque comme s'ils avaient des parents différents. Leur père n'avait alors jamais entendu parler des Weaver ; il n'évoquait jamais les Illuminati. Il avait inscrit ses trois fils aînés à l'école, et même s'il les en avait retirés quelques années plus tard, jurant de tout leur enseigner à domicile, quand Tony avait demandé d'y retourner, papa l'y avait autorisé. Tony était resté scolarisé jusqu'au lycée, mais ses absences répétées pour travailler à la ferraille l'avaient empêché de passer son examen de fin d'études.

Tyler, le troisième fils, se souvenait à peine de l'école, il était donc content d'étudier à domicile. Jusqu'à ses treize ans. Ensuite, peut-être parce que mère passait tout son temps à apprendre la lecture à Luke, Tyler a demandé à papa s'il pouvait l'inscrire en troisième année de lycée.

Tyler est resté au lycée toute cette année-là, de l'automne 1991 au printemps 1992. Il avait appris l'algèbre, qui paraissait aussi naturelle à son esprit que l'air à ses poumons. Ensuite, au mois d'août, la police a fait le siège des Weaver. Je ne sais pas si Tyler serait retourné à l'école, mais je sais qu'après l'histoire des Weaver, mon père n'a plus jamais autorisé un seul de ses enfants à mettre les pieds dans une école. Pourtant,

la soif de connaissance s'était emparée de Tyler. Avec
le peu d'argent qu'il avait, il s'est acheté un vieux
manuel de trigonométrie et il a continué d'étudier seul.
Comme il souhaitait s'initier au calcul, mais n'avait
pas les moyens de s'acheter un autre livre, il est allé à
l'école en demander un au professeur de maths. L'enseignant lui a ri au nez : « Tu ne peux pas apprendre le
calcul seul. C'est impossible.

— Donnez-moi un livre, a insisté Tyler, je pense
que j'en suis capable. » Il est parti avec le volume sous
le bras.

Le vrai défi consistait à trouver le temps d'étudier.
Tous les matins, à 7 heures, mon père réunissait ses
fils, les répartissait en plusieurs équipes et les envoyait
s'occuper des tâches de la journée. En général, il fallait
environ une heure à papa pour remarquer que Tyler
n'était pas là. Ensuite, il se ruait vers la maison, le trouvait dans sa chambre, occupé à s'instruire. « Qu'est-ce
que tu fiches là, bon sang ? hurlait papa, en piétinant
la moquette immaculée de ses bottes pleines de terre.
J'ai Luke qui charge des poutrelles tout seul – qui se
tape le boulot de deux –, j'arrive ici, et je te trouve assis
sur ton cul ? »

Si papa m'avait attrapée avec un livre alors que
j'étais censée travailler, j'aurais détalé, mais Tyler ne
bougeait pas. « Papa, répondait-il, j-j-je t-t-ravaillerai
après le d-déjeuner. Mais j'ai b-besoin de la matinée
pour é-é-étudier. » Presque tous les matins, ils se disputaient ainsi pendant quelques minutes, puis Tyler
lâchait son stylo, enfilait ses bottes et ses gants de

soudure. Pourtant, certains matins – et ça me surprenait toujours –, papa ressortait de la maison en râlant. Seul.

Je ne pensais pas que Tyler irait réellement à l'université, qu'il abandonnerait la montagne pour rejoindre les Illuminati. Je m'imaginais que papa avait tout l'été pour le ramener à la raison, ce qu'il essayait de faire presque quotidiennement, quand les garçons rentraient déjeuner. Mes frères s'affairaient dans la cuisine, se servant une deuxième et une troisième fois, et papa se couchait sur le lino – parce qu'il était fatigué et avait besoin de s'allonger, et qu'il était trop sale pour le canapé de maman – et entamait son sermon sur les Illuminati.

Un de ces déjeuners m'est resté en mémoire. Tyler compose des tacos avec les ingrédients disposés par maman : il aligne les coques dans son assiette, une rangée parfaite de trois, puis il ajoute le hamburger, la laitue et les tomates, avec soin, en mesurant les quantités, et répartit parfaitement la *sour cream*. Papa n'arrête pas de marmonner. Ensuite, alors qu'il arrive au bout de son sermon et respire avant de s'y remettre, Tyler glisse ses trois tacos impeccables dans la centrifugeuse de maman – celle dont elle se sert pour confectionner ses teintures – et l'allume. Un mugissement retentit dans toute la cuisine, imposant le silence. Lorsque le bruit s'arrête, papa reprend. Tyler verse un liquide orange dans un verre et commence à boire, prudemment, délicatement, parce que ses dents de devant bougent encore, qu'elles essaient toujours de s'échapper de sa bouche. Beaucoup de souvenirs pourraient symboliser cette époque, mais c'est celui-là qui m'est resté : la voix de papa qui s'élève du sol pendant que Tyler boit ses tacos.

Le printemps se muant en été, la résolution de papa s'est muée en déni – il agissait comme si le débat était clos et comme s'il avait gagné. Il a cessé de parler du départ de Tyler et refusé d'engager un manœuvre pour le remplacer.

Par une chaude après-midi, Tyler m'a emmenée rendre visite à grand-mère et grand-papa-en-ville, qui habitaient dans cette même maison où avait vécu notre mère, et qui n'aurait pu être plus différente de la nôtre. L'intérieur n'était pas cossu, mais bien entretenu – moquette blanc crème recouvrant les sols, papier à fleurs velouté aux murs, rideaux épais aux fenêtres. Peu de choses avaient été remplacées. La moquette, le papier mural, la table de la cuisine, les comptoirs étaient tels que sur les diapositives datant de l'enfance de ma mère.

Papa n'aimait pas que nous passions du temps là-bas. Avant de prendre sa retraite, grand-père avait été postier, et papa affirmait qu'aucun individu digne de respect n'aurait travaillé pour le Gouvernement. Quant à grand-mère, c'était pire, disait-il. Elle était frivole. Je ne savais pas ce que signifiait ce mot, mais il le répétait si souvent que j'avais fini par l'associer à ce qu'elle était – avec sa moquette crème et son papier peint à fleurs.

Tyler se plaisait là-bas. Il aimait le calme, l'ordre, la douceur avec laquelle se parlaient mes grands-parents. Dans cette maison, il y avait une atmosphère qui me suggérait, sans qu'on me le dise, de ne pas hurler, ni frapper qui que ce soit, ni traverser la cuisine en courant. En revanche, il fallait qu'on me dise, et qu'on me le rabâche, de laisser mes souliers boueux à la porte.

« En route pour l'université ! » s'est exclamée grand-mère une fois assise dans le sofa fleuri. Elle s'est tournée vers moi. « Tu dois être si fière de ton frère ! »

Ses yeux se sont plissés pour accompagner son sourire. Je pouvais voir toutes ses dents. Tu peux te fier à grand-mère pour s'imaginer que se faire laver le cerveau est un truc à célébrer, pensais-je.

« Il faut que j'aille aux toilettes », ai-je dit.

Seule dans le couloir, j'ai marché lentement, en m'arrêtant à chaque pas pour laisser mes orteils s'enfoncer dans la moquette. J'ai souri, me remémorant papa expliquant que grand-mère réussissait à conserver sa moquette aussi blanche uniquement parce que grand-père n'avait jamais vraiment travaillé. « Mes mains sont peut-être sales, avait-il ironisé, en me montrant ses ongles noirs. Mais c'est de la saleté qui ne ment pas. »

Des semaines se sont écoulées ainsi jusqu'à l'été. Un dimanche, papa a rassemblé la famille.

« Nous avons de bonnes réserves de nourriture, a-t-il dit. Nous avons stocké du carburant et de l'eau. Ce que nous n'avons pas, c'est de l'argent. » Il a sorti un billet de vingt dollars de son portefeuille et l'a froissé.

«Pas de ce fric bidon. Aux Temps de l'Abomination, cela ne vaudra rien. Les gens échangeront des billets de cent dollars contre un rouleau de papier toilette.»

J'imaginais un monde où les billets verts joncheraient la route nationale comme des boîtes de soda vides. J'ai regardé autour de moi. Tous les autres semblaient se figurer la même chose, sauf Tyler. Il avait un regard concentré, déterminé. «J'ai un peu d'économies, a continué papa. Et votre mère en a mis un peu de côté. Nous allons le changer contre de l'argent. C'est bientôt ce que les gens regretteront de ne pas avoir, de l'argent et de l'or.»

Quelques jours plus tard, papa est rentré avec de l'argent, et même avec un peu d'or. Le métal était sous forme de pièces, emballé dans de petites boîtes pesant lourd, qu'il a transportées dans la maison et qu'il est allé empiler au sous-sol. Il a refusé de me laisser les ouvrir.

«C'est pas pour jouer.»

Tyler a pris plusieurs milliers de dollars – presque toutes les économies qui lui restaient après avoir payé le fermier pour le tracteur et papa pour le break – et s'est également acheté son stock d'argent, qu'il a entassé dans le sous-sol à côté de l'armoire aux fusils. Il est resté là un long moment, à contempler ces boîtes, comme en suspens entre deux mondes.

Tyler était une cible plus vulnérable : je l'ai supplié, et il m'a donné une pièce d'argent aussi grande que ma paume. Cette pièce m'a réconfortée. J'ai eu l'impression que la décision de mon frère d'en acheter était avant tout un serment de loyauté, une promesse à notre famille que, malgré la folie qui lui soufflait cette envie d'aller à l'université, c'était en fin de compte nous qu'il choisirait. Et qu'il lutterait à nos côtés quand viendrait la Fin. Lorsque les feuilles commenceraient à changer de couleur, des vert genièvre de l'été aux rouge grenat et aux bronze doré de l'automne, cette pièce d'argent brillerait même à la plus faible lumière, polie par un millier de frottements de doigts. J'avais puisé du réconfort dans sa matière brute, certaine que si la pièce était réelle, le départ de Tyler ne pourrait l'être.

Un matin d'août, à mon réveil, j'ai vu Tyler entasser ses vêtements, ses livres et ses CD dans des cartons. Lorsque nous avons pris place pour le petit déjeuner, il avait presque fini. J'ai mangé en vitesse, puis je suis entrée dans sa chambre et j'ai inspecté ses étagères, désormais vides, hormis un seul CD, le noir avec la photo de ces gens vêtus de blanc, dont je savais maintenant qu'il s'agissait du Chœur du Tabernacle mormon. Tyler est apparu sur le seuil. «Je l-laisse celui-là p-p-pour toi», a-t-il dit. Puis il est sorti, a lavé sa carrosserie au jet, pour décrocher toute la poussière de l'Idaho jusqu'à ce qu'elle ait l'air de n'avoir jamais connu de chemin de terre.

Papa a fini son petit déjeuner et il s'en est allé sans un mot. Je le comprenais. La vision de Tyler chargeant des cartons dans sa voiture me rendait dingue. J'avais envie de crier, mais au lieu de ça je me suis précipitée par la porte de derrière, et j'ai grimpé vers le sommet des collines. J'ai couru jusqu'à ce que les pulsations de mon sang au fond de mes oreilles soient plus fortes que les pensées dans ma tête. Ensuite, j'ai fait demi-tour et j'ai dévalé la pente, obliqué vers le pâturage et le wagon rouge. J'ai grimpé sur le toit juste à temps pour voir Tyler fermer son coffre et décrire un cercle, comme s'il voulait dire au revoir, sans avoir personne à qui dire au revoir. Je l'imaginais m'appeler, prononcer mon nom, et je me représentais sa mine déconfite, parce que je ne répondais pas.

Le temps que je dégringole la colline, il était au volant. La bagnole descendait le chemin de terre dans un grondement quand j'ai surgi de derrière une citerne. Tyler s'est arrêté, il est sorti, il m'a serrée dans ses bras – pas cette étreinte que les adultes ont avec les enfants, mais cette autre sorte d'étreinte où nous nous tenions tous les deux debout, lui m'attirant à lui et rapprochant son visage du mien. Il m'a avoué que je lui manquerais, puis il m'a relâchée, il est remonté en voiture, a foncé en bas de la colline et s'est engagé sur la grande route. Je suis restée à regarder la poussière retomber.

Après cela, Tyler n'est que rarement rentré à la maison. Il se construisait une nouvelle vie derrière les lignes ennemies. Il revenait parfois faire des incursions de notre côté. Je n'ai presque aucun souvenir de lui jusqu'à ce que, cinq ans plus tard – j'avais alors quinze ans –, il fasse irruption dans ma vie à un moment critique. À ce stade, nous étions deux étrangers.

Il s'écoulerait de nombreuses années avant que je ne mesure combien partir lui avait coûté, et le peu qu'il savait de l'endroit où il allait. Tony et Shawn avaient quitté la montagne, mais ils étaient partis faire ce que mon père leur avait enseigné : conduire des semi-remorques, souder, récupérer de la ferraille. Tyler, lui, avait fait un pas dans le vide. Je ne sais pourquoi c'est arrivé et lui non plus n'en sait rien. Il est incapable d'expliquer d'où lui est venue cette conviction, ni comment elle a pu avoir assez d'éclat pour briller au milieu d'une sombre incertitude. Mais j'ai toujours supposé que c'était la musique dans sa tête, un air plein d'espoir qu'aucun de nous ne serait capable d'entendre – cette même mélodie secrète qu'il fredonnait quand il avait acheté son livre de trigonométrie, ou quand il conservait ses taillures de crayon.

L'été déclinait. Il semblait s'évaporer dans sa propre chaleur. Les journées étaient encore chaudes, mais les soirées fraîchissaient peu à peu. Les heures qui suivaient le coucher du soleil étaient de plus en plus froides. Tyler était parti depuis un mois.

Je passais l'après-midi chez grand-mère-en-ville. Ce matin-là, j'avais pris un bain, quand bien même ce n'était pas un dimanche, et j'avais mis des vêtements particuliers, sans trous ni taches, de sorte que, ainsi récurée, dans une tenue impeccable, je pouvais m'asseoir dans la cuisine de grand-mère et la regarder préparer ses gâteaux au potiron. Le soleil d'automne se déversant à travers les rideaux de tulle et sur le carrelage couleur souci baignait toute la pièce d'un halo ambré.

Après que grand-mère eut enfourné le premier lot, je me suis dirigée vers la salle de bains. Lorsque j'ai traversé le couloir, avec sa moquette molle et blanche, j'ai ressenti une pointe de colère en me rappelant que, la dernière fois que je l'avais vue, j'étais avec Tyler. La salle de bains me paraissait étrangère. J'ai contemplé le lavabo nacré, la teinte rosée de la moquette, le tapis de bain couleur pêche. Même la lunette des toilettes se dressait sous un couvercle primevère. J'ai entrevu mon reflet, encadré de carreaux couleur crème ; je n'avais pas du tout l'air d'être moi-même. L'espace d'un instant, je me suis demandé si ce n'était pas justement ce que voulait Tyler : une jolie maison avec une jolie salle de bains et une jolie petite sœur pour lui rendre visite. Était-ce pour se mettre en quête de cela qu'il était parti ? Rien que pour cette raison, je le détestais.

Près du robinet, une dizaine de savonnettes roses et blanches, en forme de cygnes et de roses, étaient posées dans un coquillage ivoire. J'ai choisi un cygne et l'ai senti céder sous la pression de mes doigts. Il était beau et j'ai eu envie de l'emporter. Je l'imaginais dans notre salle d'eau en sous-sol, ses ailes délicates contre le ciment grossier. Ou gisant dans une flaque trouble, sur le lavabo, entouré de bandeaux de papier mural jauni et racorni. Je l'ai rendu à son coquillage.

En sortant, je suis tombée sur grand-mère, qui m'attendait dans l'entrée.

« T'es-tu lavé les mains ? a-t-elle demandé, d'un ton doux et onctueux.

— Non. »

Ma réponse a fait tourner la crème de sa voix.

«Et pourquoi non?

— Elles n'étaient pas sales.

— Tu dois toujours te laver les mains après être allée aux toilettes.

— Ça ne peut pas être si important! Au cabinet, à la maison, on n'a même pas de savon.

— Ce n'est pas vrai, a-t-elle répliqué, indignée. J'ai élevé ta mère mieux que ça.»

Je me suis raidie, prête à insister, à répéter que nous ne nous servions pas de savon, mais quand j'ai levé les yeux vers grand-mère, la femme que j'ai vue n'était pas celle que je m'attendais à voir. Elle ne semblait pas frivole, elle ne semblait pas être du genre à gâcher une journée entière à se tracasser pour sa moquette blanche. À ce moment, elle était différente. Cela tenait-il au contour de ses yeux? à sa manière de les plisser d'incrédulité en m'observant? ou à la ligne ferme de la bouche, les lèvres serrées, déterminée? Ce n'était peut-être rien du tout, rien d'autre que la même vieille femme avec son air habituel qui rabâchait les mêmes choses que d'habitude. Peut-être que sa transformation était simplement due à un changement provisoire de mon point de vue – en cet instant, il se peut que mon point de vue ait été le sien à lui, celui de ce frère que je détestais, et que j'aimais.

Grand-mère m'a conduite à la salle de bains et m'a regardée me laver les mains, puis elle m'a priée de les sécher avec la serviette rose. Mes oreilles me brûlaient, ma gorge était chaude et sèche.

Papa est venu me chercher peu après, en rentrant d'un chantier. Il a garé son pick-up et klaxonné pour que je sorte, et j'ai obtempéré, la tête basse. Grand-mère m'a suivie. Je me suis précipitée sur le siège passager, en déplaçant une boîte à outils et des gants de soudure, pendant qu'elle parlait à papa de ce que je ne me lavais pas. Il l'a écoutée, en se mordillant l'intérieur des joues tandis que sa main droite tripotait le levier de vitesse. Un rire couvait en lui.

De nouveau assise auprès de mon père, je sentais sa puissance. Un filtre familier est venu se glisser devant mes yeux et grand-mère a perdu l'étrange pouvoir qu'elle avait eu sur moi une heure auparavant.

«N'apprends-tu pas à tes enfants à se laver les mains après être allés aux toilettes ?»

Papa a mis le moteur en route. Le pick-up avançait lentement, il a fait un signe de la main.

«Je leur apprends à ne pas se pisser sur les mains.»

6

Le bouclier et la cuirasse[1]

L'hiver suivant le départ de Tyler, Audrey a eu quinze ans. Elle est allée chercher son permis de conduire au tribunal du comté et, sur la route du retour, elle a décroché un job – elle cuisait des hamburgers. Ensuite, elle a pris un second boulot – elle allait traire des vaches à 4 heures tous les matins. Pendant un an, elle s'est bagarrée avec papa, se rebiffant contre lui et les contraintes qu'il lui imposait. Maintenant qu'elle avait de l'argent, elle avait sa voiture ; nous ne la voyions presque pas. La famille rétrécissait, l'ancienne hiérarchie se concentrait.

Papa n'avait plus assez de monde pour construire des hangars à foin, il s'est donc rabattu sur la ferraille. Tyler parti, ceux qui restaient ont été promus : à seize ans, Luke devenait le fils aîné, le bras droit de mon

---

1. Psaumes, 91:4 : « Il te couvrira de ses plumes, et tu trouveras un refuge sous ses ailes. Sa fidélité est un bouclier et une cuirasse. » (N.d.T.)

père, et Richard et moi avons pris sa place, comme grouillots.

Je me souviens du premier matin où je suis entrée dans la ferraille en tant que membre de l'équipe de papa. La terre était de glace, même l'air semblait durci. Nous étions dans le dépôt situé au-dessus du pâturage du bas, qui était envahi de centaines de voitures et de camions. Certains étaient vieux, juste en panne, mais la plupart n'étaient plus que des épaves – pliés, arqués, tordus, ils donnaient une impression de papier froissé, et non d'acier. Au centre du dépôt, il y avait comme un lac de débris, vaste et profond : des batteries qui fuyaient, des écheveaux de fil de cuivre dans leur gaine, des transmissions abandonnées, des plaques rouillées de tôle ondulée, des robinets antédiluviens, des radiateurs fracassés, des morceaux de tuyaux aux cuivres chatoyants en dents de scie, et ainsi de suite. C'était infini, une masse informe. Papa m'a conduite en bordure de ce lac.

« Tu sais la différence entre l'aluminium et l'acier inoxydable ?

— Je crois.

— Viens ici. » Le ton était impatient. Il avait l'habitude de régenter des hommes adultes. En un sens, qu'il soit obligé d'expliquer son métier à une jeune fille de dix ans nous donnait à tous les deux la sensation d'être petits.

D'un coup sec, il a extrait un bloc de métal miroitant.

« Ça, ici, c'est de l'aluminium. Tu vois comme ça brille ? Tu sens comme c'est léger ? » Papa m'a mis la pièce dans les mains. Il avait raison ; ce n'était pas aussi lourd que ça en avait l'air. Ensuite, il m'a tendu un tuyau cabossé. « Ça, là, c'est de l'acier. »

Nous avons commencé par trier les débris en tas – aluminium, fer, acier, cuivre –, afin qu'ils soient vendables. J'ai ramassé un morceau de fer, couvert d'une épaisse couche de rouille, dont les angles déchiquetés me rentraient dans les paumes. Je portais des gants en cuir, mais quand papa les a vus, il m'a avertie qu'ils allaient me ralentir. « Tu vas vite te faire des cals », m'a-t-il promis alors que je les lui tendais. J'avais trouvé un casque dans l'atelier, mais il me l'a retiré aussi. « Tu auras des gestes plus lents, rien qu'en essayant de tenir ce truc idiot en équilibre sur ta tête », a-t-il décrété.

Papa vivait dans la crainte du temps. Il avait la sensation que celui-ci le traquait. Je le voyais aux coups d'œil inquiets qu'il lançait au soleil qui se déplaçait dans le ciel, à sa manière anxieuse d'évaluer chaque longueur de tuyau, chaque chute d'acier. Papa voyait dans chaque bout de ferraille l'argent contre lequel il réussirait à le vendre, diminué du temps nécessaire pour le trier, le découper et le livrer. Chaque plaque de fer, chaque segment de tuyau de cuivre représentait un *nickel* (cinq cents), un *dime* (dix cents), un dollar – moins s'il fallait plus de deux secondes pour l'extraire et le classer – et papa évaluait constamment ces maigres profits en fonction des frais de la maison. Il calculait que pour laisser les lumières allumées, chauffer, il avait besoin de travailler à une cadence effrénée. Je ne l'ai jamais vu porter quoi que ce soit jusqu'à un bac de triage ; il balançait tout simplement, avec toute la force qu'il possédait, depuis l'endroit où il se trouvait.

La première fois que je l'ai vu faire, j'ai cru à un accident, une bavure qui allait être rectifiée. Je n'avais pas encore saisi les règles de ce monde nouveau. Je tendais la main vers un rouleau de cuivre, quand quelque chose de lourd a fendu l'air près de moi. Quand je me suis retournée pour voir d'où cela venait, j'ai pris un cylindre en acier en plein dans le ventre.

L'impact m'a culbutée au sol. « Oups ! » a beuglé papa. J'ai roulé sur la glace, le souffle coupé. Le temps que je me relève tant bien que mal, papa avait lancé autre chose. En baissant la tête, j'ai perdu l'équilibre et je suis de nouveau tombée. Cette fois, je suis restée par terre. Je tremblais, mais pas de froid. Ma peau était en alerte, aiguillonnée par la certitude du danger, même si la source de ce danger n'était qu'un vieil homme fatigué, qui tirait d'un coup sec sur un appareil d'éclairage.

Je me remémorais toutes les fois où j'avais vu l'un de mes frères se ruer par la porte de derrière, en beuglant, en se tenant une partie du corps entaillée, écrasée, cassée ou brûlée. Je me souvenais quand, deux ans plus tôt, un dénommé Robert, qui travaillait pour papa, avait perdu un doigt. Je me souvenais de son cri suraigu, inhumain, quand il avait couru vers la maison. Je me souvenais d'avoir regardé fixement ce moignon ensanglanté, puis le doigt tranché, que Luke avait rapporté et déposé sur le comptoir. Ça ressemblait à un accessoire dans un tour de magie. Mère a appliqué de la glace dessus et a conduit Robert en ville pour que les médecins puissent le lui recoudre. Le doigt de Robert n'était pas la seule perte à porter au bilan de la ferraille. Une année avant Robert, la petite amie de Shawn, Emma, avait franchi la porte de derrière en poussant un cri perçant. Elle aidait Shawn et elle y avait laissé la moitié de son index. Mère s'était précipitée en ville avec elle, mais les chairs étaient écrasées, et ils n'avaient rien pu faire.

J'ai observé mes doigts bien roses et, au même instant, la ferraille a basculé. Enfants, Richard et moi passions d'innombrables heures au milieu des débris, sautant d'une carcasse mutilée à une autre, pillant certaines, ignorant les autres. C'était le décor de mille batailles imaginaires – entre des démons et des sorciers, entre des fées et des truands, entre des trolls et des géants. À présent, tout avait changé. L'endroit avait cessé d'être le terrain de jeu de mon enfance pour revêtir sa réalité propre, aux lois physiques mystérieuses et hostiles.

Alors que je me trouvais là, debout, encore tremblante, essayant de dégager ce petit tuyau en cuivre, je me suis souvenue du motif étrange que le sang avait dessiné sur le poignet d'Emma, lui maculant l'avant-bras. Je le tenais presque quand papa a balancé un pot catalytique. J'ai fait un bond de côté et me suis coupé la main sur le rebord en dents de scie d'un réservoir crevé. J'ai essuyé le sang sur mon jean et je lui ai hurlé : « Arrête de tout balancer ici ! Je suis là ! »

Papa a levé les yeux, surpris. Il avait oublié que j'étais là. Quand il a vu ce sang, il s'est approché de moi et m'a posé une main sur l'épaule.

« Ne t'inquiète pas, mon chou. Dieu et ses anges sont là, ils travaillent à nos côtés. Ils ne permettront pas que tu te blesses. »

Je n'étais pas la seule dont les pieds cherchaient la terre ferme. Pendant les six mois qui ont suivi l'accident de voiture, l'état de mère s'était régulièrement amélioré et nous étions certains qu'elle se rétablirait complètement. Les migraines étaient devenues moins fréquentes, de sorte qu'elle ne s'enfermait plus au sous-sol que deux ou trois jours par semaine. Ensuite, la guérison a marqué le pas. Il s'était désormais écoulé neuf mois. Les migraines persistaient, et sa mémoire demeurait incertaine. Deux fois par semaine au moins, elle me demandait de lui préparer un petit déjeuner longtemps après que tout le monde eut pris le sien et que la table fut débarrassée. Elle me priait de peser cinq cents grammes d'achillée pour une cliente, et je lui rappelais que nous avions livré cette achillée la veille. Elle commençait à mélanger une teinture, avant de se révéler incapable, une minute plus tard, de savoir quels ingrédients elle venait d'ajouter, si bien qu'il fallait jeter tout le lot. Parfois, elle me demandait de rester à côté d'elle et de surveiller, afin que je puisse l'avertir : « Tu as déjà ajouté de la lobélie. Ensuite, c'est la verveine bleue. »

Mère s'est mise à douter de pouvoir reprendre un jour son travail de sage-femme, et cela l'attristait. Papa, lui, était anéanti. Chaque fois que maman éconduisait une femme enceinte, je voyais son expression d'abattement. « Et si j'attrape une migraine au moment où le travail se déclenche ? disait-elle. Et si je suis incapable de me souvenir des plantes que je lui ai données, ou du rythme cardiaque du bébé ? »

En fin de compte, ce n'est pas papa qui l'a convaincue de reprendre son activité de sage-femme. Elle s'est convaincue toute seule, peut-être parce qu'il s'agissait d'une part d'elle-même à laquelle elle ne pouvait renoncer sans lutter. Cet hiver-là, elle a fait naître deux bébés – j'en garde encore le souvenir. Après le premier, elle est rentrée à la maison nauséeuse et pâle, comme si mettre cette vie au monde lui avait retiré un peu de la sienne. Au deuxième appel, mère était claquemurée au sous-sol. Elle a pris la route avec des lunettes noires, s'efforçant d'y voir devant elle à travers les ondoiements qui déformaient sa vision. À son arrivée sur place, la migraine l'aveuglait, l'élançait, chassait toute pensée. Elle s'est enfermée dans une pièce à l'écart et c'est son assistante qui a aidé à l'accouchement. Après cela, mère n'a plus été sage-femme. À la naissance suivante, elle a utilisé le gros de ses honoraires pour embaucher une seconde sage-femme, afin de la surveiller. Apparemment, tout le monde la surveillait, maintenant. Elle avait été experte, une autorité incontestée ; désormais, elle devait demander à sa fille de dix ans si elle avait ou non pris son déjeuner. Cet hiver-là a été long et sombre, et parfois je me demandais si ma mère ne restait pas au lit même quand elle ne souffrait pas de migraine.

À Noël, quelqu'un lui a offert un coûteux flacon d'un mélange d'huiles essentielles. Cela a soulagé ses migraines mais, à cinquante dollars pour moins de dix millilitres, nous ne pouvions nous permettre d'en acheter. Mère a décidé de se fabriquer la sienne. Elle s'est acheté des huiles simples, non mélangées – eucalyptus et hélichryse, bois de santal et ravintsara – et la maison, qui depuis des années avait une odeur terreuse d'écorce et de feuilles amères, était subitement parfumée à la lavande et à la camomille. Elle passait des journées entières à mélanger des huiles, procédant à des ajustements pour obtenir des fragrances et des propriétés spécifiques. Elle travaillait munie d'un bloc et d'un stylo afin de pouvoir noter chaque étape au fur et à mesure. Les huiles étaient bien plus onéreuses que les teintures ; quand elle était forcée de jeter un lot parce qu'elle était incapable de se rappeler si elle avait ajouté de l'épicéa, c'était un crève-cœur. Elle a confectionné une huile pour les migraines et une autre pour les douleurs menstruelles, une pour les crampes musculaires et une autre pour les palpitations cardiaques. Durant les années suivantes, elle en inventerait des dizaines d'autres.

Pour créer ses formules, mère s'est mise à pratiquer ce qu'elle appelait son «test musculaire», et elle m'expliquait que cela supposait de «demander au corps ce dont il a besoin et le laisser réagir». Elle s'interrogeait à voix haute : «J'ai une migraine. Qu'est-ce qui va pouvoir y remédier ?» Ensuite, elle prenait un flacon d'huile, se l'appliquait contre la poitrine et, les yeux fermés, posait la question : « Ai-je besoin de ça ? » Si son corps oscillait vers l'avant, cela signifiait un oui, l'huile soulagerait sa migraine. Si son corps avait un mouvement de balancier vers l'arrière, cela voulait dire non, et elle essayait autre chose.

À mesure que son savoir-faire s'étoffait, au lieu de solliciter tout son corps, mère ne s'est plus servie que de ses doigts. Elle croisait l'index et le majeur, puis elle les pliait pour tenter de les décroiser, en se posant une question. Si les doigts restaient enlacés, la réponse était oui ; s'ils se dénouaient, c'était non. Le son produit par cette méthode était léger, mais infaillible : chaque fois que le bout de son majeur glissait sur l'ongle de son index, cela produisait un petit claquement charnu.

Mère usait de ce test musculaire pour expérimenter d'autres méthodes de guérison. Des diagrammes des chakras et des points de pression ont fait leur apparition partout dans la maison, et elle s'est mise à faire payer des clients pour ce qu'elle appelait un « travail énergétique ». J'ignorais ce que cela signifiait jusqu'à ce que, un après-midi, elle nous appelle, Richard et moi, dans la pièce du fond. Une femme, Susan, était là. Mère avait les yeux fermés et sa main gauche était posée sur celle de Susan. Les doigts de son autre main étaient croisés, et elle se posait des questions à voix basse. Au bout d'un moment, elle s'est tournée vers la femme et lui a dit : « Votre relation avec votre père vous endommage les reins. Pensez à lui pendant que nous réharmonisons les chakras. » Mère expliquait que le travail énergétique était plus efficace quand plusieurs personnes étaient présentes. «Comme ça, nous pouvons puiser dans l'énergie de tous.» Elle a désigné mon front et m'a dit d'en tapoter le centre, entre mes sourcils, pendant qu'avec mon autre main je me saisissais du bras de Susan. Richard devait tapoter un point de pression situé sur sa poitrine tout en me tendant son autre main, et mère devait tenir un point situé dans sa paume tout en touchant Richard avec son pied. «C'est ça», a-t-elle fait alors que Richard me prenait le bras. Nous avons gardé le silence dix minutes, une chaîne humaine.

Quand je repense à cet après-midi, ce dont je me souviens en premier, c'est le malaise éprouvé : mère affirmait pouvoir sentir l'énergie qui parcourait nos corps, mais je ne sentais rien. Mère et Richard étaient immobiles, les yeux fermés, la respiration contenue. Ils sentaient cette énergie qui les transportait. Moi, je trépignais d'impatience. J'essayais de me concentrer, puis je redoutais de tout gâcher pour Susan, de rompre la chaîne, d'empêcher que le pouvoir de guérison de mère et de Richard l'atteigne jamais parce que je ne parvenais pas à en être conductrice. Au bout de dix minutes, Susan a remis vingt dollars à mère et la cliente suivante est entrée.

Si j'étais sceptique, mon scepticisme n'était pas seulement de ma faute. C'était le résultat de mon inaptitude à décider à laquelle de mes mères me fier. Un an après l'accident, quand elle avait pour la première fois entendu parler de ce test musculaire et du travail énergétique, elle avait rejeté l'un et l'autre comme autant de chimères. «Les gens ont envie d'un miracle, m'avait-elle expliqué. Ils avaleront n'importe quoi si cela leur procure de l'espoir, si cela leur permet de croire qu'ils vont mieux. Et pourtant la magie, cela n'existe pas. Nutrition, exercice et une étude attentive des propriétés des plantes médicinales, c'est tout ce qui compte. Mais quand ils souffrent, les gens sont incapables de l'accepter.»

Désormais, ma mère affirmait que la guérison était spirituelle et sans limite. Le test musculaire, m'expliquait-elle, était une sorte de prière, une supplication divine. Un acte de foi dans lequel Dieu se faisait entendre à travers ses doigts. À certains moments, je croyais en cette femme si sage qui avait réponse à toutes les questions ; mais je n'ai jamais pu tout à fait oublier les mots de cette autre femme, cette autre mère, qui était tout aussi sage. *Et pourtant la magie, cela n'existe pas.*

Un jour, elle nous a annoncé qu'elle avait atteint un nouveau degré de maîtrise. «Je n'ai plus besoin de formuler la question à haute voix, nous a-t-elle assuré. Je suis capable de juste y penser.»

C'est alors que j'ai commencé à remarquer qu'elle allait et venait dans la maison, la main posée avec légèreté sur divers objets, tout en marmonnant, et pliant les doigts sur un rythme régulier. Si elle préparait du pain et n'était pas certaine de la quantité de farine qu'elle avait ajoutée : *clic clic clic.* Si elle mélangeait des huiles et se sentait incapable de se rappeler si elle avait ajouté de l'encens : *clic clic clic*. Elle s'asseyait pour lire les Écritures pendant une demi-heure, oubliait à quelle heure elle avait commencé, puis testait musculairement depuis combien de temps elle lisait. *Clic clic clic.*

Mère se livrait de plus en plus à ces tests musculaires de façon compulsive, sans en avoir conscience. Chaque fois qu'elle se lassait d'une conversation, chaque fois que les ambiguïtés de sa mémoire, ou même celles de la vie courante, la laissaient insatisfaite, ses traits se relâchaient, son visage n'exprimait que vacuité, et ses doigts crépitaient comme autant de criquets au crépuscule.

Papa était en extase. « Ces docteurs, ils sont pas capables de dire ce qui ne va pas rien qu'en vous touchant, s'exclamait-il, radieux. Mais votre mère, elle peut ! »

Cet hiver-là, le souvenir de Tyler m'a hantée. Je me rappelais le jour de son départ, cette étrange vision de sa voiture chargée de cartons bringuebalant tout en bas de la colline. Je n'osais imaginer où il se trouvait à présent, mais je me demandais parfois si l'école n'était pas, le cas échéant, un mal moindre que papa ne le pensait, parce que Tyler était le moins mauvais des êtres, et qu'il adorait l'école – visiblement plus encore qu'il ne nous aimait, nous.

La graine de la curiosité était semée ; il ne lui fallait rien d'autre que du temps et de l'ennui pour croître. Parfois, quand j'arrachais le cuivre d'un radiateur ou quand je balançais le cinq centième gros morceau d'acier dans la benne, je me surprenais à imaginer les salles de classe où Tyler passait ses journées. À chaque heure abrutissante que je m'infligeais à la ferraille, mon intérêt grandissait de plus en plus. Jusqu'à ce qu'un jour, me vienne une pensée bizarre : je devrais m'inscrire à l'école publique.

Mère avait toujours prétendu que nous pourrions aller à l'école si nous le voulions. Il suffisait de demander à papa, disait-elle. Ensuite, nous pourrions y aller.

Mais je n'ai rien demandé. Il y avait quelque chose dans les traits durs de mon père, dans le soupir discret qu'il poussait chaque matin avant d'entamer la prière familiale, qui me faisait considérer ma curiosité comme une obscénité, un affront à tout ce qu'il avait sacrifié pour m'élever.

Je me suis efforcée de poursuivre mon instruction pendant mes moments de liberté entre mon travail à la ferraille et mon aide à maman pour confectionner ses teintures et ses mélanges d'huiles. Ma mère avait alors renoncé à l'école à domicile, mais elle possédait encore un ordinateur, et il y avait des livres au sous-sol. J'ai retrouvé le livre de sciences et ses illustrations de toutes les couleurs, ainsi que le manuel de maths, vieux de plusieurs années, dont je gardais le souvenir. J'ai même repéré un livre d'histoire à la couverture d'un vert défraîchi. Mais lorsque je me suis installée pour étudier, j'ai failli m'endormir. Les pages étaient satinées et glacées, que les heures passées à charrier de la ferraille avaient rendues encore plus douces.

Si papa me voyait avec l'un de ces ouvrages, il essayait de m'en éloigner. Il devait se souvenir de Tyler. Il pensait sans doute que s'il réussissait à m'en détourner durant quelques années, le danger serait surmonté. Il m'a donc créé des tâches de toutes pièces, qu'elles soient nécessaires ou non. Un après-midi, alors qu'il m'avait surprise en train de consulter le manuel de mathématiques, lui et moi avons transporté pendant une heure des seaux d'eau pour aller arroser ses arbres fruitiers – cela n'avait rien d'incongru, hormis le fait que nous étions en plein orage.

Mais si papa voulait vraiment empêcher ses enfants de s'intéresser à l'école et aux livres – de se laisser séduire par les Illuminati, comme l'avait été Tyler –, aurait mieux fait de concentrer ses efforts sur Richard. Ce dernier était lui aussi censé passer ses après-midi à préparer des teintures pour notre mère, mais il ne s'en chargeait presque jamais. Au lieu de quoi, il disparaissait. J'ignore si ma mère savait où il allait, moi, si. On le trouvait généralement dans le sous-sol, rencogné dans l'espace exigu compris entre le canapé et le mur, une encyclopédie calée, ouverte, devant lui. Si par hasard papa descendait, il éteignait la lumière, en pestant contre le gâchis d'électricité. Ensuite, je cherchais un prétexte pour descendre, afin de pouvoir la rallumer. Si papa se pointait de nouveau, un braillement rageur retentissait dans toute la maison, et notre mère subissait un sermon sur la lumière laissée allumée dans des pièces inoccupées. Elle ne me grondait jamais, ce qui m'amène à me demander si elle ne savait pas où était

Richard. Si je n'étais pas en mesure de redescendre rallumer la lumière, Richard approchait son bouquin de ses yeux et lisait dans le noir, tellement il avait envie de lire, envie de lire l'encyclopédie.

Tyler était parti. Il n'y avait plus guère de traces attestant qu'il ait jamais vécu dans la maison, excepté une : tous les soirs, après le dîner, je fermais la porte de ma chambre et je ressortais son vieux ghetto-blaster de sous mon lit. J'avais tiré son bureau dans ma chambre, et pendant que le chœur chantait, je m'installais dans son fauteuil et j'étudiais, exactement comme je l'avais vu faire un millier de fois. Mais, moi, je n'étudiais pas l'histoire ou les maths. J'étudiais la religion.

J'ai lu le Livre de Mormon à deux reprises ; j'ai lu le Nouveau Testament, survolé la première fois, puis une seconde fois plus lentement, en m'arrêtant pour prendre des notes, effectuer des recoupements et même rédiger de brefs commentaires de texte sur des doctrines comme la foi et le sacrifice. Personne ne lisait ces lignes ; je les écrivais pour moi seule, tout comme j'imaginais que Tyler étudiait pour lui, et pour lui seul. Ensuite, j'ai approfondi l'Ancien Testament, puis j'ai lu des livres de papa, qui étaient surtout des recueils de discours, des lettres et des journaux intimes des premiers prophètes mormons. Leur langage était celui du XIXe siècle – guindé, tortueux, mais méticuleux – auquel je ne comprenais rien. Du moins au début. Avec le temps, mes yeux et mes oreilles se sont adaptés, et j'ai fini par me sentir à mon aise avec ces fragments de l'histoire de mes ancêtres : des récits de pionniers qui se lançaient dans la pénible traversée des vastes étendues sauvages de l'Amérique. Si les récits étaient vivants, les sermons demeuraient abstraits, les traités sur des sujets philosophiques obscurs, et c'était à ces abstractions que je consacrais l'essentiel de mon étude.

Rétrospectivement, je perçois que c'était cela, mon instruction, celle qui compterait : les heures passées assise à ce bureau d'emprunt, à tenter péniblement d'analyser quelques maigres éléments de doctrine mormone, dans le mimétisme d'un frère qui m'avait abandonnée. Ce que j'allais acquérir là était essentiel, la patience de lire des choses que je ne pouvais pas encore comprendre.

Lorsque la neige sur la montagne a commencé de fondre, des cals épaississaient mes mains. Une saison entière à la ferraille avait affûté mes réflexes : j'avais appris à percevoir le borborygme sourd qui s'échappait des lèvres de papa chaque fois qu'il lançait quelque chose de lourd ; dès que je l'entendais, je me plaquais au sol. Je passais tellement de temps à plat ventre dans la gadoue que je ne récupérais pas grand-chose. Papa plaisantait que j'étais aussi lente qu'une tortue dans une montée.

Le souvenir de Tyler s'était estompé, et avec lui sa musique, peu à peu couverte par les claquements du métal s'écrasant sur du métal. C'étaient désormais les bruits qui défilaient dans ma tête, la nuit – le tintement de la tôle ondulée, le cognement sec du câble de cuivre, le tonnerre du fer.

J'étais entrée dans cette nouvelle réalité. Je voyais le monde à travers les yeux de mon père. Je voyais les anges, ou du moins j'imaginais les voir, qui nous regardaient récupérer les batteries de voiture ou les tubes d'acier déchiquetés que papa lançait à travers la décharge. J'avais cessé de lui hurler d'arrêter d'en balancer. À la place, je priais.

Je travaillais plus vite quand j'étais seule, et donc un matin où papa était à l'extrémité nord de la décharge, je me suis dirigée vers l'extrémité sud, près du pâturage. J'ai rempli une benne d'une tonne de fer ; ensuite, les bras douloureux, je suis partie chercher papa. Il fallait vider la benne, et j'étais incapable d'actionner le chargeur – un énorme chariot élévateur pourvu d'un bras télescopique et de grosses roues noires plus hautes que moi. Le chargeur pouvait soulever la benne à sept ou huit mètres de haut, et faire basculer sa fourche pour que la ferraille puisse coulisser et se déverser dans la remorque du camion avec fracas. Cette remorque était une sorte de baquet géant de dix-sept mètres de long équipé pour recevoir de la ferraille. Ses parois métalliques atteignaient deux mètres cinquante de hauteur. La remorque pouvait contenir entre quinze et vingt bennes, soit environ dix-huit tonnes de métal.

J'ai trouvé papa dans le champ, occupé à allumer un feu pour brûler les gaines isolantes d'un écheveau de câbles en cuivre. Quand je lui ai annoncé que la benne était prête, il est revenu avec moi et a grimpé dans le chargeur. Il m'a désigné la remorque. «On en mettra plus si tu répartis la ferraille après, quand on l'aura balancée. Saute dedans.»

Je n'ai pas compris. Il voulait vider le contenu de la benne avec moi dedans? «Je grimperai dedans quand tu auras balancé le chargement, ai-je rectifié.

— Non, comme ça, on ira plus vite, a-t-il insisté. Quand la benne sera au niveau de la remorque, je m'arrêterai pour que tu puisses sortir. Ensuite, tu pourras courir le long de la paroi et te percher en haut de la cabine en attendant que la décharge soit terminée.»

Je me suis installée sur une barre de métal. Papa a calé la fourche du chargeur sous la benne, ensuite il nous a soulevées, la ferraille et moi, et il a roulé, plein pot, en direction de la tête de remorque. Je réussissais à peine à me tenir. À la dernière navette, le godet du chargeur a basculé avec une telle force qu'une pointe en fer s'est retrouvée expédiée dans ma direction. Elle m'a transpercé l'intérieur de la jambe, trois centimètres au-dessous du genou, s'enfonçant dans la chair comme une lame de couteau dans du beurre ramolli. J'ai essayé de l'extraire, mais le chargement ayant bougé, j'étais partiellement ensevelie. J'ai entendu le grincement feutré des pompes hydrauliques au moment où le bras télescopique s'est déployé. Le grincement s'est interrompu quand la benne est arrivée à hauteur de la remorque. Papa me laissait le temps de grimper sur la paroi de la remorque, mais j'étais clouée sur place.

«Je suis coincée!» ai-je hurlé malgré le grondement du moteur du chargeur qui couvrait ma voix. Je me suis demandé si papa attendrait, avant d'actionner la benne, de m'avoir vue installée en sécurité sur la cabine du semi-remorque, mais au moment où je me posais cette question, je savais qu'il n'en ferait rien. Le temps régnait encore en maître.

Les vérins grinçaient et la benne s'est relevée de deux mètres cinquante supplémentaires. Position de décharge. J'ai encore hurlé, d'une voix plus aiguë cette fois, puis plus grave, tâchant de trouver une tonalité qui percerait le ronron du moteur. La benne s'est mise à pencher, d'abord lentement, puis plus vite. J'étais clouée vers le fond. Je me suis rattrapée des deux mains au sommet de la paroi de la benne, sachant que cela me donnerait un rebord auquel m'agripper quand elle serait en position verticale. Elle continuait de s'incliner, et les premiers morceaux de ferraille ont entamé leur glissade vers l'avant, tel un grand glacier métallique qui se disloquait. La pointe en acier était toujours logée dans ma jambe, et m'entraînait dans la descente. Je perdais prise et j'avais débuté ma glissade quand la pointe s'est enfin arrachée de ma jambe pour aller s'écraser avec fracas au fond de la remorque. J'étais maintenant libre, mais je tombais. J'ai fouetté l'air de mes bras, je voulais m'agripper à quelque chose, n'importe quoi qui ne plonge pas vers le bas. Ma paume s'est accrochée à la paroi latérale de la benne, qui était maintenant presque à la verticale. Je me suis hissée en haut de cette paroi, à la force des bras, j'ai fait basculer mon corps par-dessus, avant de continuer ma chute. Comme je tombais maintenant vers le côté de la benne et non vers la partie avant, j'espérais – j'ai prié pour – que ma chute soit dirigée vers le sol et non vers la remorque qui n'était plus qu'une tempête de ferraille concassée. J'ai sombré, je ne voyais que du ciel bleu, j'attendais de sentir le coup de lance du métal acéré ou la secousse de la terre ferme.

Mon dos a heurté du fer : la paroi de la remorque. Mes pieds me sont passés au-dessus de la tête et j'ai continué de plonger sans grâce vers le sol. La première chute sur deux mètres ou deux mètres cinquante, la seconde peut-être sur trois mètres. J'ai été soulagée de tâter la terre.

Je suis restée allongée sur le dos sans doute quinze secondes avant que le moteur ne se taise dans un dernier grognement, et j'ai entendu le pas lourd de papa.

« Qu'est-ce qui s'est passé ? a-t-il demandé en s'agenouillant à côté de moi.

— Je suis tombée », ai-je dit d'une voix éraillée. J'avais le souffle coupé, et je sentais un violent élancement dans le dos, comme si j'avais été cassée en deux.

« Comment tu t'y es pris ? » Le ton de sa voix était compatissant, mais déçu. Je me sentais idiote. *J'aurais dû être capable de m'en sortir*, me suis-je dit. *C'est un truc simple.*

Papa a examiné l'entaille que j'avais à la jambe, que la pointe métallique avait élargie dans sa chute. Cela ressemblait à un nid-de-poule ; la peau avait disparu. Il a ôté sa chemise de flanelle et l'a pressée contre la plaie. « Rentre à la maison ! Maman va arrêter le saignement. »

J'ai traversé le pâturage en boitant, jusqu'à ce que papa soit hors de vue, puis je me suis effondrée dans le blé en herbe. Je tremblais, j'avalais des goulées d'air qui n'atteignaient pas mes poumons. Je ne comprenais pas pourquoi je pleurais. J'étais en vie. Tout irait bien. Les anges avaient fait leur part. Alors pourquoi étais-je incapable d'arrêter de trembler ?

Et traversant le dernier champ, à l'approche de la maison, j'avais la tête qui tournait, mais j'ai fait irruption par la porte de derrière – comme le faisaient mes frères, comme Robert et Emma – en hurlant après notre mère. Quand elle a vu les traces écarlates de mes pas s'étaler sur le lino, elle est allée chercher le remède homéopathique dont elle se servait pour traiter les hémorragies et les chocs, cela s'appelait Rescue Remedy, et elle a compté douze gouttes de ce liquide transparent et sans saveur sous ma langue. Elle a posé délicatement la main gauche sur la plaie et croisé les doigts de la droite. Ses yeux se sont fermés. *Clic clic clic.* « Il n'y a pas de tétanos, a-t-elle décrété. La blessure se refermera. Plus tard. Mais ça va laisser une vilaine cicatrice. »

Elle m'a retournée sur le ventre pour examiner l'hématome – une auréole violet foncé de la taille d'une tête humaine – qui s'était formé quelques centimètres au-dessus de ma hanche. Là encore, les doigts se sont croisés et ses yeux se sont fermés. *Clic clic clic.*

« Tu t'es endommagé un rein, a-t-elle conclu. On ferait mieux de confectionner une préparation de genévrier et de fleur de molène. »

L'entaille au-dessous du genou formait une croûte – noire et luisante, une rivière noire s'écoulant de la chair rose –, quand j'ai pris ma décision.

J'ai choisi un dimanche soir ; papa se reposait dans le sofa, sa bible ouverte sur les genoux. Je me suis approchée de lui, un moment qui m'a paru des heures. Comme il ne levait pas les yeux, j'ai lâché d'un coup ce que j'avais à dire : « Je veux aller à l'école. »

Il n'a pas paru m'entendre.

« J'ai prié, et je veux y aller », ai-je répété.

Enfin, il a levé les yeux, droit devant lui, le regard figé sur quelque chose derrière moi. Le silence s'est installé, une présence pesante.

« Dans cette famille, a-t-il proclamé, nous obéissons aux commandements du Seigneur. »

Il a pris sa bible et j'ai vu ses yeux passer de ligne en ligne. J'ai tourné les talons mais, avant que j'aie atteint le seuil, papa a repris la parole :

« Tu te souviens de Jacob et Isaïe ?

— Je me souviens. »

Il a repris sa lecture, et je suis sortie en silence. Je n'avais besoin d'aucune explication ; je savais ce que signifiait cette histoire. Elle signifiait que je n'étais pas la fille qu'il avait élevée, la fille de la foi. J'avais essayé de vendre mon droit d'aînesse pour un plat de lentilles.

7

Le Seigneur y pourvoira

C'était un été sans pluie. Tous les après-midi, le soleil incendiait le ciel, consumant la montagne de sa chaleur desséchante, de sorte que tous les matins, quand je traversais le champ en direction de la grange, je sentais des épis de blé sauvage craquer sous mes pieds.

J'ai passé une matinée à préparer pour ma mère du Rescue Remedy, le traitement homéopathique. Je prenais quinze gouttes de la formule de base – qui était conservée dans son armoire à couture, où elle ne serait ni utilisée ni polluée – et je les ajoutais à un flacon d'eau distillée. Ensuite, je formais un anneau avec mon index et mon pouce, et je poussais le flacon pour qu'il passe par ce cercle. La force de l'homéopathie, soutenait maman, dépendait du nombre de passages que le flacon ferait entre l'anneau de mes doigts, du nombre de fois où il puiserait dans mon énergie. En général, je m'arrêtais à cinquante.

Papa et Luke étaient dans la montagne, sur la décharge au-dessus du pâturage, à quatre cents mètres de la maison. Ils préparaient des voitures pour le concasseur, que papa avait loué pour l'utiliser plus tard dans la semaine. Luke avait dix-sept ans. Il avait un corps mince, musclé et le sourire facile quand il était dehors. Luke et papa siphonnaient l'essence des réservoirs. Le concasseur n'acceptant pas une épave dont le réservoir est encore plein, car il y a un risque d'explosion, il fallait donc siphonner, puis démonter chaque réservoir. C'était une besogne interminable, il fallait percer le réservoir avec un marteau et un pieu, puis attendre que le carburant s'écoule, goutte à goutte, avant de pouvoir le découper en toute sécurité, au chalumeau. Papa avait inventé un système : une énorme broche, longue de deux mètres cinquante, en métal épais. Papa soulevait une carcasse avec le chariot élévateur, et Luke le guidait jusqu'à ce que l'épave soit exactement au-dessus de la broche. Ensuite, il laissait retomber la fourche du chariot. Si tout allait bien, le véhicule finissait empalé sur la broche et l'essence jaillissait du réservoir, s'écoulait le long de la broche et s'accumulait dans le bac à fond plat que papa avait soudé en place pour recueillir le liquide.

À midi, ils avaient siphonné entre trente et quarante épaves. Luke avait collecté le carburant dans des seaux de vingt-cinq litres, qu'il a commencé de transporter à l'autre bout de la décharge, sur le pick-up à plateau de papa. Lors d'un de ces allers-retours, il a trébuché et renversé sur son jean quatre bons litres d'essence. Le soleil estival a séché le jean en quelques minutes. Il a fini de charrier ses seaux, puis il est rentré à la maison déjeuner.

Je conserve de ce déjeuner un souvenir d'une netteté troublante. Je me souviens du fumet du ragoût de bœuf-pommes de terre, et du tintement des cubes de glace dans les grands verres, aux parois constellées de gouttelettes dans la chaleur de l'été. Je me souviens de ma mère me disant que j'étais de corvée de vaisselle, parce qu'elle partait pour l'Utah après déjeuner, conseiller une autre sage-femme pour une grossesse compliquée. Elle m'a avertie qu'elle risquait de ne pas être rentrée pour le dîner, mais qu'il y avait des hamburgers dans le congélateur.

Je me souviens d'avoir ri toute cette heure. Papa était allongé sur le sol de la cuisine, il blaguait au sujet d'un arrêté qui venait d'être pris dans notre petite commune rurale. Un chien errant avait mordu un jeune garçon et tout le monde s'était insurgé. Le maire avait décidé de limiter le nombre de chiens autorisés à deux animaux par famille, alors même que l'animal en cause dans cet incident n'appartenait à personne.

« Ces génies de socialistes, se moquait papa. Si tu ne leur construisais pas un toit au-dessus de leur tête, ils se noieraient en levant le nez vers la pluie qui tombe. »

J'ai ri si fort que j'en ai eu mal au ventre.

Lorsque papa et Luke sont remontés dans la montagne et ont mis en marche le chalumeau, Luke avait complètement oublié l'essence. Mais quand il a coincé le chalumeau contre sa hanche et frotté la pierre à briquet contre l'acier, des flammes ont jailli de cette minuscule étincelle et englouti toute sa jambe.

La partie dont nous nous souviendrions, que nous nous raconterions et nous répéterions tant de fois qu'elle a fini par faire partie du folklore familial, c'était que Luke était incapable de se sortir de son jean imbibé d'essence. Ce matin-là, comme tous les matins, il avait attaché son pantalon avec un mètre de ficelle qui servait aux balles de paille, qui est lisse et glissante, et qu'il faut maintenir en place au moyen d'un nœud de cavalier. Quant à ses souliers, ils n'arrangeaient rien non plus : une paire de grosses chaussures de sécurité à embout en acier et au cuir si déchiqueté que, depuis des semaines, il les enroulait tous les matins d'adhésif de plombier, qu'il découpait chaque soir avec son canif. Luke aurait pu trancher la cordelette et le ruban adhésif en quelques secondes mais, saisi de panique, il a détalé et foncé droit devant lui comme un taurillon tout juste marqué au fer rouge, propageant le feu aux buissons d'armoise et au blé en herbe desséchés par cet été torride.

J'avais empilé la vaisselle sale et je remplissais d'eau l'évier de la cuisine quand je l'ai entendu – le cri aigu, étranglé, qui a débuté sur une note et s'est achevé sur une autre. Il ne faisait aucun doute qu'il s'agissait d'un cri humain – jamais je n'avais entendu un animal beugler de la sorte, avec de telles variations de tonalité.

J'ai couru dehors et j'ai vu Luke tituber dans l'herbe. Il a appelé notre mère à l'aide, puis il s'est écroulé.

C'est alors que j'ai vu que la jambe gauche de son jean avait disparu, fondu. Certaines parties de son membre inférieur étaient violacées, rouges et sanglantes ; d'autres blanchies, mortes. Des bandelettes de peau parcheminée pendaient le long de sa cuisse, jusqu'à la cheville, comme de la cire dégoulinant d'une bougie bon marché.

Ses yeux ont chaviré dans ses orbites.

Je me suis ruée dans la maison. J'avais déjà emballé les nouveaux flacons de Rescue Remedy, mais la formule de base était encore posée sur le plan de travail. J'en ai attrapé une et je me suis précipitée dehors, puis j'ai versé la moitié du flacon entre les lèvres tremblantes de Luke. Il n'y a eu aucun changement. Ses yeux demeuraient d'une blancheur marmoréenne.

Un iris marron est réapparu, puis l'autre. Il s'est mis à marmonner, puis à crier :

« Ça brûle ! Ça brûle ! » a-t-il rugi. Un frisson l'a parcouru, il claquait des dents.

Je n'avais que dix ans et, en cet instant, je me suis vraiment sentie comme une enfant. Luke était mon grand frère ; je pensais qu'il saurait quoi faire, alors je l'ai saisi par les épaules et je l'ai secoué, fort.

« Je dois te refroidir ou te réchauffer ? » ai-je hurlé. Sa réponse n'a été qu'un hoquet.

La blessure, c'était la brûlure, ai-je raisonné. Il fallait la traiter en premier, c'était logique. Je suis allée chercher un pack de glace dans le congélateur-coffre du patio, mais quand la glace est entrée en contact avec sa jambe, il a poussé un hurlement à vous faire cambrer l'échine, à vous sortir les yeux de la tête, et j'ai senti mon cerveau me labourer le crâne. Il me fallait trouver un autre moyen de lui rafraîchir la jambe. J'ai envisagé de vider le congélateur-coffre et de faire monter Luke dedans, mais le congélateur ne fonctionnait que couvercle fermé.

J'ai fouillé mentalement la maison. Nous avions une grande poubelle, une poubelle géante. Elle était constellée de morceaux de nourriture avariée, à l'odeur si fétide que nous l'enfermions dans un placard. J'ai foncé à l'intérieur et vidé cette poubelle sur le lino, remarquant au passage la souris morte que Richard avait jetée dedans la veille, puis j'ai porté la poubelle dehors et je l'ai lavée à grande eau avec le tuyau de jardin. Je savais que je devais la nettoyer plus à fond, peut-être avec du liquide vaisselle, mais en voyant Luke se tordre dans l'herbe, j'estimais ne pas avoir le temps. Ayant nettoyé au jet le reste de liquide sale, j'ai remis la poubelle debout et je l'ai remplie d'eau.

Luke s'est rué tant bien que mal vers moi pour y plonger la jambe quand j'ai entendu l'écho de la voix de ma mère. Elle expliquait à quelqu'un que le vrai souci, avec une brûlure, ce ne sont pas les tissus endommagés, mais l'infection.

« Luke ! ai-je hurlé. Non ! Ne mets pas ta jambe dedans ! »

Il n'en a tenu aucun compte, il a continué de ramper vers la poubelle. Il avait dans l'œil une expression froide qui ne signifiait rien hormis le feu qui le brûlait, de sa jambe jusque dans sa cervelle. J'ai agi vite. J'ai bousculé la poubelle, et une grosse vague s'est déversée sur l'herbe. Luke a émis un gargouillement, comme s'il étouffait.

Je suis retournée dans la cuisine en courant et j'ai trouvé les sacs dont on tapisse l'intérieur de la poubelle, j'en ai tenu un grand ouvert pour mon frère et je lui ai dit d'y glisser sa jambe. Il n'a pas bougé mais m'a laissé enfiler le sac autour de ses chairs à vif. J'ai redressé la poubelle et j'ai fourré le tuyau de jardin dedans. Pendant qu'elle se remplissait, j'ai aidé mon frère à tenir en équilibre sur un pied et à glisser sa jambe brûlée, désormais enrobée de plastique noir, dans la poubelle. L'air de l'après-midi était torride ; l'eau allait vite se réchauffer ; j'ai jeté dedans le pack de glace.

Cela n'a pas été long – vingt minutes, peut-être trente – avant que Luke ne semble reprendre ses esprits, retrouver son calme et sa capacité de se tenir debout. Ensuite, Richard est tranquillement sorti de son sous-sol. La poubelle se trouvait au beau milieu de la pelouse, à trois mètres du premier carré d'ombre, et le soleil de l'après-midi tapait. Remplie d'eau, elle était trop lourde pour que nous puissions la bouger, et Luke refusait de ressortir sa jambe, ne serait-ce qu'une minute. Je suis allée chercher un sombrero en paille que grand-mère nous avait offert, en Arizona. Comme Luke continuait de claquer des dents, je lui ai apporté une couverture de laine. Et il est resté là, debout, un sombrero sur la tête, les épaules enveloppées d'une couverture de laine et sa jambe dans une poubelle. Il ressemblait à la fois à un sans-abri et à un vacancier.

Le soleil réchauffait l'eau ; dans une position de plus en plus inconfortable, Luke s'est mis à remuer. Je suis retournée au congélateur-coffre, mais il n'y avait plus de glace, juste une dizaine de sachets de légumes congelés, et je les ai donc jetés dedans. Cela a fini par produire une soupe opaque pleine de fragments de petits pois et de carottes.

Papa est arrivé à la maison plus tard, je ne saurais dire au bout de combien de temps, les traits tirés, l'air abattu. À présent silencieux, Luke se reposait, autant que faire se pouvait, dans sa position debout. Papa a traîné la poubelle à l'ombre parce que malgré le chapeau, les mains et les bras de Luke viraient au rouge, à cause du soleil. Papa a déclaré que la meilleure chose à faire était de laisser sa jambe ainsi jusqu'au retour de maman.

Sa voiture est apparue sur la grande route vers 18 heures. J'ai couru à sa rencontre pour lui apprendre ce qui s'était passé. Mère s'est précipitée auprès de Luke en nous expliquant qu'elle avait besoin de voir sa jambe. Il l'a soulevée, toute dégoulinante ; le sac plastique collait à la blessure. Notre mère, qui craignait de déchirer les tissus fragilisés, a donc lentement découpé le sac, avec précaution, jusqu'à ce que le membre soit visible. Il y avait très peu de sang et encore moins de cloques, car l'un et l'autre requièrent de la peau, et Luke n'en avait plus beaucoup. Le visage de mère est devenu d'un gris jaunâtre, mais elle a gardé son calme. Elle a fermé les yeux, croisé les doigts, puis a demandé à voix haute si la blessure était infectée. *Clic clic clic.*

«Cette fois-ci, Tara, tu as eu de la chance, a-t-elle dit. Mais quelle idée t'est passée par la tête, de mettre une jambe brûlée dans une poubelle?»

Papa a porté Luke à l'intérieur et maman est allée chercher son scalpel. Il leur a fallu, à papa et elle, la quasi-totalité de la soirée pour découper les chairs mortes. Luke essayait de ne pas crier, mais quand ils soulevaient des lambeaux de sa peau et les étiraient, tâchant de voir où s'achevaient les chairs mortes et où commençaient celles qui demeuraient vivantes, il lâchait de longs soupirs et des larmes lui dégoulinaient des yeux.

Mère a pansé la jambe avec un baume de molène et de consoude, une recette de sa composition. Elle savait se montrer efficace avec les blessures – c'était l'une de ses spécialités –, mais je voyais bien qu'elle était inquiète. Elle nous a confié qu'elle n'en avait jamais vu d'aussi graves que celles de Luke. Elle ne savait pas ce qui allait se passer.

Mère et moi sommes restées au chevet de Luke, cette première nuit. Il délirait tellement, sous l'effet de la fièvre et de la douleur, qu'il a à peine dormi. Pour la fièvre, nous lui mettions de la glace sur le visage et la poitrine; pour la douleur, nous lui donnions de la lobélie, de la verveine sauvage et de la scutellaire – encore une autre recette de maman. J'en avais pris après être tombée de la benne, pour calmer la douleur dans ma jambe en attendant que la plaie se referme, mais d'après ce que j'avais constaté, cela n'avait eu aucun effet.

J'étais convaincue que les médicaments dispensés par les hôpitaux étaient une abomination pour le Seigneur, mais si j'avais eu de la morphine cette nuit-là, j'en aurais administré à Luke. La douleur l'empêchait de respirer. Il était au lit, soutenu en position assise, la sueur perlait sur son front et sur sa poitrine, il retenait sa respiration jusqu'à en devenir écarlate, puis violet, comme si priver son cerveau d'oxygène était pour lui le seul moyen de tenir jusqu'à la minute suivante. Quand la douleur dans ses poumons dominait celle de la brûlure, il relâchait de l'air avec un halètement aussi violent qu'étouffé – un cri de soulagement pour ses poumons, d'atroce souffrance pour sa jambe.

La deuxième nuit, je m'en suis occupée seule, pour que maman puisse se reposer. Je n'ai dormi que d'un œil, me réveillant dès les premiers signes d'agitation, au moindre changement de position, afin d'aller chercher de la glace et des teintures avant que Luke ne soit pleinement conscient et que la douleur ne le submerge. La troisième nuit, mère a veillé sur lui. Du seuil de la pièce, j'écoutais son souffle, regardant notre mère qui ne le quittait pas du regard, le visage creusé, les yeux gonflés d'inquiétude et d'épuisement.

Quand je dormais, je rêvais. Je rêvais du feu que je n'avais pas vu. Je rêvais que c'était moi, couchée dans ce lit, le corps enveloppé de bandages de gaze, comme momifiée. Mère s'agenouillait près de moi, avec une légère pression sur ma main bandée, aussi légère que sur la main de mon frère, me tamponnant le front, priant.

Luke n'est pas allé à l'église ce dimanche-là, ni le suivant, ni même celui d'après. Papa racontait aux gens qu'il était malade. Il affirmait que si le Gouvernement apprenait l'état de sa jambe, les Fédéraux nous prendraient tous, nous, les enfants. Qu'ils placeraient Luke à l'hôpital, et qu'alors sa jambe s'infecterait et qu'il mourrait.

Environ trois semaines après l'accident, mère nous a annoncé que la peau au pourtour de la brûlure avait commencé de se reconstituer, et qu'elle avait bon espoir pour les parties les plus atteintes. À ce stade, Luke était capable de s'asseoir et, une semaine plus tard, lorsque la première vague de froid arriva, il réussissait à se tenir debout une minute, sur deux béquilles. Il n'a pas tardé à aller et venir dans la maison d'un pas lourd, aussi maigre qu'un haricot, avalant des monceaux de nourriture pour reprendre du poids. À partir de ce moment, l'histoire de la ficelle est devenue une véritable fable familiale.

«Un homme devrait avoir une vraie ceinture, a décrété papa au petit déjeuner, le jour où Luke a pu retourner à la ferraille, en lui tendant une lanière en cuir avec une boucle en acier.

— Pas Luke, a ironisé Richard. Il préfère la ficelle, tu sais comme il est à la mode.»

Luke a eu un grand sourire.

«Être beau, c'est le principal», a-t-il répondu.

Pendant dix-huit ans, je n'ai jamais repensé à cette journée. Du moins pas de manière approfondie. Les rares fois où ma mémoire m'a ramenée à cet après-midi d'horreur, mon premier souvenir était lié à cette ceinture. *Luke, espèce de chien fou. Je me demande si tu portes encore de la ficelle.*

Maintenant, à vingt-huit ans, je m'assieds à ma table de travail pour écrire, reconstituer l'incident à partir des échos et des cris d'une mémoire fatiguée. J'y parviens tant bien que mal. Quand j'arrive à la fin, je marque un temps d'arrêt. Il y a dans cette histoire un fantôme, une incohérence.

Je lis. Et je relis encore. Et c'est là. J'ai trouvé.

Qui a éteint les flammes ?

Une voix demeurée longtemps en sommeil me répond : *Papa.*

Pourtant, quand j'ai aperçu Luke, il était seul. Si papa avait été avec lui dans la montagne, il l'aurait lui-même ramené à la maison, il aurait soigné sa brûlure. Papa était ailleurs, occupé par je ne sais quelle besogne, et c'est pour ça que Luke a dû se débrouiller pour redescendre seul. C'est pour ça que c'est une gamine de dix ans qui a dû s'occuper de sa jambe. Et c'est pour ça que cette jambe a fini dans une poubelle.

Je décide d'appeler Richard. Comme il est plus âgé que moi, sa mémoire est plus précise. En outre, aux dernières nouvelles, Luke n'a plus de téléphone.

J'appelle. La première chose dont Richard se souvient, c'est la ficelle, que, fidèle à lui-même, il qualifie d'« outil d'emballage ». Ensuite, il se rappelle l'essence renversée. Je lui demande comment Luke a pu éteindre le feu et descendre tout seul de la montagne, étant donné que je l'ai trouvé en état de choc. Papa était avec lui, a-t-il dit, catégorique.

D'accord.

Alors pourquoi papa n'était-il pas à la maison ?

Parce que Luke avait couru au milieu des hautes herbes et mis le feu à la montagne. Tu te souviens de cet été caniculaire ? Tu ne peux pas risquer de déclencher des feux de forêt pendant un été sec. Papa a fait monter Luke dans le pick-up et lui a dit de rouler jusqu'à la maison, jusqu'à notre mère. Sauf que mère était partie.

D'accord.

J'y repense pendant quelques jours, puis je me remets à ma table et je rédige. Papa est là, au début – avec ses bonnes blagues sur les socialistes, les chiens et le toit qui évite aux progressistes de se noyer. Ensuite, papa et Luke partent dans la montagne, mère s'en va et j'ouvre le robinet pour remplir l'évier de la cuisine. Encore. Pour la troisième fois, me semble-t-il.

Dans la montagne, il se produit quelque chose. Je ne peux qu'imaginer, mais je vois distinctement cette chose, plus distinctement que si c'était un souvenir. Les voitures sont empilées, elles attendent, leurs réservoirs sont percés et siphonnés. D'un geste, papa désigne une tour de bagnoles et dit : « Luke, découpe-moi ces réservoirs, OK ? » Et Luke répond : « C'est comme si c'était fait, papa. » Il place le bec du chalumeau contre sa hanche et gratte pour produire une étincelle. Les flammes surgissent de nulle part et l'assaillent. Il crie, se débat avec la ficelle, crie encore, et détale à travers champ.

Papa le rattrape, lui ordonne de s'arrêter. C'est probablement la première fois de toute sa vie que Luke désobéit à un ordre de papa. Luke est rapide, mais papa est malin. Il prend un raccourci en franchissant une pyramide de carcasses de véhicules, plaque Luke au sol et l'immobilise brutalement.

Je n'arrive pas à me représenter ce qui se passe ensuite, parce que personne ne m'a jamais expliqué comment papa a pu éteindre l'incendie de la jambe de Luke. Ensuite, un souvenir refait surface – ce soir-là dans la cuisine, papa tressaille quand ma mère enduit ses mains d'un baume, ses mains écarlates pleines de cloques –, et je comprends ce qu'il a dû faire.

Luke n'est plus en feu.

J'essaie d'imaginer le moment de la décision. Mon père se tourne vers les hautes herbes, qui s'embrasent vite, avides de flammes dans cette chaleur tremblante. Il se tourne vers son fils. Il se dit que s'il réussit à étouffer les flammes tant qu'elles sont encore naissantes, il pourra empêcher un incendie de forêt, et peut-être sauver la maison.

Luke paraît lucide. Son cerveau n'a pas encore traité ce qui vient de se passer, la douleur ne s'est pas encore installée. *Le Seigneur y pourvoira.* J'imagine papa pensant cela. *Dieu l'a laissé conscient.*

Je me figure aussi mon père priant à haute voix, les yeux levés vers le ciel, portant son fils jusqu'au pick-up et l'installant au poste de conduite. Papa met le moteur en marche, le pick-up s'ébranle, roule. Il est maintenant lancé, Luke s'agrippe au volant. Mon père saute du pick-up en mouvement, se reçoit brutalement dans un roulé-boulé, puis repart en courant vers le feu de broussailles, qui s'étend. «Le Seigneur y pourvoira!» entonne-t-il. Puis il retire sa chemise et repousse les flammes[1].

---

1. Depuis la rédaction de cet épisode, j'ai parlé à Luke de l'incident. Son récit diffère à la fois du mien et de celui de Richard. Dans sa mémoire, papa l'a conduit à la maison, lui a administré un remède homéopathique contre l'état de choc, puis l'a mis dans un baquet d'eau froide, où il l'a laissé pour retourner combattre l'incendie. Cela contredit mon souvenir, et celui de Richard. Pourtant, il se peut que nos souvenirs soient erronés. Peut-être ai-je trouvé Luke dans un baquet, et non sur l'herbe. Étrangement, l'aspect sur lequel tout le monde s'accorde, c'est que Luke a fini, sans qu'on sache comment, sur la pelouse devant la maison, la jambe dans une poubelle.

8

Petites traînées

Je voulais m'échapper de la ferraille, mais le seul moyen d'y parvenir, c'était celui auquel Audrey avait eu recours : me trouver un emploi afin de ne plus être à la maison quand papa battait le rappel de son équipe. L'ennui, c'est que je n'avais que onze ans.

J'ai enfourché mon vélo, roulé un kilomètre et demi jusqu'au centre poussiéreux de notre petit village. Là-bas, il n'y avait pas grand-chose, juste une église, un bureau de poste et une station-service qui s'appelait Papa Jay's. Je suis entrée dans le bureau de poste. Derrière le comptoir, se trouvait une vieille femme dont le nom, je le savais, était Myrna Moyle – Myrna et son mari Jay (Papa Jay) étaient les propriétaires de la station-service. Papa soutenait que c'étaient eux qui étaient à l'origine de l'arrêté municipal limitant le nombre de chiens à deux par famille, et qu'ils avaient proposé d'autres arrêtés. Dès lors, papa rentrait tous les dimanches de l'église en vociférant contre Myrna et Jay Moyle – ces deux-là, originaires de Monterey ou

Seattle, on ne savait pas trop, qui s'imaginaient pouvoir imposer leur socialisme de la côte Ouest aux bonnes gens d'Idaho.

J'ai demandé à Myrna si elle pouvait punaiser une annonce sur son panneau. Elle m'a demandé de quoi il s'agissait. Je lui ai répondu que j'espérais recevoir des offres de baby-sitting.

« Quand es-tu disponible ? a-t-elle demandé.

— N'importe, tout le temps.

— Tu veux dire après l'école ?

— Je veux dire tout le temps. »

Myrna m'a regardée, en penchant la tête.

« Ma fille Mary a besoin de quelqu'un pour s'occuper de son petit dernier. Je vais lui poser la question. »

Mary suivait des études d'infirmière – papa disait que personne ne pouvait subir pire lavage de cerveau, en travaillant pour la Médecine officielle et pour le Gouvernement. Je pensais donc qu'il ne me laisserait peut-être pas travailler pour elle. Mais si. Assez vite, je me suis occupée de la fille de Mary, tous les lundis, mercredis et vendredis matin. Et ensuite, des trois enfants d'Eve, une amie de Mary, qui cherchait une baby-sitter les mardis et les jeudis.

À mille cinq cents mètres de chez nous, sur la route, il y avait un homme, dénommé Randy, qui gérait son activité depuis sa maison, il vendait des noix de cajou, des amandes et des noix de macadamia. Un après-midi, il a fait un saut au bureau de poste et bavardé avec Myrna, lui confiant à quel point il était fatigué d'emballer les colis lui-même, et il avait envie d'embaucher des gamins, mais ils étaient tous pris soit par le football soit par leur groupe de musique.

«Il y a au moins une gamine dans ce patelin qui n'est pas occupée par tout ça. Et je pense qu'elle serait franchement ravie», a répondu Myrna en lui montrant mon annonce. Je me suis vite retrouvée à faire du baby-sitting de 8 heures à midi du lundi au vendredi, avant d'aller chez Randy emballer des noix de cajou jusqu'à l'heure du dîner. Je n'étais pas payée grand-chose, mais comme je n'avais jamais été payée jusque-là, cela m'a paru beaucoup.

À l'église, les gens disaient que Mary jouait magnifiquement du piano. Ils utilisaient le mot «professionnelle», ce que je ne comprenais pas. Jusqu'à ce dimanche où elle a joué du piano pour la congrégation. En l'écoutant, j'ai arrêté de respirer. J'avais entendu jouer du piano à d'innombrables reprises auparavant, en accompagnement de cantiques, mais quand Mary jouait, sa musique n'avait rien à voir avec ce martèlement sourd et informe. C'était liquide, c'était aérien. C'était du roc et, l'instant d'après, du vent.

Le lendemain, lorsque Mary est rentrée de son école d'infirmière, je lui ai demandé si, au lieu de me donner de l'argent, elle ne pouvait pas me donner des leçons. Nous nous sommes assises au bord du tabouret de piano et elle m'a montré quelques exercices. Ensuite, elle m'a demandé ce que j'apprenais d'autre, à part le piano. Papa m'avait soufflé ce que je devais répondre quand les gens me questionnaient sur ma scolarité.

«Je fais l'école tous les jours.

— Tu rencontres d'autres enfants ? a-t-elle insisté. Tu as des amis ?

— Bien sûr», lui ai-je assuré. À la fin de la leçon, alors que j'étais sur le point de m'en aller, elle a ajouté un mot.

«Ma sœur Caroline enseigne la danse tous les mercredis, dans la pièce du fond, chez Papa Jay's. Il y a plusieurs filles de ton âge. Tu pourrais te joindre à elles.»

Ce mercredi-là, j'ai quitté Randy tôt et j'ai pédalé jusqu'à la station-service. Je portais un jean, un grand tee-shirt gris et des chaussures de chantier à bout en fer ; les autres filles portaient des justaucorps noirs et des jupes légères et chatoyantes, des collants blancs et de minuscules ballerines couleur caramel. Caroline était plus jeune que Mary. Son maquillage était impeccable et des anneaux d'or étincelaient entre ses boucles châtains.

Elle nous a disposées en rangs, puis elle nous a montré une courte chorégraphie. Une sono portative posée dans l'angle diffusait une chanson que je n'avais encore jamais entendue, mais que les autres filles connaissaient. J'ai regardé notre reflet dans le miroir, les douze filles, sveltes et impeccables, un fondu de pirouettes noires, blanches et roses. Et ensuite, moi, grande et grise.

À la fin du cours, Caroline m'a suggéré de m'acheter un justaucorps et des ballerines.

«Je peux pas.

— Oh, a-t-elle dit, mal à l'aise. Peut-être qu'une des filles pourra t'en prêter. »

Elle se méprenait. Elle pensait que je n'avais pas d'argent.

« Ce n'est pas décent », ai-je ajouté.

Elle a entrouvert les lèvres de surprise. *Ces Moyle de la côte Ouest.*

« Eh bien, tu ne peux pas danser avec tes bottes. Je vais en parler à ta mère. »

Quelques jours plus tard, mère m'a conduite à plus de soixante kilomètres de là jusqu'à une petite boutique aux rayonnages garnis de chaussures bizarres et d'étranges costumes en acrylique. Pas une de ces tenues n'était décente. Elle est allée directement à la caisse expliquer à la vendeuse qu'il nous fallait un justaucorps noir, des collants blancs et des chaussures de jazz.

« Garde tout dans ta chambre », m'a recommandé ma mère quand nous sommes ressorties de la boutique. Elle n'avait rien besoin d'ajouter. J'avais déjà compris que je ne devais pas montrer le justaucorps à papa.

Le mercredi suivant, je portais le justaucorps et les collants sous mon tee-shirt gris. Le tee-shirt m'arrivait presque aux genoux, mais même comme ça, j'avais honte qu'on puisse voir autant mes jambes. Papa répétait qu'une femme vertueuse ne montre rien au-dessus de la cheville.

Les autres filles me parlaient rarement, mais j'adorais être avec elles. J'aimais cette sensation de conformité. Apprendre à danser me faisait l'effet d'apprendre à faire partie. J'étais capable de mémoriser les mouvements et, ainsi, d'entrer dans leur tête, d'exécuter un pas tombé quand elles exécutaient le même pas, de lever les bras au ciel sur le même rythme qu'elles. Parfois, quand je jetais un coup d'œil au miroir et entrevoyais l'écheveau de nos silhouettes qui pirouettaient, je ne repérais pas tout de suite la mienne. Peu importait que j'aie un tee-shirt gris – une oie parmi les cygnes. Nous évoluions ensemble, comme une seule volée.

Nous avons commencé les répétitions pour le récital de Noël, et Caroline a appelé ma mère pour discuter avec elle de mon costume. « La jupe aura quelle longueur ? a demandé ma mère. Et très fine ? Non, ça n'ira pas. » J'ai entendu Caroline dire quelque chose à propos des costumes que les filles souhaitaient avoir. « Tara ne peut pas mettre ça, a protesté ma mère. Si c'est ce que portent les autres filles, elle restera à la maison. »

Le mercredi suivant l'appel de Caroline à ma mère, je suis arrivée chez Papa Jay's quelques minutes en avance. La classe des petits venait de se terminer, et le magasin était envahi de gamines de six ans, se pavanant devant leur mère, coiffées d'un chapeau de velours rouge, en jupes étincelantes de paillettes d'un rouge écarlate. Je les regardais se trémousser et bondir dans les rayons, leurs maigres gambettes vêtues seulement de leurs collants si fins. Je trouvais qu'elles avaient l'air de petites traînées.

Le reste de ma classe est arrivé. En découvrant les tenues des petites, elles se sont ruées dans le studio pour découvrir ce que Caroline avait prévu pour elles. Caroline se tenait à côté d'un carton rempli de grands sweat-shirts gris qu'elle leur a tendus. «Voici vos costumes !» Les filles ont brandi leurs sweat-shirts, en haussant les sourcils d'un air incrédule. Elles s'attendaient à de la mousseline de soie et du ruban, pas à des *Fruit of the Loom*. Caroline s'était efforcée de rendre ces sweat-shirts plus attrayants en y cousant de grands Pères Noël, cernés de paillettes, mais cela rendait le coton miteux encore plus miteux.

Mère n'avait rien dit à papa au sujet du récital, et moi non plus. Je ne l'ai pas invité à venir le voir. Une réaction instinctive, une intuition acquise. Le jour du récital, mère a annoncé à papa que j'avais un «truc» ce soir-là. Il a posé un tas de questions, ce qui a surpris ma mère et, au bout de quelques minutes, elle a concédé qu'il s'agissait d'un spectacle de danse. Dès qu'elle lui a avoué que j'avais pris des cours de danse avec Caroline Moyle, il s'est mis à grimacer, et j'ai cru qu'il allait se remettre à vitupérer contre le socialisme californien. Mais il s'est abstenu. À la place, il a pris son manteau et nous nous sommes dirigés tous les trois vers la voiture.

Le récital se déroulait à l'église. Tout le monde était là, avec des appareils photos qui crépitaient et de gros caméscopes. Je me suis changée, j'ai enfilé mon costume dans la pièce où j'assistais à l'école du dimanche. Les autres filles bavardaient joyeusement ; j'ai enfilé mon sweat-shirt, en tirant dessus pour essayer d'allonger le tissu de quelques centimètres supplémentaires.

Je tirais encore dessus quand nous nous sommes alignées sur la scène.

La sono portative, posée sur le piano, a diffusé la musique et nous nous sommes mises à danser, en tapant du pied en cadence. Ensuite, nous étions censées sauter en l'air, lever les mains vers le plafond et tourner sur nous-mêmes. Mes pieds sont restés plantés au sol. Au lieu de lancer les bras au-dessus de ma tête, je ne les ai levés qu'à hauteur d'épaules. Quand les autres filles se sont accroupies pour taper sur la scène du plat de la main, je me suis juste penchée ; quand nous devions faire la roue, je me suis juste balancée, refusant de laisser la gravité faire son œuvre et relever mon sweat-shirt encore un peu plus haut sur mes jambes.

La musique terminée, nous sommes sorties de scène, et les filles m'ont lancé des regards furieux – j'avais gâché le spectacle. Je les voyais à peine. Une seule personne dans cette salle me paraissait réelle, et c'était papa. Je scrutais le public, et je l'ai facilement reconnu. Il était debout dans le fond, les lumières de la scène se reflétaient dans ses verres de lunettes carrés. Il affichait une expression impassible, mais j'y percevais la colère.

Le trajet du retour à la maison faisait moins de deux kilomètres ; ils en ont paru cent. J'étais assise sur la banquette arrière, mon père hurlait. Comment ma mère avait-elle pu me laisser pécher si ouvertement ? Était-ce pour cela qu'elle lui avait caché le récital ? Mère l'a écouté un moment, en se mordillant la lèvre, puis elle a levé les mains au ciel et répondu qu'elle

ignorait complètement que le costume serait si indé-
cent.

«Je suis furieuse contre Caroline Moyle !» s'est-elle
exclamée.

Je me suis penchée vers l'avant pour scruter son
visage. Je voulais qu'elle me regarde, qu'elle voie la
question que je lui posais mentalement, parce que je
ne comprenais pas. Pas du tout. Je savais que mère
n'était pas furieuse contre Caroline, parce qu'elle avait
vu ce sweat-shirt plusieurs jours auparavant. Elle avait
même appelé Caroline pour la remercier d'avoir choisi
un costume que je pourrais porter. Mère a tourné la
tête vers la vitre.

J'ai alors fixé la nuque et les cheveux gris de papa,
qui, à présent silencieux, écoutait ma mère insulter
Caroline, répéter que les costumes étaient choquants,
obscènes. Papa acquiesçait tandis que la voiture
remontait le chemin verglacé en cahotant. À chaque
mot de ma mère, sa colère se dissipait.

Le reste de la soirée a été tout entier absorbé par le
sermon de mon père. Il a décrété que le cours de Caroline faisait partie des stratagèmes de Satan, comme
l'école publique, parce qu'il se prétendait être une
chose alors que c'en était une autre. Ce cours prétendait enseigner la danse, et au lieu de ça on y enseignait
l'indécence, la promiscuité. Satan était rusé, rappelait
papa. En appelant cette chose la «danse», il avait
convaincu de bons mormons d'accepter le spectacle
de leurs filles sautant en tous sens comme des putains
dans la maison du Seigneur. C'était cet aspect qui

l'offensait plus que tout : qu'un tel étalage d'obscénité ait eu lieu dans une église.

Lorsqu'épuisé, à bout de forces, papa s'est couché, je me suis faufilée sous mes couvertures et j'ai regardé fixement l'obscurité. Un coup a retenti à ma porte. C'était mère. « J'aurais dû avoir un peu plus de bon sens, a-t-elle reconnu. J'aurais dû voir ce cours de danse pour ce qu'il était. »

Mère devait se sentir coupable, après le récital, car au cours des semaines suivantes, elle a cherché ce que je pourrais faire d'autre, que papa n'interdirait pas. Elle avait remarqué les heures que je passais dans ma chambre à écouter le Chœur du Tabernacle mormon sur le vieux ghetto-blaster de Tyler, et elle s'est mise à chercher une professeure de chant. Il a fallu quelques semaines pour en trouver une, et quelques semaines de plus pour la convaincre de me prendre. Les leçons étaient bien plus coûteuses que ne l'était le cours de danse, mais maman les a payées avec l'argent que lui rapportait la vente de ses huiles.

La professeure était grande et mince, avec des ongles longs qui cliquetaient en effleurant les touches du clavier. Elle redressait ma posture en me tirant sur les cheveux à la base de la nuque, jusqu'à ce que je relève le menton, ensuite elle m'allongeait par terre et me marchait sur le ventre pour me tonifier le diaphragme. Elle était obsédée par l'équilibre et me flanquait souvent une tape sur les genoux pour me rappeler de me tenir droite et forte, d'occuper mon espace propre.

Au bout de quelques leçons, elle m'a annoncé que j'étais prête à me produire à l'église. Tout était arrangé. Je chanterais un cantique devant la congrégation, ce dimanche.

Les journées défilaient vite, comme c'est le cas lorsqu'on redoute quelque chose. Le dimanche matin, j'étais en chaire et je contemplais les visages des gens en contrebas. Il y avait Myrna et Papa Jay et, derrière eux, Mary et Caroline. Ils semblaient désolés pour moi, comme s'ils pensaient que je risquais de m'infliger une humiliation.

Mère a joué l'introduction. La musique s'est interrompue, le moment était venu de chanter. À cet instant, j'aurais pu songer à quantité de choses. J'aurais pu songer à mon professeur et à ses techniques – la posture redressée, le dos droit, la mâchoire relâchée. Au lieu de quoi c'est à Tyler que je pensais, et à moi, allongée sur le tapis à côté de son bureau, observant ses pieds dans leurs chaussettes de laine tandis que le Chœur du Tabernacle mormon déroulait ses trilles. Il m'avait empli la tête de ces voix, qui pour moi étaient plus belles que tout, excepté Buck's Peak.

Les doigts de ma mère hésitaient au-dessus des touches. Le silence était devenu gênant, la congrégation mal à l'aise s'agitait sur les bancs. Je pensais aux voix, à leurs étranges paradoxes – à leur façon de faire flotter les notes, à cet air qui me semblait aussi doux qu'un vent chaud, mais si aigu qu'il vous transperçait. J'allais chercher ces voix, au plus profond de mon esprit – et elles étaient là. Rien ne m'avait jamais paru aussi naturel; c'était comme si je pensais le son, et qu'ainsi je l'amenais à exister. Pourtant, la réalité n'avait encore jamais cédé à mes pensées.

Le chant s'est achevé et je suis retournée à mon banc. Une prière a clôturé le service, puis la foule m'a assaillie. Des femmes en imprimés à fleurs m'ont souri, m'ont attrapé la main, des hommes en costumes noirs m'ont tapé sur l'épaule. Le chef de chœur m'a invitée à me joindre à la chorale, Frère Davis m'a priée de chanter pour le Rotary Club, et l'évêque – l'équivalent mormon d'un pasteur – a déclaré qu'il aimerait que je chante mon air à un enterrement. J'ai dit oui à tout.

Papa souriait à tout le monde. Il les avait presque tous traités un jour de Gentil – parce qu'ils étaient allés consulter un docteur ou parce qu'ils envoyaient leurs enfants à l'école publique –, mais ce jour-là, il semblait avoir oublié le socialisme californien et les Illuminati. Il se tenait à côté de moi, une main sur mon épaule, et acceptait leurs compliments de bonne grâce. « Nous sommes vraiment bénis, ne cessait-il de répéter. Vraiment bénis. » Papa Jay a traversé la chapelle et s'est arrêté devant notre banc. Il s'est exclamé que je chantais comme l'un des anges du Seigneur. Papa l'a regardé un moment, puis j'ai vu ses yeux briller et il a serré la main de Papa Jay comme s'ils étaient de vieux amis.

Je n'avais jamais vu cette facette de mon père, mais je la reverrais à maintes reprises par la suite – chaque fois que je chantais. Il avait beau travailler à la ferraille pendant des heures, il n'était jamais trop fatigué pour venir m'écouter. Malgré toute son aigreur envers les socialistes comme Papa Jay, il était capable, si ceux-ci faisaient l'éloge de ma voix, de mettre de côté sa grande bataille contre les Illuminati pour reconnaître : « Oui, Dieu nous a bénis, nous sommes vraiment bénis. » Quand je chantais, c'était comme si papa oubliait que le monde était terrifiant, qu'il risquait de me corrompre, qu'il fallait me maintenir en sécurité, me protéger, à la maison. Il fallait que ma voix soit entendue.

Le théâtre de la ville voisine montait une comédie musicale, *Annie*, et ma professeure m'a affirmé que lorsque le metteur en scène m'entendrait chanter, il me confierait le premier rôle. Mère m'a conseillé de ne pas me faire trop d'illusions. Elle m'a rappelé qu'elle n'avait pas les moyens de faire vingt kilomètres de route quatre soirs par semaine pour les répétitions, et que même si elle avait pu, papa ne m'autoriserait jamais à passer du temps en ville, seule, avec on ne savait qui.

J'ai quand même répété ces chansons, parce qu'elles me plaisaient. Un soir, je chantais dans ma chambre « The Sun'll Come out Tomorrow », quand papa est rentré pour dîner. Il a mâché son pain de viande en silence, il m'écoutait.

« Je trouverai l'argent, a-t-il annoncé à ma mère quand ils se sont mis au lit ce soir-là. Toi, conduis-la à cette audition. »

9

Parfait parmi ses contemporains[1]

C'est à l'été 1999 que j'ai chanté le premier rôle dans *Annie*. Mon père était en mode préparatifs à fond. Jamais, depuis l'année de mes cinq ans, quand les Weaver étaient assiégés, je ne l'avais vu aussi convaincu que les Temps d'Abomination étaient à notre porte.

Papa appelait cela le Bug de l'an 2000. Le 1er janvier, affirmait-il, les systèmes informatiques du monde entier tomberaient en panne. Il n'y aurait plus d'électricité, plus de téléphone. Tout sombrerait dans le chaos, et ce chaos inaugurerait la résurrection du Christ.

« Comment connais-tu la date ? » lui ai-je demandé.

Papa soutenait que le Gouvernement avait programmé les ordinateurs selon un calendrier à six chiffres, ce qui signifiait que seuls deux chiffres étaient réservés à l'année.

---

1. Genèse 6:9 : « Parmi ses contemporains, Noé fut un homme juste, parfait. » *(N.d.T.)*

«Quand neuf-neuf deviendra zéro-zéro, les ordinateurs ne sauront plus en quelle année ils sont. Ils s'éteindront.

— Ils ne peuvent pas arranger ça?

— Nan, ça se peut pas. L'homme ne s'est fié qu'à sa propre force, et sa force était faible.»

À l'église, il avertissait tout le monde du Bug de l'an 2000. Il conseillait à Papa Jay d'équiper sa station-service de serrures renforcées, et peut-être même de se doter d'armes défensives.

«En cas de famine, ce magasin sera le premier pillé», déclarait-il. Il racontait à Frère Mumford que tout homme sage devait posséder au moins dix années de vivres, de carburant, d'armes et d'or. Frère Mumford se contentait de répondre: «Nous ne pouvons pas tous être aussi sages que toi, Gene. Certains d'entre nous sont des pécheurs!» Personne ne l'écoutait. Tous vaquaient à leurs occupations dans le soleil de l'été.

Pendant ce temps, ma famille faisait bouillir et pelait des pêches, dénoyautait des abricots et réduisait des pommes en compote. Tout était cuit à la cocotte-minute, conditionné sous vide, étiqueté, et stocké dans un cellier à légumes que papa avait creusé dans le champ. L'entrée était dissimulée par un monticule. Il m'avait prévenue: je ne devais jamais indiquer cet emplacement à personne!

Un après-midi, papa s'est mis aux commandes de l'excavatrice pour creuser une fosse à côté de la vieille grange. Ensuite, à l'aide du chargeur, il a installé une citerne de presque quatre mille litres dans la fosse et l'a recouverte de terre, à la pelle, en prenant soin de planter des orties et de semer des pissenlits sur la terre fraîchement remuée, afin que leur pousse masque la citerne. Il sifflotait «I Feel Pretty», l'air de *West Side Story*, tout en pelletant. Son chapeau relevé sur le front, il avait un sourire radieux. «Quand la Fin viendra, nous serons les seuls à avoir du carburant, s'écriait-il. Quand tout le monde devra cavaler, on roulera. On poussera même jusqu'en Utah, pour aller récupérer Tyler.»

Presque tous les soirs, j'allais au Worm Creek Opera House, un théâtre délabré près du seul feu de circulation du bourg. Les répétitions se déroulaient dans un autre monde. Personne ne parlait du Bug de l'an 2000.

À Worm Creek, les relations entre les gens ne correspondaient pas du tout à ce dont j'avais l'habitude au sein de ma famille. Bien sûr, il m'arrivait de passer du temps avec certaines personnes en dehors du cercle familial, mais elles étaient comme nous : c'étaient des femmes qui avaient fait appel à ma mère pour accoucher leur bébé, ou qui venaient la consulter pour des plantes médicinales parce qu'elles ne croyaient pas à la Médecine officielle. Je n'avais qu'une seule amie ; elle se prénommait Jessica. Quelques années auparavant, papa avait convaincu ses parents, Rob et Diane, que les écoles publiques n'étaient que des programmes de propagande gouvernementale, et depuis lors ils l'avaient gardée à la maison. Avant que ses parents ne retirent leur fille de l'école, elle était «des leurs», et je n'avais jamais essayé de lui adresser la parole, mais après, elle était devenue «des nôtres». Les enfants normaux ont arrêté de la compter parmi eux, et il ne lui restait plus que moi.

Je n'avais jamais appris comment m'adresser aux gens qui n'étaient pas comme nous – ceux qui fréquentaient l'école et consultaient le docteur. Qui ne se préparaient pas, tous les jours, à la Fin du Monde. Worm Creek était plein de ces gens-là, des individus dont les propos semblaient venir d'une autre réalité. C'est ce que j'ai ressenti la première fois que le metteur en scène s'est adressé à moi, comme s'il me parlait depuis une autre dimension : «Va me chercher FDR.» Je n'ai pas bougé.

Il a insisté. «Le président Roosevelt. FDR.

— Comme un JCB? ai-je demandé, me référant à la marque d'engins de chantier. Il faut un chariot élévateur?»

Tout le monde a éclaté de rire.

J'avais mémorisé toutes mes répliques, mais durant les répétitions je restais à l'écart, faisant mine de me plonger dans mon classeur noir. Quand c'était mon tour de monter sur scène, je les déclamais d'une voix forte et sans hésitation. Cela m'insufflait une sorte de confiance. Si moi, je n'avais rien à dire, ce n'était pas le cas d'Annie, mon personnage.

Une semaine avant la première, ma mère a teint mes cheveux châtains en rouge cerise. Le metteur en scène a trouvé cela parfait, et il me suffisait maintenant de terminer la confection de mes costumes avant la répétition générale du samedi.

Dans notre sous-sol, j'ai trouvé un tricot trop grand, taché et troué, et une robe bleue horrible, que ma mère a décolorée dans un marron passé. La robe était parfaite pour une orpheline, et j'étais soulagée de constater combien il avait été facile de trouver des costumes, jusqu'à ce que je me souvienne qu'au deuxième acte, Annie porte des robes magnifiques, qu'Oliver "Daddy" Warbucks, le milliardaire philanthrope, lui achète. Je n'avais rien de tel.

J'en ai informé ma mère et son visage s'est décomposé. Nous avons parcouru cent cinquante kilomètres aller et retour, fouillé chaque boutique de vêtements d'occasion croisée sur la route, en vain. Garée sur le parking du dernier magasin, ma mère a fait une grimace.

«Il y a un dernier endroit où nous pouvons essayer.»

Nous sommes allées chez ma tante Angie et nous sommes arrêtées en face de la palissade blanche commune qu'elle partageait avec grand-mère. Ma mère a frappé, puis s'est lissé les cheveux. Angie a eu l'air surprise de nous voir – mère rendait rarement visite à sa sœur –, mais elle lui a souri chaleureusement et nous a invitées à entrer. Sa pièce côté rue me rappelait les salons chics des hôtels dans les films, tant il y avait de soieries et de dentelles. Mère et moi nous sommes assises dans un sofa recouvert d'un tissu plissé rose clair, et elle a expliqué la raison de notre venue. Angie lui a répondu que sa fille avait quelques robes qui pourraient faire l'affaire.

Mère a patienté dans le sofa rose pâle pendant qu'Angie me conduisait à l'étage dans la chambre de sa fille, et sortait une poignée de robes, toutes si jolies, avec de tels savants motifs de dentelle et tant de rubans délicatement noués qu'au début j'ai eu peur de les toucher. Angie m'a aidée à les essayer, l'une après l'autre, nouant les ceintures, attachant les boutons, gonflant les rubans. «Tu devrais prendre celle-ci, m'a-t-elle conseillé, en me tendant une robe marine ornée de cordons blancs barrant le corsage. C'est grand-mère qui a cousu ce motif.» J'ai pris la robe, ainsi qu'une autre en velours rouge avec un col de dentelle blanche, et mère et moi avons repris la route.

La semaine suivante, pour la première, papa était assis au premier rang. À la fin de la représentation, il s'est rendu tout droit à la caisse et a acheté des billets pour le lendemain soir. Ce dimanche-là, à l'église, il n'a parlé de rien d'autre. Ni des médecins, ni des Illuminati, ni du Bug de l'an 2000. Rien que de la comédie musicale qui se jouait en ville, où sa fille cadette tenait le rôle principal.

Il ne m'a pas empêchée d'auditionner pour la pièce suivante, ni pour celle d'après, quand bien même il s'inquiétait de me voir passer tant de temps loin de la maison.

«Je n'ose penser au genre d'ébats qui ont lieu dans cet endroit, se plaignait-il. C'est probablement un repaire d'adultères et de fornicateurs.»

Lorsque le metteur en scène de la pièce suivante a divorcé, cela a confirmé ses soupçons. Il a clamé qu'il ne m'avait pas tenue à l'écart de l'école publique depuis toutes ces années pour me voir me dépraver sur une scène. Pourtant, il m'a conduite à la répétition suivante. Tous les soirs ou presque, il me prévenait qu'il allait décider que je n'irais plus, qu'un de ces soirs il allait se présenter à Worm Creek et me traînerait à la maison. Mais à chaque première, il était là, au premier rang.

Parfois, il jouait un rôle d'agent ou d'imprésario, corrigeant ma technique ou suggérant des chants à inscrire à mon répertoire. Il me conseillait même au sujet de ma santé. Cet hiver-là, j'ai souffert de toute une série de maux de gorge qui m'empêchaient de chanter. Un soir, papa m'a appelée près de lui et m'a ouvert la bouche pour examiner mes amygdales.

«Elles sont enflées, c'est net. Aussi grosses que des abricots.» Comme ma mère ne parvenait pas à résorber leur gonflement avec de l'échinacée et du calendula, papa a suggéré son propre remède. «Les gens ne le savent pas, mais le soleil est le médicament le plus puissant que nous ayons. C'est pour ça que personne ne souffre de maux de gorge l'été.» Il a hoché la tête, en signe d'approbation de sa propre logique. «Si j'avais des amygdales comme les tiennes, a-t-il ajouté, j'irais dehors tous les matins et je resterais debout au soleil la bouche ouverte pour m'imprégner de ses rayons pendant à peu près une demi-heure.» Il appelait ça un traitement.

Je l'ai fait durant un mois.

C'était inconfortable, de rester debout la bouche ouverte, la tête renversée en arrière, pour que le soleil puisse venir briller au fond de ma gorge. Je n'ai jamais tenu une demi-heure entière. Au bout de dix minutes, ma mâchoire devenait douloureuse, et j'étais à moitié gelée à force de me tenir ainsi, immobile dans l'hiver de l'Idaho. Je continuais de contracter des maux de gorge, et chaque fois que papa remarquait ma voix éraillée, il s'exclamait : « Eh bien, tu t'attendais à quoi ? Je ne t'ai plus vue faire le traitement de toute la semaine ! »

C'est au Worm Creek Opera House que je l'ai aperçu pour la première fois : un garçon que je ne connaissais pas, riant au milieu d'un groupe de jeunes de l'école publique, avec de grosses chaussures blanches, un short kaki et un grand sourire. Il ne jouait pas dans le spectacle, mais comme il n'y avait pas grand-chose à faire dans le bourg… Je l'ai revu plusieurs autres fois cette semaine-là quand il revenait voir ses amis. Ensuite, un soir, alors que j'errais seule dans les coulisses obscures, j'ai débouché d'un corridor et l'ai vu assis sur un caisson en bois qui était l'un de mes repaires favoris. Cette caisse était isolée – c'est pourquoi je l'aimais bien.

Il s'est décalé sur la droite, pour me laisser de la place. Je me suis assise lentement, tendue, comme si le siège était hérissé d'aiguilles.

« Je m'appelle Charles. » Il y a eu un silence, il s'attendait à ce que je lui dise mon nom, mais je n'en ai rien fait. « Je t'ai vue dans le dernier spectacle, a-t-il ajouté au bout d'un moment. J'aimerais te dire un truc. » Je me suis préparée au pire, ne sachant pas à quoi m'attendre. « Je voulais te dire que je n'ai presque jamais entendu chanter aussi bien que toi. »

Je suis rentrée un après-midi, après avoir emballé des noix de macadamia, et j'ai trouvé papa et Richard autour d'une grosse boîte en métal, qu'ils avaient déposée sur la table de la cuisine. Pendant que mère et moi cuisinions un pain de viande, ils en ont assemblé le contenu. Il leur a fallu plus d'une heure. Quand ils ont eu terminé, ils se sont écartés de la table, révélant ce qui ressemblait à un énorme télescope couleur vert camouflage, avec son long fût fermement fixé sur un trépied bas et large. Richard était tellement excité qu'il sautillait d'un pied sur l'autre, en annonçant de quoi l'engin était capable. « Il a une portée de presque deux kilomètres ! Il est capable d'abattre un hélicoptère ! »

Papa restait silencieux, les yeux brillants.

« Qu'est-ce que c'est ? ai-je demandé.

— C'est un fusil calibre cinquante. Tu veux l'essayer ? »

J'ai jeté un œil dans la lunette, scruté le flanc de la montagne, observé dans la visée des épis de blé au loin.

Nous avons oublié le pain de viande. Nous nous sommes précipités dehors. Le soleil était couché, l'horizon était sombre. J'ai regardé papa se baisser sur la terre gelée, placer son œil contre la lunette et, après ce qui m'a paru être une heure, presser sur la détente. Une détonation comme un coup de tonnerre. J'ai plaqué les paumes de mes deux mains contre mes oreilles, que j'ai fini par retirer, pour écouter l'écho se répercuter de ravin en ravin. Il a tiré à plusieurs reprises, tant et si bien que lorsque nous sommes rentrés à l'intérieur, mes oreilles bourdonnaient. J'ai eu du mal à entendre la réponse de papa quand je lui ai demandé à quoi était destinée cette arme.

«À notre défense.»

Le lendemain soir, j'avais une répétition à Worm Creek. J'étais perchée sur ma caisse en bois, écoutant le monologue qui se jouait sur scène, quand Charles a fait son apparition et s'est assis à côté de moi.

«Tu ne vas pas à l'école.»

Ce n'était pas une question.

«Tu devrais venir à la chorale. Ça te plairait, la chorale.

— Peut-être», ai-je répondu, et il a souri. Quelques-uns de ses amis sont entrés dans les coulisses et l'ont appelé. Il s'est levé, m'a dit au revoir, et je l'ai regardé les rejoindre. J'ai vu alors la facilité avec laquelle ils plaisantaient ensemble et me suis mise à imaginer une autre réalité, où j'étais l'une d'eux. Je me suis figuré Charles m'invitant chez lui, pour jouer à un jeu ou regarder un film, et j'en ai éprouvé une bouffée de plaisir. Mais quand je me suis représenté Charles me rendant visite à Buck's Peak, j'ai ressenti tout autre chose, une sorte de panique. Et s'il découvrait le cellier aux légumes? Et s'il repérait la citerne de carburant? Et soudain j'ai compris à quoi devait servir ce fusil. Ce puissant canon, avec sa portée hors du commun qui lui permettait d'atteindre la vallée depuis la montagne, c'était l'instauration d'un périmètre défensif pour la maison, pour nos provisions, parce que papa avait annoncé que nous roulerions encore en voiture quand tout le monde cavalerait à pied. Nous aurions de la nourriture aussi, quand tous les autres, réduits au pillage, mourraient de faim. Là encore, j'imaginais Charles grimpant en haut de la colline jusqu'à notre maison : j'étais sur la crête, et j'observais son approche dans ma lunette.

Cette année-là, Noël a été frugal. Nous n'étions pas pauvres – les affaires de mère marchaient plutôt bien et papa continuait sa ferraille –, mais nous dépensions tout en approvisionnements.

Avant Noël, nous avons continué nos préparatifs, comme si chacun de nos actes, le moindre apport supplémentaire à nos stocks devaient faire toute la différence entre survivre et ne pas survivre. Après Noël, nous avons attendu. « Quand l'heure de la nécessité arrive, a décrété papa, le temps des préparatifs est révolu. »

Les journées s'éternisaient et nous sommes arrivés au 31 décembre. Au petit déjeuner, papa était calme, mais derrière cette sérénité de façade, je sentais son excitation, et quelque chose comme du désir. Il avait attendu tant d'années, enfouissant des fusils, accumulant de la nourriture et conseillant aux autres de faire de même. Tout le monde à l'église avait lu les prophéties, tous savaient que les Temps de l'Abomination étaient proches. Pourtant, ils taquinaient papa, ils riaient de lui. Ce soir, il serait vengé.

Après le dîner, il a étudié Isaïe pendant des heures. Vers 22 heures, il a fermé sa bible et allumé la télévision. Le poste était neuf. Le mari de tante Angie, qui travaillait pour un opérateur de télévision par satellite, avait proposé à papa une offre sur un abonnement. Personne n'y avait cru quand il avait accepté. Mais, en y repensant, passer en une journée de l'absence de télévision ou de radio à un abonnement complet au câble était typique de mon père. Je me demandais parfois s'il ne s'était pas autorisé la télévision cette année-là, parce qu'il savait que tout allait disparaître le 1er janvier. Peut-être avait-il décidé de nous faire goûter au monde, avant qu'il ne soit anéanti.

The Honeymooners était sa série préférée, et il s'agissait d'une soirée spéciale, avec plusieurs épisodes à la suite. Nous avons regardé, en attendant la Fin. Toutes les deux ou trois minutes, de 22 à 23 heures, puis toutes les deux ou trois secondes, jusqu'à minuit, je consultais l'horloge. Même papa, qui était rarement ému par autre chose que lui-même, lançait de fréquents coups d'œil à l'horloge.

23 h 59.

Je retenais mon souffle. Encore une minute, ai-je pensé, avant que tout ne disparaisse.

Minuit. La télévision continuait de marcher, les lueurs de l'écran dansaient toujours sur la moquette. Je me suis demandé si notre horloge n'était pas en avance. Je suis allée à la cuisine et j'ai ouvert le robinet. Nous avions de l'eau. Papa est resté immobile, les yeux sur l'écran. Je suis retournée sur le canapé.

00 h 05.

Combien de temps faudrait-il à l'électricité pour tomber en panne ? Y avait-il une réserve quelque part qui continuait d'alimenter les réseaux pendant ces quelques minutes supplémentaires ?

Les spectres en noir et blanc de Ralph et Alice Kramden, le couple de la série, se disputaient devant un pain de viande.

00 h 10.

J'attendais que l'écran clignote et s'éteigne. Je m'efforçais de m'imprégner de ces derniers instants de volupté – cette lumière jaune et vive, l'air chaud qui émanait du radiateur. J'éprouvais la nostalgie de la vie que j'avais eue précédemment, que j'allais perdre d'une seconde à l'autre, quand le monde se retournerait et commencerait à se dévorer lui-même.

Plus je restais assise, immobile, en respirant profondément, pour inhaler le parfum du monde perdu, plus je ressentais sa solidité immuable. Et la nostalgie s'est muée en fatigue.

Peu après 1 h 30, je me suis couchée. En quittant la pièce, j'ai entrevu le visage de papa figé dans le noir, la lumière de l'écran de télévision dansant sur les verres carrés de ses lunettes. Il était assis là, comme s'il posait, sans aucune agitation, sans aucune gêne, comme s'il y avait une explication parfaitement banale au fait qu'il veille, seul, à près de 2 heures du matin, en regardant le couple de *The Honeymooners*, Ralph et Alice Kramden, préparer leur soirée de Noël.

Il m'a semblé plus petit qu'il ne l'était dans la matinée. Sa déception était si enfantine que je me suis demandé un instant comment Dieu pouvait lui refuser cela. Lui, fidèle serviteur, qui acceptait de souffrir comme Noé avait accepté de souffrir pour construire l'arche.

Mais Dieu avait remis le déluge à plus tard.

10

Un bouclier de plumes

Quand l'aube du 1er janvier s'est levée, comme n'importe quel autre matin, cela a brisé le moral de papa. Plus jamais il n'a mentionné l'an 2000. Il a sombré dans l'abattement, rentrait tous les soirs d'un pas lourd, silencieux. Il s'asseyait des heures devant la télévision, un nuage noir au-dessus de lui.

Ma mère a estimé qu'il était temps de repartir en voyage vers l'Arizona. Luke effectuant une mission pour l'Église, seuls Richard, Audrey et moi nous sommes entassés dans la vieille Chevrolet Astro que papa avait remise en état. Il avait retiré les sièges, excepté les deux à l'avant, et installé à la place un grand matelas. Il s'est hissé dans la voiture et n'a plus bougé du reste du trajet.

Comme cela avait déjà été le cas quelques années auparavant, le soleil de l'Arizona l'a revigoré. Il s'allongeait sur le sol en ciment de la véranda, en absorbait les rayons, pendant que nous lisions ou regardions la télé. Au bout de quelques jours, son humeur s'est améliorée, mais nous courbions le dos, en prévision des disputes nocturnes entre grand-mère et lui. À cette période, grand-mère voyait beaucoup de médecins, car elle était atteinte d'un cancer de la moelle.

«Ces docteurs vont juste te tuer plus vite», a-t-il lâché un soir où elle rentrait d'une consultation. Elle refusait d'abandonner la chimiothérapie, mais elle a tout de même questionné maman au sujet de ses traitements à base de plantes. Mère en avait apporté quelques-uns avec elle, dans l'espoir que grand-mère lui en demanderait. Et elle en a essayé – des bains de pieds dans l'argile rouge, des tasses d'une tisane amère au persil, des teintures de prêle et d'hortensia.

«Ces herbes ne vont rien foutre du tout, a éructé mon père. Les remèdes à base de plantes reposent sur la foi. Tu ne peux pas placer toute ta confiance dans un docteur, et ensuite demander au Seigneur de te guérir.»

Grand-mère n'a pas répondu. Elle a juste avalé sa décoction de persil.

Je me souviens de l'avoir observée, en guettant des signes que son corps lâchait. Je n'en voyais aucun. C'était la même femme, solide, invaincue.

Le reste du voyage se brouille dans ma mémoire, ne me laissant que des instantanés – de ma mère testant musculairement ses remèdes pour grand-mère, de grand-mère écoutant papa en silence, de papa affalé dans la chaleur sèche.

Ensuite, je suis dans un hamac de la véranda sur l'arrière de la maison. Je me balance paresseusement dans la lumière orangée du soleil couchant, quand Audrey surgit et annonce que papa veut que nous rassemblions nos affaires, que nous partons. Grand-mère est incrédule. « Après ce qui s'est passé la dernière fois ? s'emporte-t-elle. Vous allez encore rouler de nuit ? Et l'orage ? » Papa lui répond que nous surmonterons l'orage. Pendant que nous chargeons le van, grand-mère fait les cent pas, en jurant. Elle répète que papa n'a tiré aucun enseignement du précédent accident.

Richard conduit les six premières heures. Je suis allongée à l'arrière sur le matelas, avec papa et Audrey.

Il est 3 heures du matin, et nous quittons le sud de l'Utah vers le nord, quand le temps change. La fraîcheur sèche du désert cède la place aux rafales glaciales de l'hiver montagnard. La glace s'empare de la route. Des flocons de neige s'écrasent sur le parebrise tels de minuscules insectes. Rares au début, ils deviennent si nombreux que la route finit par disparaître. Nous nous enfonçons au cœur de la tempête. Le van dérape, cahote. Le vent est violent, la vue par la fenêtre n'est que blancheur immaculée. Richard se range, et déclare qu'il ne peut pas aller plus loin.

Papa prend le volant, Richard s'installe dans le siège passager, et mère s'allonge sur le matelas, avec Audrey et moi. Papa s'engage sur la route nationale et accélère, rapidement, comme pour enfoncer le clou, jusqu'à doubler la vitesse de Richard.

« Ne devrions-nous pas rouler moins vite ? »

Papa a un grand sourire.

«Je ne roule pas plus vite que nos anges quand ils volent.»

Le van accélère encore. À quatre-vingts, puis à presque cent.

Richard est tendu. Chaque fois que les pneus dérapent, sa main agrippe l'accoudoir, ses phalanges sont blanches. Ma mère est étendue sur le côté, son visage près du mien. Chaque fois que l'arrière du van chasse, elle laisse échapper de légers soupirs, puis retient son souffle lorsque papa reprend le contrôle de son engin et retrouve sa trajectoire en zigzaguant. Elle est si raide que j'ai l'impression qu'elle va se briser en mille morceaux. Mon corps se tend avec le sien ; cent fois, nous nous préparons à l'impact.

Quand le van quitte enfin la route, c'est un soulagement.

Je me suis réveillée dans le noir. Quelque chose de glacial me coulait dans le dos. Nous sommes dans un lac ! ai-je pensé. Un objet lourd pesait sur moi. Le matelas. J'ai essayé de le repousser d'un coup de pied, en vain. Je me suis faufilée en dessous, mes mains et mes genoux appuyés contre le plafond du van, qui s'était retourné. J'ai atteint une vitre brisée. Elle était encombrée de neige. Puis j'ai compris : nous étions dans un champ, pas dans un lac. Je me suis glissée entre les éclats de verre et me suis relevée, chancelante. J'avais du mal à retrouver l'équilibre. J'ai regardé autour de moi. Personne. Le van était vide. Ma famille avait disparu.

J'ai fait deux fois le tour de l'épave avant de repérer la silhouette de papa sur une élévation de terrain, un peu plus loin. Je l'ai appelé, et il a appelé les autres qui s'étaient dispersés dans le champ. Il est venu vers moi en s'enfonçant dans les congères et, quand il est entré dans le faisceau des phares cassés, j'ai aperçu une entaille de vingt centimètres sur son avant-bras et du sang qui giclait dans la neige.

Plus tard, on m'a expliqué que j'étais restée sans connaissance, sous le matelas, pendant plusieurs minutes. Ils avaient hurlé mon nom. Comme je ne répondais pas, ils avaient cru que j'avais été éjectée, par la fenêtre éclatée, et ils étaient partis à ma recherche.

Tout le monde est revenu vers l'épave. Ils se sont tous immobilisés, mal à l'aise, tremblants, soit à cause du froid, soit à cause du choc. Nous ne regardions pas notre père, nous ne voulions pas accuser.

La police est arrivée, ainsi qu'une ambulance. Je ne sais pas qui les a appelés. Je ne leur ai pas raconté que je m'étais évanouie – j'avais peur qu'on m'emmène à l'hôpital. On m'a assise dans la voiture de police à côté de Richard, enveloppée dans une couverture en matériau réfléchissant, semblable à celle que j'avais dans mon sac « pour prendre le large ». Nous écoutions la radio du central qui demandait pourquoi le van de papa n'était pas assuré, et pourquoi il avait retiré les sièges et les ceintures.

Nous étions loin de Buck's Peak, par conséquent les flics nous ont conduits au poste de police le plus proche. Papa a téléphoné à Tony, mais il était sur un trajet poids lourds longue distance. Ensuite, il a essayé Shawn. Pas de réponse. Nous apprendrions plus tard que cette nuit-là Shawn était en prison, pour avoir été mêlé à une sorte de bagarre.

Incapable de joindre ses fils, papa a appelé Rob et Diane Hardy, parce que mère avait accouché cinq de leurs huit enfants. Rob est arrivé quelques heures plus tard, en gloussant : « Hé, vous autres, vous ne vous étiez pas déjà presque tués, la dernière fois ? »

Quelques jours après l'accident, ma nuque s'est bloquée.

Un matin, au réveil, je ne pouvais plus la bouger. Cela ne faisait pas mal, pas au début. Mais j'avais beau me concentrer de toutes mes forces pour tourner la tête, ma nuque refusait de se relâcher de plus de deux ou trois centimètres. La paralysie s'est étendue plus bas, jusqu'à ce que j'aie l'impression qu'une tige en métal me remontait du bas du dos avant de pénétrer dans mon crâne. Comme je ne pouvais me pencher en avant ni tourner la tête, la douleur s'est installée. Je souffrais d'une migraine constante, invalidante, et je ne pouvais me lever sans me tenir à quelque chose.

Ma mère a téléphoné à une spécialiste des énergies, qui s'appelait Rosie. J'étais allongée sur mon lit, d'où je ne me levais plus depuis deux semaines, quand elle a fait son apparition dans l'encadrement de la porte, floue et déformée, comme si je la regardais à travers l'eau d'une piscine. Sa voix haut perchée et enjouée me suggérait de m'imaginer, entière et en bonne santé, protégée par une bulle blanche. Je devais y placer tous les objets que j'aimais, toutes les couleurs qui me permettraient de me sentir en paix. Je me suis représentée au centre de la bulle, capable de me lever, de courir. Derrière moi, il y avait un temple mormon, et Kamikaze, la vieille chèvre de Luke, morte depuis longtemps. Tout était éclairé d'une lueur verte.

« Imagine la bulle quelques heures, tous les jours, m'a-t-elle conseillé. Et tu vas guérir. »

Elle m'a tapoté le bras et j'ai entendu la porte se refermer derrière elle.

Tous les matins, après-midi et soirs, j'imaginais la bulle, mais ma nuque demeurait immobile. Lentement, durant un mois, je me suis habituée aux migraines. J'ai appris à me lever, puis à marcher. Pour rester droite, je me servais de mes yeux ; si je les fermais ne fût-ce qu'un moment, le monde basculait et je tombais. Je suis retournée travailler – chez Randy et, occasionnellement, à la ferraille. Et tous les soirs, je m'endormais en m'imaginant cette bulle verte.

Durant le mois que j'ai passé au lit, j'ai entendu une autre voix. Si j'en avais gardé le souvenir, elle ne m'était plus vraiment familière. Cela faisait six ans que ce rire espiègle n'avait plus retenti au bout du couloir.

Il appartenait à mon frère Shawn qui, à dix-sept ans, s'était querellé avec mon père et s'était enfui pour aller enchaîner des petits boulots, principalement du camionnage et de la soudure. Il était rentré à la maison parce que papa avait réclamé son aide. De mon lit, j'ai

175

entendu mon frère Shawn l'avertir qu'il ne resterait que le temps que papa mette une véritable équipe sur pied. C'était juste un service qu'il lui rendait, insistait-il, jusqu'à ce que papa réussisse à retomber sur ses pattes.

C'était curieux de retrouver à la maison ce frère qui pour moi était presque un étranger. Au bourg, les gens paraissaient mieux le connaître que moi. J'avais entendu des rumeurs à son sujet, à Worm Creek. Certains prétendaient que c'était un faiseur d'histoires, un voyou, une mauvaise graine, qui passait son temps à pourchasser des hooligans de l'Utah, voire au-delà, et à se faire pourchasser par eux. Les gens racontaient qu'il avait un fusil, soit dissimulé sur lui, soit sanglé à sa grosse moto noire. Un jour, quelqu'un a expliqué que mon frère n'était pas franchement mauvais, qu'il était mêlé à des bagarres uniquement parce qu'il avait la réputation d'être invincible – de tout savoir en matière d'arts martiaux, d'être capable de se battre comme s'il ne sentait pas la douleur. Et donc tous les pseudo-boxeurs un peu perturbés de la vallée s'imaginaient pouvoir se forger une réputation en le battant. En réalité, ce n'était pas la faute de Shawn. Plus j'entendais ces rumeurs, et plus il existait dans ma tête, moins en chair et en os que comme une légende.

Mon propre souvenir de Shawn débute dans la cuisine ; peut-être deux mois après le deuxième accident.

Je prépare une soupe de maïs. La porte grince, je pivote à hauteur de la taille pour voir qui entre, puis je me remets à hacher un oignon.

«Tu vas rester comme un bâton de sucette pour l'éternité ? demande Shawn.

— Nan.

— T'as besoin d'un chiropracteur.

— Maman va arranger ça.

— T'as besoin d'un chiropracteur», répète-t-il.

La famille mange, puis se disperse. Je me charge de la vaisselle. Mes mains sont dans l'eau chaude et savonneuse quand j'entends un pas derrière moi, et je sens des mains solides et calleuses se saisir de mon crâne. Avant que je ne puisse réagir, d'un geste vif, brutal, on me redresse brusquement la tête. CRAC ! Ça craque si fort que je suis sûre que ma tête s'est détachée, que l'autre la tient entre ses mains. Mon corps se dérobe, je m'effondre. Tout est dans le noir, et en même temps tout tourne, je ne sais trop comment. Quand je rouvre les yeux, quelques instants plus tard, des mains me soutiennent par les aisselles et on me maintient debout.

«Cela risque de prendre un peu de temps avant que tu puisses tenir toute seule, m'a-t-il prévenue. Mais quand tu y arriveras, faudra que je fasse l'autre côté.»

J'avais trop le vertige, trop la nausée, pour que l'effet soit immédiat. Mais durant toute la soirée, j'ai remarqué quelques petits changements. J'étais capable de lever le nez vers le plafond. Je réussissais à pencher la tête pour taquiner Richard. Assise dans le canapé, j'arrivais à me tourner pour sourire à la personne à côté de moi.

Cette personne, c'était Shawn, et je le regardais, sans le voir. Je ne sais pas ce que je voyais, au juste – quelle créature ce geste à la fois violent et compatissant avait fait apparaître –, mais je crois que c'était mon père. Ou peut-être mon père tel que j'aurais aimé qu'il soit, un défenseur tant attendu, un champion plein d'imagination, qui ne me jetterait pas au milieu d'une tempête, et qui, si j'étais blessée, saurait avoir le geste réparateur.

11

Instinct

Quand grand-père-en-bas-de-la-colline était jeune homme, les troupeaux de bétail étaient emmenés à cheval dans la montagne. Les chevaux d'élevage de grand-père avaient une réputation légendaire. Tannés comme du vieux cuir, leurs corps charpentés se déplaçaient avec délicatesse, comme guidés par les pensées du cavalier.

Du moins, c'était ce qu'on m'avait raconté. Je ne les avais jamais vus. Avec l'âge, grand-père faisait moins d'élevage et plus de culture, jusqu'à ce qu'un jour il arrête aussi les cultures. Comme il n'avait plus besoin de chevaux, il avait vendu ceux qui avaient de la valeur et laissé les autres en liberté. Ceux-ci s'étaient reproduits, et à ma naissance une grande troupe de chevaux sauvages peuplait la montagne.

Richard les appelait « les canassons bons à finir en pâtée pour chiens ». Une fois par an, Luke, Richard et moi aidions grand-père à en capturer une dizaine que nous emmenions à la vente aux enchères, en ville, où l'abattoir nous les rachetait. Certaines années, alors qu'il observait la petite harde effarouchée destinée au hachoir à viande, les jeunes étalons qui, tournant en tous sens, se résignaient à leur première captivité, une étincelle s'allumait dans les yeux de grand-père. Il en désignait un et disait : « Le chargez pas, celui-là. Celui-là, on va le dresser. »

Mais les chevaux sauvages n'obéissent pas facilement, même à un homme comme grand-père. Mes frères et moi passions des jours, même des semaines, à gagner la confiance de l'animal, rien que pour arriver à le toucher. Ensuite, nous caressions sa longue tête et, peu à peu, au bout de quelques semaines, nous réussissions à passer les mains autour de sa puissante encolure et sur son corps musclé. Au bout d'un mois à ce régime, nous apportions la selle, le cheval secouait subitement la tête, avec une telle violence que le licol cassait ou la corde se rompait. Une fois, un grand étalon à la robe cuivrée avait défoncé la lisse du corral, la fracassant comme si de rien n'était, et était ressorti de l'autre côté, ensanglanté et contusionné.

Nous tâchions de ne pas leur donner de noms, à ces bêtes que nous espérions dompter, mais nous devions trouver un moyen de les désigner, d'une manière ou d'une autre. Les noms que nous choisissions n'avaient rien de sentimental, ils étaient juste descriptifs : Grand Rouge, Jument Noire, Géant Blanc. J'ai été éjectée de ma selle par des dizaines de ces chevaux qui ruaient ou sautaient. J'ai mordu la poussière dans des centaines de positions, les quatre fers en l'air, me relevant pour aussitôt détaler, me mettre en sécurité derrière un arbre, un tracteur, une palissade, au cas où l'animal se sentirait l'envie de se venger.

Nous ne triomphions jamais ; notre volonté vacillait avant la leur. Il y en avait bien quelques-uns qui ne se cabraient pas dès qu'ils voyaient la selle, et une poignée qui toléraient un humain sur leur dos pour aller faire le tour du corral, mais grand-père lui-même n'osait pas les monter en pleine montagne. Ils n'avaient pas changé de nature, c'étaient des créatures impitoyables, puissantes, d'un autre monde. Les monter, c'était renoncer à son équilibre, entrer dans leur domaine. Au risque de se laisser emporter très loin.

Le premier cheval domestiqué que j'aie jamais vu était un hongre bai, et il se tenait à côté du corral, mordillant des sucres dans la main de Shawn. C'était le printemps, j'avais quatorze ans. Cela faisait de nombreuses années que je n'avais plus touché un équidé.

Ce hongre était le mien, un cadeau d'un grand-oncle du côté de ma mère. Je me suis approchée avec méfiance, certaine qu'il allait lâcher une ruade, se cabrer ou charger. Au lieu de quoi, il est venu renifler ma chemise, en y laissant une longue tache mouillée. Shawn m'a lancé un sucre. Le cheval l'a flairé, et les poils de son menton m'ont chatouillé les doigts jusqu'à ce que j'ouvre ma paume.

« T'as envie de le dresser ? » m'a demandé mon frère.

Non. Les chevaux me terrorisaient, ou du moins l'idée que je me faisais d'eux – c'est-à-dire de créatures démoniaques de cinq cents kilos dont l'ambition était de vous fracasser la cervelle contre un rocher. Je lui ai répondu que lui pourrait le dresser. Moi, je regarderais depuis la clôture.

J'ai refusé de donner un nom à cet animal, nous l'avons donc appelé Yearling[1]. La bête ayant déjà été débourrée à la longe et au licol, mon frère a apporté la selle dès le lendemain. Dès qu'il l'a vue, le yearling a nerveusement frappé le sol du sabot. Shawn s'est approché lentement, l'a laissé humer les étriers et mordiller avec curiosité le pommeau. Ensuite il a caressé le cuir lisse de son large poitrail, avec des gestes réguliers et lents.

« Les chevaux aiment pas que les choses soient là où ils peuvent pas les voir, a-t-il expliqué. Il vaut mieux l'habituer à avoir la selle devant lui. Ensuite, quand il sera vraiment à l'aise avec son odeur et avec son contact, on pourra la lui passer. »

Une heure plus tard, la selle était sanglée. Shawn a annoncé qu'il était temps de le monter, et j'ai grimpé sur le toit de la grange, convaincue que le corral tout entier allait devenir un ring de violence. Mais quand Shawn s'est hissé en selle, c'est à peine si le yearling a bronché. Les sabots de ses antérieurs se sont levés de quelques centimètres au-dessus de la terre battue, comme s'il songeait à se cabrer, avant de se raviser. Puis il a laissé retomber la tête et ses jambes se sont calmées. En l'espace d'un instant, il a accepté de se laisser monter, accepté le monde tel qu'il était, dans

---

1. Pur-sang âgé d'un an.

lequel il devenait notre possession. N'ayant jamais été sauvage, le yearling était incapable d'entendre l'appel de cet autre monde, à rendre fou, celui de la montagne, où personne n'aurait pu le posséder.

Je l'ai nommé Bud. Tous les soirs, pendant une semaine, j'ai regardé Shawn et Bud galoper d'un bout à l'autre du corral dans la brume légère et grise du crépuscule. Ensuite, par une douce soirée d'été, je me suis approchée de Bud, j'ai attrapé les rênes pendant que Shawn tenait fermement le licol, et je suis montée en selle.

Shawn me disait qu'il voulait quitter son ancienne vie, et que la première étape consistait à se tenir à l'écart de ses amis. Subitement, il était tous les soirs à la maison, à chercher de quoi s'occuper. Il a commencé par me conduire aux répétitions, à Worm Creek. Lorsque nous n'étions que tous les deux sur la grande route, il se montrait serein, enjoué. Il plaisantait et me taquinait. Parfois, il me donnait un conseil, qui se résumait généralement à ceci : « Ne fais pas ce que j'ai fait. » Mais dès que nous arrivions au théâtre, il changeait.

Au début, il observait les autres garçons plus jeunes que lui avec attention, sur ses gardes, puis il s'est mis à les chercher. Ce n'était pas franchement agressif, juste de menues provocations. Il lui arrivait de faire sauter la casquette d'un gars d'une chiquenaude, de renverser la canette de soda qu'il tenait à la main et de rire au spectacle de la tache qui s'étalait sur le jean de sa victime. Si l'autre le mettait au défi – ce qui arrivait rarement –, il endossait le rôle du voyou et affichait une mine qui signifiait « Qu'est-ce tu m'veux, toi ? » Mais quand nous nous retrouvions à nouveau tous les deux, il tombait le masque, renonçait à toute bravade, comme on retire un plastron de cuirasse. Il redevenait mon frère.

C'était son sourire que j'adorais. Ses canines supérieures n'avaient jamais poussé, et la kyrielle de dentistes holistiques chez qui mes parents l'avaient emmené enfant avait omis de s'en apercevoir avant qu'il ne soit trop tard. À vingt-trois ans, quand il était allé consulter un chirurgien-dentiste, les dents définitives avaient pivoté latéralement à l'intérieur de la gencive et ressortaient à travers les tissus, sous le nez. Le chirurgien qui avait procédé à leur extraction avait conseillé à Shawn de préserver ses dents de lait le plus longtemps possible, et suggéré qu'on lui pose des pivots quand elles tomberaient. Mais elles ne sont jamais tombées. Elles sont restées en place, vestiges tenaces d'une enfance égarée, rappelant à tous ceux qui étaient témoins de sa belligérance inutile, et incessante, que cet homme avait été jadis un petit garçon.

Un mois avant mes quinze ans, par une soirée d'été brumeuse, Shawn et moi étions dans le corral. Le soleil avait plongé derrière Buck's Peak, mais le ciel gardait encore quelques heures de lumière. Après avoir dressé Bud ce printemps-là, mon frère s'était sérieusement attaché aux chevaux. Tout l'été, il en avait acheté, des pur-sang et des pasos finos, pour la plupart non dressés, car ils étaient moins chers. Nous en étions encore à faire travailler Bud. Nous l'avions emmené faire une dizaine de promenades dans le pâturage, mais il restait inexpérimenté, ombrageux, imprévisible.

Ce soir-là, Shawn a sellé un nouveau cheval pour la première fois, une jument à la robe cuivrée. Elle était prête pour une brève sortie, selon lui. Nous les avons donc montés – lui, la jument, et moi, Bud. Nous avons parcouru un petit kilomètre dans la montagne, en avançant d'un pas égal pour ne pas effrayer nos montures et en nous frayant un chemin au milieu des champs de blé. C'est alors que j'ai commis une sottise : je me suis trop rapprochée de la jument. Celle-ci, qui n'appréciait pas d'avoir le hongre derrière elle, a fait un brusque bond en avant, en appuyant tout le poids de son corps sur ses antérieurs, et a botté Bud en plein poitrail avec ses jambes arrière.

Bud est devenu fou.

J'avais fait un nœud à mes rênes afin de les rendre plus sûres et ne les tenais pas fermement. Une secousse terrible a parcouru Bud, qui s'est lancé dans une série de ruades, se projetant de toutes ses forces dans des virages serrés. Les rênes se sont envolées par-dessus sa tête. Je me suis agrippée au pommeau de ma selle et j'ai contracté très fort les cuisses, les jambes en arceau autour de sa panse saillante. Avant que j'aie pu me ressaisir, Bud est parti à fond de train, grimpant au sommet d'un vallon, en lâchant çà et là une ruade. Il galopait sans relâche. Mon pied a glissé dans l'étrier, jusqu'à la cheville.

Tous ces étés où j'avais dressé des chevaux avec grand-père, le seul conseil qu'il m'avait donné dont je me souvenais était justement celui-là : « Fais ce que tu veux, mais te laisse jamais prendre le pied dans l'étrier. » Je n'avais pas besoin d'autre explication. Je savais qu'en se faisant vider proprement de sa selle, on pouvait s'en sortir. Au moins, je serais sur la terre ferme, ai-je pensé. Mais si mon pied était coincé, Bud me traînerait jusqu'à ce que mon crâne se fende contre un rocher.

Shawn était dans l'incapacité de m'aider – pas sur cette jument non dressée. L'hystérie chez un cheval provoque l'hystérie chez les autres, surtout les plus jeunes et les plus fougueux. De tous les chevaux de Shawn, il n'y en avait qu'un – Apollo, âgé de sept ans, à la robe isabelle – qui aurait pu être assez mûr, et assez calme, pour y parvenir : foncer à toute allure, naseaux au vent, avant de froidement manœuvrer, le cavalier se dégageant, sortant son pied de l'étrier et se baissant au ras du sol pour attraper les rênes de l'autre destrier fou de terreur. Mais Apollo était au corral, à un kilomètre en aval.

Mon instinct me soufflait de lâcher le pommeau – la seule chose qui me maintenait sur la monture. Si je lâchais tout, je tomberais, mais j'aurais une seule et unique seconde pour tendre la main vers les rênes qui flottaient ou pour essayer de me dégager la cheville de l'étrier, d'un coup sec. Tente le coup, me criait mon instinct.

Cet instinct était mon ange gardien. Il m'avait déjà sauvée, il m'avait guidée dans mes mouvements sur une dizaine de chevaux trop nerveux, me soufflant à quel moment m'agripper à la selle, et à quel autre me jeter de côté pour éviter le martèlement des sabots. C'était le même instinct qui, des années auparavant, m'avait incitée à me hisser hors de la benne à ferraille que papa allait vider, parce que cet instinct avait perçu qu'il valait mieux tomber de cette hauteur plutôt qu'espérer l'intervention de papa. Toute ma vie, cet instinct m'avait inculqué cette doctrine simple – on a plus de chances de s'en sortir si on ne compte que sur soi-même.

Bud s'est cabré, si haut que j'ai cru qu'il allait basculer en arrière. Il s'est reçu brutalement à terre avant de lancer une nouvelle ruade. J'ai raffermi ma prise sur le pommeau, puis j'ai fait mon choix – encore une forme d'instinct –, celui de ne pas lâcher.

Shawn allait me rattraper, même sur cette jument qui n'était pas débourrée. Il allait accomplir un miracle. La jument ne comprendrait même pas l'ordre qu'il lui donnerait quand il crierait «Giddy-yap !»; au coup de talon qu'il donnerait dans son flanc, et qu'elle n'avait encore jamais senti, elle se cabrerait, en pivotant violemment. Mais en tirant d'un coup sec sur les rênes, il la forcerait à baisser la tête et, dès que ses sabots toucheraient terre, il lui flanquerait un second coup de talon, plus fort, sachant qu'elle allait de nouveau se cabrer. Il recommencerait jusqu'à ce que, d'un bond, elle parte au galop, puis il la pousserait à foncer droit devant, accompagnant son accélération effrénée, la guidant alors même qu'elle n'avait pas encore appris cette danse étrange qui, avec le temps, devient une sorte de langage entre le cheval et son cavalier. Tout cela surviendrait en quelques secondes, une année d'entraînement réduite à une seule manœuvre désespérée.

Je savais que c'était impossible. Je l'ai su à l'instant même où je m'imaginais la séquence. Mais je continuais d'agripper le pommeau de ma selle.

Bud était de plus en plus déchaîné. Il bondissait en tous sens, sautait en cambrant le dos, secouait la tête quand ses sabots frappaient le sol. Mes yeux réussissaient à peine à désembrouiller ce qui défilait devant eux. Des épis de blé dorés volaient un peu partout, le ciel bleu et les montagnes basculaient dans des angles insensés.

J'étais si désorientée que j'ai senti plus que je n'ai vu la jument de la couleur d'un penny patiné arriver à ma hauteur. Shawn s'est levé sur sa selle et s'est penché jusqu'à terre, en se retenant fermement d'une main à ses rênes pendant que, de l'autre, il arrachait celles de Bud aux hautes herbes. Les deux lanières de cuir se sont tendues, la secousse a forcé Bud à relever la tête. Celle-ci dressée, il ne pouvait plus ruer et je l'ai senti adopter un galop fluide et cadencé. Shawn a tiré brutalement sur les rênes de sa monture, attirant la tête de la jument vers son genou, la forçant à courir en cercle. À chaque passe, il tirait un peu plus dessus, en enroulant la lanière autour de son avant-bras, rétrécissant le cercle jusqu'à ce qu'il soit si court que le martèlement des sabots s'est interrompu. J'ai glissé de ma selle et me suis affalée dans le blé, les épis me piquaient à travers ma chemise. Au-dessus de ma tête, les chevaux haletaient, leurs panses gonflaient, se dégonflaient, et leurs sabots raclaient la terre.

12

Yeux de poisson

Mon frère Tony avait contracté un prêt pour s'acheter son camion – un semi et sa remorque –, mais pour honorer ses mensualités, il était obligé de rouler sans interruption, et c'était là qu'il vivait, sur la route. Jusqu'à ce que sa femme tombe malade et que le médecin – elle avait donc consulté un médecin – lui conseille de s'aliter. Tony avait appelé Shawn pour lui demander s'il pourrait prendre le volant de son semi pendant une ou deux semaines.

Shawn détestait les longs trajets en poids lourd, mais il a accepté, sous réserve que je l'accompagne. Papa n'ayant pas besoin de moi à la ferraille, et Randy pouvant se passer de mon aide quelques jours, nous voilà partis, en direction de Las Vegas, puis vers l'est et Albuquerque, vers l'ouest et Los Angeles, et enfin vers le nord et l'État de Washington. J'avais imaginé découvrir toutes ces villes, mais je ne voyais que des aires de repos pour poids lourds et des Interstates. Le parebrise était immense et surélevé comme dans un cockpit, ce qui donnait aux voitures l'allure de jouets. La cabine où se trouvaient les couchettes, couvertes de paquets de Doritos et de sachets de mendiants, sentait le renfermé et il y faisait aussi noir que dans une grotte.

Shawn roulait des jours d'affilée en dormant peu, maniant notre semi de dix-huit mètres comme s'il était le prolongement de son bras. Chaque fois que nous tombions sur un poste de contrôle, il trafiquait les registres, pour donner l'impression qu'il dormait davantage qu'il ne le faisait. Tous les deux jours, nous nous arrêtions pour nous doucher et avaler un repas qui ne soit pas de fruits secs et de muesli.

Près d'Albuquerque, l'entrepôt Walmart était engorgé et ne pouvait décharger notre cargaison que deux jours plus tard. Nous étions en dehors de la ville – il n'y avait rien d'autre qu'une aire pour poids lourds et des étendues de sable rouge à perte de vue –, nous nous nourrissions donc de Cheetos en jouant à Mario Kart dans la cabine couchette. Au coucher du soleil, le deuxième jour, nos corps étaient endoloris à force d'être restés assis, et il s'est dit qu'il devrait m'enseigner les arts martiaux. Nous avons organisé notre premier cours au crépuscule, sur le parking.

« Si tu sais t'y prendre, a-t-il commencé, tu peux immobiliser un homme avec un minimum d'effort. Tu peux contrôler tout le corps de l'autre juste avec deux doigts. Il suffit de savoir où se situent les points faibles, et comment les exploiter. » Il m'a saisi le poignet et l'a rabattu, en pliant mes doigts vers le bas, jusqu'à ce qu'ils viennent toucher l'intérieur de mon avant-bras, ce qui était très inconfortable. Il a continué d'imprimer un mouvement de pression, jusqu'à ce que je me torde légèrement, enroulant mon bras dans mon dos pour soulager la tension.

« Tu vois ? C'est un point faible. Si je plie un peu plus, tu finiras immobilisée. » Il a eu son sourire d'ange. « Mais je n'irai pas jusque-là, parce que ça fait un mal de chien. »

Il m'a lâchée.

« À toi, maintenant. Essaie. »

Je lui ai replié le poignet et j'ai appuyé fort, en essayant de forcer son torse à s'affaisser comme le mien. Il n'a pas bronché.

« Il te faut peut-être une autre stratégie », a-t-il suggéré.

Il m'a saisi le poignet avec une autre prise – comme le ferait un agresseur, a-t-il précisé. Il m'a appris à me dégager, à me défaire de la poigne de l'adversaire, là où les doigts étaient les plus faibles et les os de mon bras les plus forts, de sorte qu'au bout de quelques minutes je parvenais à me défaire même de ses doigts les plus forts. Il m'a appris à mettre tout le poids de mon corps dans un coup de poing, et où viser pour écraser la trachée.

Le lendemain matin, la remorque était déchargée. Nous sommes remontés dans le camion, nous avons chargé une nouvelle cargaison et roulé encore deux jours, en regardant les lignes blanches avalées sous le capot, qui était couleur d'os, une vision hypnotique. Nous avions peu de divertissements, alors nous nous sommes créé un jeu verbal. Le jeu ne comportait que deux règles. La première, c'était que chaque phrase devait au moins compter deux mots dont la première lettre était intervertie.

«Tu n'es pas ma petite sœur, me disait Shawn. Tu es ma setite pœur.» Il prononçait ces syllabes paresseusement, en adoucissant le «p» et les «t», de sorte que cela donnait plus ou moins «Sedide Pœur».

La deuxième règle, c'était que chaque mot qui sonnait comme un chiffre, ou comme s'il contenait un chiffre, devait être modifié pour que ce chiffre lui soit supérieur d'une unité. Le mot «de», par exemple, parce qu'il sonne comme le chiffre «deux», devait devenir «trois».

«Sedide Pœur, pouvait-il me dire, il faut qu'on fasse trois la route et il y a un poste de contrôle devant nous, et je veux pas qu'on me sept-ffle et qu'on me colle un PV. C'est le moment de boucler ta six-ture.»

Quand nous étions fatigués de ce jeu, nous allumions la CB et nous écoutions les échanges des camionneurs disséminés sur toute l'Interstate.

«Surveillez un quatre-roues vert, a fait une voix bourrue, quelque part entre Sacramento et Portland. Il est venu pique-niquer dans mon angle mort pendant une demi-heure.»

«Un quatre-roues, m'a expliqué Shawn, c'est comme ça que les gros culs appellent les voitures et les pick-up.»

Une autre voix intervenait sur la CB pour se plaindre d'une Ferrari rouge qui slalomait dans le trafic à près de deux cents à l'heure. «Le salopard a vraiment failli

percuter une petite Chevy bleue, beuglait la voix grave
sur fond de parasites. Merde, c'était des gamins dans
cette Chevy. Y en a pas qui sont devant pour calmer
cet énervé ? » La voix fournissait la localisation.

Shawn a vérifié la borne kilométrique. Nous étions
devant. « Je suis le Pete blanc qui tire un frigo », a-t-il
annoncé. Il y a eu un silence, le temps que tout le
monde vérifie dans son rétro la présence d'un semi-
remorque Peterbilt qui tractait un frigorifique. Ensuite,
une troisième voix, encore plus bourrue que la première, a répondu : « Moi, c'est le KW bleu qui tire un
porte-conteneurs.

— Je te vois », a répondu Shawn. Pour me l'indiquer, il a pointé le doigt vers un Kenworth bleu marine,
à quelques voitures devant nous.

Dès que la Ferrari a fait son apparition, démulti-
pliée dans notre éventail de rétroviseurs, il a passé la
vitesse supérieure, monté de régime moteur et s'est
porté à la hauteur du Kenworth, de sorte que les deux
semi-remorques de dix-huit mètres roulaient côte à
côte, barrant les deux voies. La Ferrari a klaxonné,
elle a slalomé, freiné, et klaxonné de nouveau.

« Combien de temps on doit le bloquer derrière
nous ? a ricané la voix enrouée.

— Le temps qu'il se calme », a répliqué mon frère.
Huit kilomètres plus tard, ils ont laissé la Ferrari
nous doubler.

Le voyage a duré à peu près une semaine, puis nous
avons contacté Tony pour lui demander de nous trouver un chargement en Idaho.

«Eh bien, Sedide Pœur, a dit Shawn quand nous nous sommes arrêtés devant la ferraille, te voilà trois retour au boulot. »

Le Worm Creek Opera House a annoncé une nouvelle production : *Manège*. Shawn m'a conduite à l'audition, et j'ai été surprise de le voir la passer lui aussi. Charles était là également, il parlait avec une fille qui s'appelait Sadie, elle avait dix-sept ans. Elle hochait la tête à tout ce qu'il lui racontait, mais elle gardait les yeux rivés sur Shawn.

À la première répétition, elle est venue s'asseoir à côté de mon frère, elle a posé la main sur son bras, en riant, en secouant sa chevelure. Elle était très jolie, avec des lèvres tendres et charnues et de grands yeux noirs. Quand j'ai demandé à mon frère si elle lui plaisait, il a prétendu que non.

« Elle a des yeux de poisson.

— Des yeux de poisson ?

— Ouaip, des yeux de poisson. Des yeux totalement stupides. De poisson. Ils sont beaux, mais ils ont la tête aussi vide qu'un pneu. »

Sadie s'est mise à nous rendre visite à la ferraille en fin de journée, en général avec un milk-shake pour Shawn, des cookies ou un gâteau. Il lui adressait à peine la parole, il se contentait de lui prendre ce qu'elle apportait tout en continuant de marcher vers le corral. Elle le suivait et essayait de lui parler pendant qu'il s'affairait avec ses chevaux, jusqu'à ce qu'un soir elle lui demande s'il voudrait bien lui apprendre à monter. J'ai essayé de lui expliquer que nos chevaux n'étaient pas complètement débourrés, mais elle était déterminée, alors Shawn l'a mise sur Apollo et nous nous sommes tous les trois dirigés vers la montagne. Il les a totalement ignorés, Apollo et elle. Il ne lui a rien offert de l'aide qu'il m'avait apportée, en m'apprenant à me dresser sur mes étriers dans les descentes en pente raide ou à serrer les cuisses quand le cheval sautait par-dessus une branche. Pendant toute la balade, Sadie tremblait, mais faisait mine d'y prendre du plaisir, en recomposant son sourire souligné de rouge chaque fois qu'il lançait un coup d'œil dans sa direction.

À la répétition suivante, Charles l'a interrogée à propos d'une scène, et Shawn les a vus se parler. Sadie est venue vers lui quelques minutes plus tard, mais il a refusé de lui adresser la parole. Il lui a tourné le dos et elle est repartie en pleurant.

« C'est quoi le problème ? lui ai-je demandé.

— Rien. »

Peu de temps après, lors de la séance suivante, il a paru avoir oublié. Sadie s'est approchée de lui avec méfiance, mais Shawn lui a souri, et un instant plus tard ils se parlaient en riant. Il lui a proposé de traverser la rue pour lui acheter un Snickers au petit supermarché. Visiblement ravie de cette demande, elle est sortie en vitesse. Quand elle est revenue, au bout de quelques minutes, et lui a tendu la barre chocolatée, il s'est emporté.

« C'est quoi cette merde ! J'ai demandé un Milky Way.

— Ah non, a-t-elle protesté. Tu as dit un Snickers.
— Je veux un Milky Way.»

Elle est repartie lui chercher le Milky Way. Lorsqu'elle le lui a tendu avec un rire nerveux, il s'est exclamé :

«Il est où mon Snickers ? T'as encore oublié ?

— Tu n'en voulais pas ! a-t-elle répondu, les yeux brillants comme du verre. Je l'ai donné à Charles !

— Va le chercher.

— Je t'en achèterai un autre.

— Non», a-t-il insisté, avec des yeux froids. Ses dents de bébé, qui d'ordinaire lui donnaient un air espiègle, le faisaient maintenant paraître imprévisible, versatile. «C'est celui-là que je veux. Tu me le rapportes, sinon ce n'est pas la peine de revenir.»

Une larme a roulé sur la joue de Sadie, faisant couler son mascara. Elle a marqué un temps pour l'essuyer et arborer un nouveau sourire. Ensuite, elle a marché droit vers Charles et, riant comme si de rien n'était, lui a demandé si elle pouvait avoir le Snickers. Il a plongé la main dans sa poche et le lui a rendu, puis il l'a regardée retourner vers Shawn. Sadie lui a posé le Snickers dans la paume, comme une offrande de paix, et elle a attendu, les yeux baissés vers la moquette. Il l'a attirée sur ses genoux et a croqué la barre en trois bouchées.

«Tu as de jolis yeux, a-t-il dit. Aussi jolis que des yeux de poisson.»

Les parents de Sadie divorçaient et la ville était inondée de rumeurs au sujet du père. Quand mère l'a appris, elle en a conclu que la raison pour laquelle Shawn s'intéressait à cette jeune fille était claire. «Il a toujours protégé les anges aux ailes brisées.»

Shawn a trouvé l'emploi du temps de Sadie qu'il a mémorisé. Il mettait un point d'honneur à se rendre en voiture au lycée plusieurs fois par jour, en particulier aux heures où il savait qu'elle changerait de bâtiment. Il s'arrêtait sur la grande route et l'observait à distance, trop loin pour qu'elle vienne à lui, mais pas assez pour qu'elle ne le voie pas. Shawn et moi suivions ensemble ce chemin presque chaque fois que nous allions en ville, et parfois même quand nous n'avions aucune raison de nous y rendre. Jusqu'à ce que, un jour, Sadie fasse son apparition sur les marches du lycée en compagnie de Charles. Ils riaient. Elle n'avait pas remarqué le pick-up de Shawn.

J'ai vu le visage de mon frère se durcir, puis se relâcher. Il m'a souri. «J'ai la punition parfaite. Je vais simplement ne plus la voir. Tout ce que j'ai à faire, c'est de ne pas la voir, et elle va souffrir.»

Il avait raison. Dès qu'il a cessé de répondre à ses appels, ça l'a désespérée. Elle demandait aux garçons du lycée de ne plus marcher avec elle, de crainte que Shawn ne les voie, et quand il disait qu'il n'appréciait pas l'un de ses amis, elle arrêtait de le voir.

Tous les jours après les cours, elle venait chez nous, et je voyais l'incident du Snickers se répéter inlassablement, sous différentes formes, avec différents objets. Il lui demandait un verre d'eau. Quand elle le lui apportait, il réclamait de la glace. Quand elle la lui apportait, il demandait du lait, puis de nouveau de l'eau, de la glace, et pas de glace, puis du jus. Cela pouvait continuer une demi-heure avant que, dans une dernière mise à l'épreuve, il exige une chose que nous n'avions pas. Alors Sadie se rendait en ville pour aller la lui acheter – de la glace à la vanille, des chips, un burrito –, avant qu'il exige finalement autre chose dès qu'elle était de retour. Les soirées où ils sortaient, j'étais soulagée.

Un soir, il est rentré à la maison tard et d'humeur étrange. Tout le monde était endormi sauf moi. J'étais dans le canapé, je lisais un chapitre des Écritures avant de me coucher. Shawn s'est laissé choir à côté de moi.

«Va me chercher un verre d'eau.

— Tu t'es cassé la jambe ? ai-je dit.

— Va me le chercher, sinon je ne te conduis pas en ville demain.»

Je suis allée lui prendre de l'eau. Quand je lui ai tendu le verre, j'ai vu le sourire sur son visage et, sans réfléchir, je lui en ai renversé le contenu sur la tête. J'ai foncé dans le couloir et j'étais presque devant ma chambre quand il m'a rattrapée.

«Excuse-toi, m'a-t-il ordonné tandis que de l'eau dégoulinait de son nez.

— Non.»

Il a saisi une poignée de mes cheveux, une grosse touffe, proche de la racine afin d'avoir davantage de prise, et il m'a traînée dans la salle de bains. J'ai cherché la porte à tâtons, me suis rattrapée à l'encadrement, mais il m'a soulevée du sol, m'a plaqué les bras le long du corps, puis m'a forcée à baisser la tête dans la cuvette des toilettes. «Excuse-toi», a-t-il répété. Je n'ai rien dit. Il m'a enfoncé un peu plus la tête, et mon nez a raclé contre la porcelaine maculée. J'ai fermé les yeux, mais l'odeur m'empêchait d'oublier où j'étais.

J'ai tenté d'imaginer autre chose, une chose qui me sortirait de moi-même, mais l'image qui m'est venue à l'esprit était celle de Sadie, accroupie, obéissante. J'en ai eu une remontée de bile. Il m'a maintenue là-dedans, mon nez contre la cuvette, pendant peut-être une minute, puis il m'a laissée me redresser. Les extrémités de mes cheveux étaient mouillées, j'avais le cuir chevelu à vif.

J'ai cru que c'était terminé. J'avais commencé de m'éloigner quand il m'a saisie par le poignet et me l'a replié, en enroulant mes doigts et ma paume en une spirale. Il a continué d'appuyer, jusqu'à ce que mon corps commence à se recroqueviller, puis il a accru la pression, de sorte que, sans m'en rendre compte, je me suis tordue dans une sorte de révérence théâtrale, le dos courbé, la tête touchant presque le sol, mon bras dans le dos.

Sur le parking, quand il m'avait montré cette prise, j'avais à peine bougé, réagissant plus à sa description qu'à une quelconque nécessité physique. Sur le moment, cela ne m'avait pas semblé particulièrement efficace, mais à présent je comprenais le sens de la manœuvre : c'était de la pure maîtrise. Je pouvais à peine bouger, à peine respirer, sous peine de me rompre le poignet. Il me maintenait dans cette position d'une seule main ; l'autre pendait mollement le long de sa jambe, manière de me montrer combien c'était facile.

Quand même plus dur que si j'étais Sadie, ai-je pensé.

Comme s'il pouvait lire dans mes pensées, il m'a tordu un peu plus le poignet ; mon corps était totalement recroquevillé, mon visage raclait le sol. J'aurais fait tout mon possible pour soulager cette pression sur mon poignet. S'il continuait de me le tordre, il allait se briser.

«Excuse-toi», a-t-il répété.

Il s'est écoulé un long moment, le feu m'est remonté dans le bras, jusque dans le cerveau.

«Je suis désolée», ai-je soufflé.

Il m'a lâché le poignet et je suis retombée contre le sol. J'ai entendu le bruit de ses pas s'éloigner dans le couloir. Je me suis levée et j'ai verrouillé la porte de la salle de bains, puis j'ai observé dans le miroir la fille qui se tenait le poignet. Ses yeux étaient vitreux et des larmes coulaient sur ses joues. Je la détestais, parce qu'elle était faible, et parce qu'elle avait un cœur susceptible de se briser. Qu'il ait pu lui faire du mal, que n'importe qui puisse lui faire du mal comme *ça*, c'était inexcusable.

Je pleure seulement de douleur. À cause de la douleur dans mon poignet. Et de rien d'autre.

Ce moment définirait mon souvenir de cette soirée, et des nombreuses soirées pareilles à celle-là, pendant dix ans. Je m'y voyais aussi incassable, aussi tendre que de la pierre. Au début, j'y croyais, tout simplement, jusqu'à ce qu'un jour cela devienne la vérité. Ensuite j'ai été en mesure de me dire, sans me mentir, que cela ne m'affectait pas, qu'*il* ne m'affectait pas, parce que rien ne m'affectait. Je ne comprenais pas à quel point j'avais raison, à quel point cette vérité était malsaine. À quel point je m'étais vidée de moi-même. À cause de mon obsession pour les conséquences de cette soirée, je m'étais méprise sur une vérité cruciale : que cela ne m'affecte pas, c'était bel et bien l'effet recherché.

13

Que les femmes se taisent dans les assemblées[1]

En septembre, les tours jumelles sont tombées. Je n'en avais jamais entendu parler, avant leur chute. Ensuite, j'ai regardé les avions s'y engouffrer, je suis restée médusée devant l'écran de télé, face à la vision de ces structures d'une taille inimaginable, je les ai vues vaciller, puis s'écrouler. Papa était debout à côté de moi. Il était rentré de la ferraille pour regarder. Il n'a pas commenté. Ce soir-là, il a lu la Bible à voix haute, ses passages préférés d'Isaïe, de Luc et du Livre de la Révélation, où il était question des guerres et des rumeurs de guerre.

Trois jours après, Audrey, dix-neuf ans, était mariée – à Benjamin, un garçon de ferme blond qu'elle avait rencontré en ville, quand elle était serveuse. Le mariage avait été solennel. Papa avait prié et reçu une

---

1. 1 Corinthiens, 14:34 : « Que les femmes se taisent dans les assemblées, car il ne leur est pas permis d'y parler ; mais qu'elles soient soumises, selon que le dit aussi la Loi. » (N.d.T.)

révélation : « Il y aura conflit, une lutte ultime pour la Terre sainte, avait-il annoncé. Mes fils seront envoyés à la guerre. Certains d'entre eux ne rentreront pas à la maison. »

Depuis la soirée de la cuvette des toilettes, j'avais évité Shawn. Il s'était excusé. Il était venu dans ma chambre une heure plus tard, les yeux vitreux, la voix éraillée, et m'avait priée de le pardonner. Je lui avais répondu que je voulais bien, que c'était déjà le cas. Mais en fait, non.

Au mariage d'Audrey, en voyant mes frères dans leurs costumes, ces uniformes noirs, ma rage s'était transformée en crainte, d'une perte prédéterminée, et j'ai pardonné à Shawn. Il était facile de pardonner : après tout, c'était la Fin du Monde.

Pendant un mois, j'ai vécu comme si je retenais mon souffle. Ensuite, il n'y a pas eu de mobilisation générale, pas d'autres attaques. Les cieux ne s'étaient pas assombris, la lune ne s'était pas changée en sang. Il y a eu des rumeurs de guerre, mais la vie dans la montagne demeurait inchangée. Papa nous répétait de rester vigilants mais, l'hiver venu, les drames insignifiants de ma vie quotidienne retenaient à nouveau toute mon attention.

J'avais quinze ans et je le sentais, je ressentais la course que je menais avec le temps. Mon corps changeait, enflait, gonflait, se renflait, s'étirait. J'aurais voulu l'en empêcher, mais il me semblait que ce n'était plus le mien. Il s'appartenait, désormais, et se moquait de ce que me causaient ces étranges transformations, de savoir si j'avais envie ou non de cesser d'être une enfant, et de devenir autre chose.

Cette autre chose m'excitait et me terrifiait. J'avais toujours su qu'en grandissant, je serais différente de mes frères, mais je n'avais jamais pensé à ce que cela pourrait signifier. Désormais, je ne pensais plus qu'à ça. J'ai commencé par chercher des indices afin de comprendre cette différence. Et dès que je me suis mise à chercher, j'en ai décelé partout.

Un dimanche après-midi, j'étais en train d'aider ma mère à préparer un rôti pour le dîner, pendant que papa retirait ses chaussures et dénouait sa cravate. Depuis que nous étions revenus de l'église, il n'avait pas cessé de parler.

« Cet ourlet était dix centimètres au-dessus du genou de Lori, disait-il. Qu'est-ce qu'une femme peut avoir à l'esprit quand elle met une robe pareille ? »

Mère hochait la tête, l'air absent, tout en coupant une carotte. Elle avait l'habitude de ce sermon-là.

« Et Jeanette Barney, continuait papa. Une femme qui porte un chemisier aussi décolleté ne devrait jamais se pencher en avant. » Mère acquiesçait. Je me représentais le chemisier turquoise que Jeanette portait ce jour-là. Le col n'était échancré que de deux ou trois centimètres au-dessous de la clavicule, mais il avait de l'ampleur, et j'imaginais que si elle se penchait, il offrirait une vue plongeante. Songer à cela me mettait mal à l'aise, parce que si un chemisier plus près du corps aurait été plus pudique lorsque Jeanette se penchait, il aurait aussi été moins convenable parce que plus moulant. Les femmes vertueuses ne portaient pas de vêtements moulants. Les autres, si.

J'essayais de me figurer ce que serait une tenue correctement ajustée quand papa a ajouté ceci : «Jeanette a attendu que je regarde pour se baisser et prendre ce livre de cantiques. Elle voulait que je voie.»

Ma mère a émis un petit claquement désapprobateur entre ses dents, tss-tss, puis elle a découpé une patate en quatre quartiers.

Ce discours me resterait en tête plus qu'aucun de ceux qui l'avaient précédé. Au cours des années qui ont suivi, je me suis remémoré très souvent ces propos, et plus j'y réfléchissais, plus je craignais, en grandissant, de devenir cette vilaine sorte de femme. Parfois, dans une pièce, j'étais à peine capable de me mouvoir, tant je me souciais de ne pas marcher, de ne pas me pencher, de ne pas m'accroupir comme elles. Pourtant, personne ne m'ayant jamais appris comment me pencher en avant de façon pudique, j'en concluais que je devais sans doute le faire de la mauvaise manière.

Shawn et moi avons passé une audition pour un mélodrame à Worm Creek. J'ai vu Charles à la première répétition et passé la moitié de la soirée à puiser en moi le courage de lui parler. Quand j'y suis enfin parvenue, il m'a confié qu'il était amoureux de Sadie. Ce n'était pas l'idéal, mais cela nous procurait un sujet de conversation.

Nous sommes rentrés en voiture ensemble, Shawn et moi. En conduisant, il fusillait la route du regard, comme si elle lui avait causé du tort.

«Je t'ai vue parler à Charles. Tu n'as pas intérêt à ce que les gens se figurent que tu es ce genre de fille.

— Le genre qui cause?

— Tu sais très bien ce que je veux dire.»

Le lendemain soir, il est entré à l'improviste dans ma chambre et m'a surprise en train de me noircir les cils avec le vieux mascara d'Audrey.

«Tu mets du maquillage, maintenant?

— Ça y ressemble.»

Il a fait demi-tour pour ressortir, mais il s'est immobilisé dans l'encadrement de la porte.

«Je pensais que tu valais mieux que ça, m'a-t-il jeté. Mais tu es vraiment comme les autres.»

Il ne m'a plus appelée Sedide Pœur. «Allons-y, Yeux de Poisson!» a-t-il beuglé à l'autre bout du théâtre, un soir. Charles s'est retourné, étonné. Lorsque Shawn lui a expliqué l'origine de ce nom, je me suis mise à rire – assez fort, espérais-je, pour couvrir le son de sa voix. J'ai ri, comme si ce surnom me plaisait.

La première fois que j'ai mis du gloss, Shawn m'a traitée de pute. Debout devant mon miroir, je faisais des essais, quand il est apparu sur le seuil. Il m'a dit ça comme une plaisanterie, mais j'ai quand même retiré la couleur de mes lèvres. Plus tard ce soir-là, au théâtre, quand j'ai remarqué Charles qui fixait Sadie, j'en ai remis et j'ai vu le visage de Shawn se tordre. Ce soir-là, le trajet du retour a été tendu. La température extérieure était descendue très au-dessous de zéro. Je me suis plainte, j'avais froid, et il a esquissé un geste pour augmenter le chauffage. Aussitôt, son geste s'est figé, il a ri tout seul et il a baissé toutes les vitres. Le vent de janvier m'a giflée comme un seau plein de glace. J'ai essayé de remonter la mienne, mais il avait verrouillé la sécurité enfant. Je lui ai demandé de la remonter. « J'ai froid, ai-je répété à plusieurs reprises. J'ai vraiment très froid. » Il s'est contenté de rire. Il a roulé comme ça sur les vingt kilomètres du trajet, en ricanant comme si c'était un jeu, comme si nous y jouions tous les deux, comme si je ne claquais pas des dents.

Je pensais que les choses iraient mieux quand Shawn aurait largué Sadie – je suppose que je m'étais laissée convaincre que c'était sa faute à elle, ces manèges auxquels il se livrait, et que sans elle ce serait différent. Après Sadie, il a renoué avec une ancienne petite amie, Erin. Elle était plus âgée, moins encline à se prêter à ses jeux et, au début, il m'a semblé que j'avais raison, qu'il allait mieux.

Ensuite, Charles a invité Sadie à dîner, elle a accepté, et Shawn l'a su. Je travaillais tard chez Randy ce soir-là, quand il s'est présenté là-bas, l'écume aux lèvres. Je suis repartie avec lui, pensant que je réussirais à le calmer, mais je n'y suis pas parvenue. Il a tourné en ville pendant deux heures, à la recherche de la jeep de Charles, vociférant et jurant que, dès qu'il trouverait ce salopard, il allait « lui refaire une nouvelle gueule ». Assise dans son pick-up, côté passager, j'écoutais le moteur monter en régime, brûler du diesel, je regardais les lignes jaunes disparaître, avalées sous le capot. Je pensais à mon frère tel qu'il avait été, tel que je me le rappelais, tel que je voulais me le rappeler. J'ai pensé à Albuquerque et à Los Angeles, et aux kilomètres d'Interstates perdues entre les deux.

Un pistolet était posé sur le siège entre nous. Quand il ne changeait pas de vitesse, il le prenait et le caressait, parfois en le faisant pivoter autour de son index comme un as de la gâchette avant de le reposer, tandis que la lumière des voitures que nous croisions se reflétait sur l'acier du canon.

Je me suis réveillée avec le cerveau planté d'un millier d'aiguilles, qui m'élançaient, oblitérant tout. Elles disparaissaient, le temps d'un court instant de vertige, puis je reprenais mes esprits.

C'était le matin, tôt ; une lumière d'ambre se déversait par la fenêtre de ma chambre. J'étais levée, mais ce n'était pas de mon fait si je tenais debout. Deux mains m'agrippaient à la gorge et me secouaient. La pelote d'aiguilles qu'était devenu mon cerveau cognait dans mon crâne. Je n'ai eu que quelques secondes pour me demander pourquoi, avant que les aiguilles ne m'assaillent à nouveau, réduisant en miettes mes pensées. J'avais les yeux ouverts, mais je ne voyais que des éclairs. Quelques éclats de voix me parvenaient.

«ROULURE !»

«PUTE !»

Puis un autre éclat de voix. Mère. Elle pleurait. «Arrête ! Tu vas la tuer ! Assez !»

Elle a dû l'empoigner, parce que j'ai senti son corps pivoter. Je suis tombée au sol. Quand j'ai rouvert les yeux, Shawn et mère se faisaient face – elle n'était vêtue que d'un peignoir élimé.

On m'a relevée d'un coup sec. Shawn s'est saisi d'une poignée de mes cheveux – en usant de la même méthode qu'avant, agrippant la touffe tout près du cuir chevelu afin de mieux me tenir – et m'a tirée dans le couloir. J'avais la tête écrasée contre sa poitrine. Tout ce que je pouvais voir, c'étaient des bribes de moquette défilant sous mes pieds qui trébuchaient. Ma tête martelait, j'avais du mal à respirer, mais je commençais à comprendre ce qui se passait. Ensuite, j'ai eu les larmes aux yeux.

De douleur.

« Et maintenant, voilà la garce qui pleure, a sifflé Shawn. Pourquoi ? Parce que quelqu'un te voit comme la roulure que tu es ? »

J'ai essayé de le regarder, de fouiller son visage, en quête de mon frère, mais il m'a repoussé la tête vers le sol et je suis tombée. Je me suis écartée, à quatre pattes, puis je me suis redressée. La cuisine tournait, d'étranges taches roses et jaunes flottaient devant mes yeux.

Mère sanglotait en se tenant la tête.

« Je te vois telle que tu es », répétait mon frère. Il avait des yeux hagards. « Tu prends des airs de petite sainte qui fréquente l'église. Mais je te vois. Je te vois te pavaner avec Charles comme une prostituée. »

Il s'est tourné vers ma mère, pour observer l'effet de ses paroles sur elle. Elle s'était effondrée à la table de la cuisine.

« Elle ne fait rien de tout ça », a-t-elle murmuré.

Shawn a ajouté qu'elle n'avait aucune idée des mensonges que je racontais, que je m'étais moquée d'elle, que je jouais les bonnes filles à la maison mais qu'en ville je couchais comme une pute. Je me suis peu à peu rapprochée de la porte.

Mère m'a conseillé de prendre la voiture et de m'en aller. Shawn s'est retourné vers moi.

« Tu vas avoir besoin de ça, a-t-il dit, en levant en l'air les clés de maman. Elle n'ira nulle part, tant qu'elle n'aura pas admis qu'elle est une putain ! »

Il m'a attrapée par les poignets et mon corps a glissé dans cette posture qu'il connaissait déjà, la tête vers l'avant, le bras tordu dans le bas du dos, le poignet grotesquement replié sur lui-même. Comme pour un pas de danse, mes muscles se souvenaient et s'empressaient de devancer la musique. Je m'efforçais de me plier encore plus bas, en vidant l'air de mes poumons, pour soulager un tant soit peu les os de mon poignet.

« Dis-le », a-t-il insisté.

Mais j'étais ailleurs. J'étais dans le futur. Dans quelques heures, Shawn serait agenouillé au chevet de mon lit, et se sentirait désolé. Je le savais, alors que j'étais là, pliée en deux.

« Que se passe-t-il ? » Une voix d'homme a résonné dans la cage d'escalier, depuis l'entrée.

J'ai tourné la tête et j'ai vu un visage flotter entre deux barreaux de la rambarde. C'était Tyler.

J'hallucinais. Tyler n'était jamais revenu à la maison. En pensant cela, j'ai éclaté de rire, un ricanement haut perché. Quel genre de cinglé reviendrait après s'être échappé d'ici ? J'avais maintenant tellement de taches roses et jaunes dans mon champ de vision, j'avais l'impression d'être dans une boule à neige. C'était bien. Cela signifiait que j'étais près de m'évanouir. Je n'attendais que cela.

Shawn m'a lâché le poignet et, une fois encore, je suis retombée. J'ai levé les yeux et vu que son regard restait figé sur la cage d'escalier. C'est seulement à ce moment-là que j'ai compris que Tyler était bien réel.

Shawn a reculé d'un pas. Il avait attendu que papa et Luke soient sortis de la maison, partis travailler, que personne ne relève le défi de sa force physique. Il ne s'était pas du tout attendu à devoir affronter son frère cadet – moins vicieux, mais plus fort, à sa manière.

« Qu'est-ce qui se passe ? » a répété Tyler. Il guettait Shawn du regard, s'avançant à pas comptés, comme s'il s'approchait d'un serpent à sonnette.

Ma mère a cessé de pleurer. Elle était gênée. Tyler était un étranger, à présent. Il était parti depuis si longtemps, il était relégué dans cette catégorie d'individus à qui nous cachions nos secrets. À qui nous cachions tout ceci.

Tyler a monté les marches, il s'est avancé vers son frère. Il retenait son souffle. Son visage tendu ne reflétait aucune surprise. Il semblait savoir exactement ce qu'il faisait, et l'avoir déjà fait, quand ils étaient plus jeunes et qu'ils étaient encore moins à égalité. Tyler s'est immobilisé. Il a lancé à Shawn un regard mauvais, comme pour lui signifier : *Je ne sais pas ce qui se passe, ici, mais ça s'arrête là.*

Shawn s'est mis à bredouiller quelque chose au sujet de mes vêtements et de ce que je fabriquais en ville. Tyler l'a sèchement interrompu d'un geste de la main.

« Je n'ai aucune envie de savoir. » Il s'est tourné vers moi. « Viens, sors d'ici.

— Elle n'ira nulle part », a répété Shawn, en brandissant le trousseau de clés.

Tyler m'a jeté ses propres clés.

« Vas-y, c'est tout. »

J'ai couru à sa voiture, qui était coincée entre le pick-up de Shawn et le poulailler. J'ai essayé de sortir en marche arrière, mais j'ai trop écrasé la pédale des gaz et les pneus ont dérapé, envoyant voler du gravier. À ma deuxième tentative, j'y suis arrivée. La bagnole a bondi en avant et décrit un cercle. J'ai placé le sélecteur de la boîte automatique en position « D » et j'étais prête à foncer au bas de la colline quand Tyler est apparu sous la véranda. J'ai baissé ma vitre. « Ne va pas travailler, m'a-t-il dit. Là-bas, il te trouvera. »

Ce soir-là, quand je suis rentrée à la maison, Shawn était parti. Ma mère était dans la cuisine, occupée à mélanger ses huiles. Elle n'a rien dit au sujet de cette matinée, et je savais que je ne devais y faire aucune allusion. Je suis allée me coucher, mais j'étais toujours réveillée, des heures plus tard, quand j'ai entendu un pick-up monter la côte. Quelques minutes plus tard, la porte de ma chambre s'est ouverte en grinçant. J'ai entendu le déclic d'un interrupteur, j'ai vu la lumière éclabousser les murs, et j'ai senti le poids de son corps se laisser choir sur mon lit. Je me suis retournée face à lui. Il avait posé une petite boîte en velours noir à côté de moi. Comme je n'y touchais pas, il a ouvert l'écrin et en a sorti un collier de perles laiteuses.

Il a murmuré qu'il voyait dans quel chemin je m'engageais et que ce n'était pas bien. Je m'égarais, je devenais comme les autres filles : frivole, manipulatrice, me servant de mon apparence pour obtenir certaines choses.

Je pensais à mon corps, à tous les changements qu'il avait subis. Je ne savais pas trop ce que je ressentais à cet égard : parfois, en effet, j'avais envie qu'on le remarque, qu'on l'admire, mais ensuite, je pensais à Jeanette Barney, et j'étais dégoûtée.

« Tu es particulière, Tara », m'a assuré mon frère.

Vraiment ? J'avais envie d'y croire. Tyler m'avait dit que j'étais particulière, des années auparavant. Il m'avait lu un passage des Écritures, du Livre de Mormon, au sujet d'un *enfant sérieux, rapide à observer*[1].

« Cela m'évoque ce que tu es », m'avait-il dit.

Ce passage décrivait le grand prophète mormon, un fait que j'avais trouvé troublant. Une femme ne pouvait être prophète, et pourtant, voilà que Tyler me confiait que je lui rappelais l'un des plus grands de tous les prophètes. Je ne sais toujours pas ce qu'il entendait par là, mais ce que j'avais compris sur le moment, c'était que

---

1. *Livre de Mormon*, Mormon, chap. 1, 2. (*N.d.T.*)

je pouvais me fier à moi-même : il y avait en moi un trait identique à ce que l'on trouvait chez les prophètes, et ce trait n'était ni masculin ni féminin, ni vieux ni jeune. C'était une sorte de valeur innée, inébranlable.

Mais à présent, en observant l'ombre que Shawn projetait sur mon mur, consciente de mon corps déjà formé, de ses maléfices et de mon désir d'engendrer le mal avec ce corps, la signification de ce souvenir était différente. Subitement, cette valeur me faisait l'effet d'être conditionnelle, comme si je pouvais en être privée, la dilapider. Elle n'était pas innée ; elle m'était accordée. Ce qui avait de la valeur, ce n'était pas moi-même, mais le vernis de contraintes qui m'embrouillaient l'âme.

J'ai regardé mon frère. À cet instant, il m'a paru plus âgé : un sage. Il connaissait le monde. Il connaissait les femmes de ce monde, je lui ai donc demandé de m'empêcher d'en devenir une.

« D'accord, Yeux de Poisson, a-t-il promis. Je m'en charge. »

À mon réveil le lendemain matin, mon cou était marqué de contusions et mon poignet enflé. Je souffrais d'une migraine – pas d'un simple mal de tête, mais d'une véritable douleur cérébrale, comme si l'organe même était devenu sensible. Je suis allée travailler, mais je suis rentrée tôt et je me suis allongée dans un coin sombre du sous-sol, en attendant que ça passe. J'étais allongée sur la moquette, je sentais ce martèlement dans mon cerveau, quand Tyler m'a trouvée là.

Il est venu plier son corps dans le canapé, tout près de ma tête. Je n'étais pas contente de le voir. S'il y avait une chose encore pire que de me faire traîner par les cheveux dans la maison, c'était que Tyler ait assisté à la scène. Si l'on m'avait donné le choix entre laisser la chose se produire et que Tyler soit là pour l'empêcher, j'aurais choisi de laisser faire. À l'évidence, c'est ce que j'aurais choisi. De toute manière, j'avais failli m'évanouir, et ensuite, j'aurais pu tout oublier. D'ici un jour ou deux, cela aurait même perdu toute réalité. Ce serait devenu un mauvais rêve et, dans un mois, le simple écho d'un mauvais rêve. Mais Tyler avait assisté à la scène, il l'avait rendue réelle.

«Tu as songé à t'en aller ? a-t-il demandé.

— Pour aller où ?

— À l'école.»

À ce mot, je me suis soudain animée.

«Je vais m'inscrire au lycée en septembre, ai-je annoncé. Cela ne va pas plaire à papa, mais je vais y aller.»

J'ai pensé que mon frère serait content. À la place, il a grimacé.

«Ce n'est pas la première fois que tu dis ça.

— Je vais m'inscrire.

— Peut-être. Mais tant que tu habites sous le même toit que papa, il te sera difficile d'y aller s'il te demande de rester, et trop commode de reporter encore d'un an, jusqu'à ce que tu n'aies plus l'âge. Si tu commences par la seconde, est-ce que tu réussiras même à passer ton diplôme ?»

Nous savions tous deux que cela me serait impossible.

« Il est temps de t'en aller, Tara. Plus longtemps tu restes, moins il y aura de chances que tu partes un jour.

— Tu penses que je dois partir ? »

Il n'a pas hésité.

« Je pense que pour toi, il n'y a pas pire endroit qu'ici. »

Il s'était exprimé à voix basse, mais c'était comme s'il avait hurlé ces mots-là.

« Et j'irais où ?

— Va où je suis allé, a-t-il insisté. À l'université. »

J'ai eu un rire étranglé.

« La Brigham Young University accepte les étudiants qui ont fait l'école à la maison.

— C'est ce qu'on fait ? L'école à la maison. »

J'ai essayé de me souvenir de la dernière fois que j'avais lu un manuel scolaire.

« La commission d'admission ne saura que ce qu'on leur en dira, m'a-t-il affirmé. Si nous leur racontons que tu as été scolarisée à la maison, ils y croiront.

— Je ne vais pas être admise.

— Mais si. Tu passes juste l'examen d'entrée à l'université. Un seul examen minable. »

Il s'est levé pour repartir.

« C'est un tout autre univers, là-bas, Tara. Et quand tu n'auras plus papa pour te seriner sa vision du monde à l'oreille, tout te paraîtra très différent. »

Le lendemain, j'ai pris la voiture et me suis rendue à la quincaillerie en ville, où j'ai acheté un verrou à glissière pour ma chambre. Je l'ai laissé sur mon lit pour aller chercher une perceuse à l'atelier et j'ai commencé à fixer les vis. Je croyais Shawn sorti – son pick-up n'était pas dans l'allée – mais quand je suis remontée avec la perceuse, il était dans l'encadrement de ma porte.

« Qu'est-ce que tu fabriques ?

— Mon bouton de porte est cassé, ai-je menti. Elle s'ouvre tout le temps. Ce verrou n'était pas cher, mais ça sera parfait. »

Il a palpé l'acier épais, et il voyait bien que ce n'était pas un truc à deux balles. Je suis restée silencieuse, paralysée à la fois par la terreur et par la pitié. En cet instant, je me suis mise à le haïr, j'avais envie de lui jeter ma haine à la figure. Je l'imaginais se ratatiner, s'écraser sous le poids de mes mots et de son dégoût de lui-même. Quoi qu'il en soit, cette vérité ne m'avait pas échappé : Shawn se détestait bien plus que je n'aurais jamais pu le détester moi-même.

« Tu n'utilises pas les bonnes vis, a-t-il remarqué. Pour les murs et les pattes qui vont sur la porte, il t'en faut des plus longues. Sinon, ça va tout de suite s'arracher. »

Dans l'atelier, il a farfouillé quelques minutes, puis il est ressorti avec une poignée de vis en acier. Nous sommes retournés dans la maison, il a installé le verrou, en fredonnant, avec le sourire.

14

Je ne touche plus terre avec mes pieds[1]

En octobre, papa a remporté un contrat pour construire des greniers à blé de taille industrielle à Malad City, une ville agricole balayée par la poussière, derrière Buck's Peak. C'était un gros chantier pour une petite entreprise comme la sienne – l'équipe se composait juste de papa, Shawn, Luke et du mari d'Audrey, Benjamin –, mais Shawn était un bon chef de chantier, et comme il se chargeait de tout, papa avait acquis la réputation de livrer un travail rapide et fiable.

Shawn refusait de laisser papa brûler les étapes. La moitié du temps, quand je passais à l'atelier, je les entendais se hurler dessus, papa protestant que Shawn perdait du temps, Shawn criant que papa avait carrément failli décapiter quelqu'un.

---

1. Claude Ptolémée, *Almageste* : « Je sais que je suis mortel par nature et éphémère ; mais quand je trace, selon mon plaisir, les méandres depuis et vers les corps célestes, je ne touche plus terre avec mes pieds. » *(N.d.T.)*

Shawn passait de longues journées à nettoyer, découper et souder les éléments bruts des greniers, et quand la construction a débuté, il était généralement sur le site de Malad. Quand papa et lui rentraient à la maison, plusieurs heures après le coucher du soleil, ils en arrivaient presque aux injures. Shawn voulait professionnaliser l'exploitation, pour investir les profits du chantier de Malad dans un nouvel équipement ; papa préférait que les choses demeurent à l'identique. Shawn soutenait que papa ne comprenait pas que le secteur de la construction était plus concurrentiel que celui de la ferraille, et que s'ils voulaient décrocher de vrais contrats, il leur fallait se doter d'équipements importants – en particulier un nouveau poste de soudure et une grue élévatrice avec nacelle.

« On ne peut pas continuer à se servir d'un chariot élévateur et d'une vieille palette à fromages, expliquait Shawn. Ça aura l'air merdique, et en plus c'est dangereux. »

À l'idée d'une nacelle, papa s'esclaffait. Il se servait d'un chariot élévateur et d'une palette depuis vingt ans.

Je travaillais tard presque tous les soirs. Randy prévoyait d'entamer une grande tournée pour trouver de nouveaux clients, et il m'avait demandé de m'occuper du magasin en son absence. Il m'a appris à me servir de son ordinateur pour tenir les comptes, traiter les commandes, tenir les stocks à jour. C'est grâce à Randy que j'ai entendu parler d'Internet. Il m'a montré comment aller en ligne, visiter un site, rédiger un e-mail. Le jour de son départ, il m'a donné un téléphone portable afin que je sois joignable à toute heure.

Tyler m'a appelée un soir, juste au moment où je rentrais du travail. Il m'a demandé si j'étudiais pour l'examen d'admission. « Je suis incapable de passer cette épreuve, lui ai-je répété. Je n'y connais rien en maths.

— Tu as de l'argent, a-t-il insisté. Achète-toi des livres et apprends. »

Je n'ai pas réagi. Pour moi, l'université n'avait aucun intérêt. Je savais à quoi j'étais destinée. À dix-huit ou dix-neuf ans, je me marierais. Papa me donnerait un bout de la ferme, et mon mari y mettrait une maison. Mère m'apprendrait tout sur les plantes médicinales, et aussi sur le travail de sage-femme, qu'elle avait repris, maintenant que ses migraines se faisaient plus rares. Et lorsque j'aurais des enfants, mère les mettrait au monde. Un jour, supposais-je, c'est moi qui serais la sage-femme. Je ne voyais pas trop de place pour les études dans tout cela.

Tyler semblait lire dans mes pensées.

« Tu connais sœur Sears ? » m'a-t-il demandé. Sœur Sears était la directrice de la chorale, à l'église. « Comment crois-tu qu'elle ait appris à diriger une chorale ? »

J'avais toujours admiré sœur Sears, et je jalousais sa connaissance de la musique. Je n'avais jamais réfléchi à la manière dont elle l'avait apprise.

« Elle l'a étudiée, a poursuivi mon frère. Savais-tu qu'on peut obtenir un diplôme de musique ? Si tu en avais un, cela te permettrait de donner des leçons, rien ne t'interdirait de diriger la chorale de l'église. Même papa n'y trouverait rien à redire. Enfin, pas trop, en tout cas. »

Mère avait récemment souscrit à une version d'essai d'AOL. Je n'avais jamais utilisé Internet que chez Randy, pour le travail, mais après l'appel de Tyler, j'ai allumé notre ordinateur et j'ai attendu que le modem compose le numéro d'appel de la connexion RTC. Il m'avait parlé d'un truc à propos du site de la Brigham Young University. Il ne m'a fallu que quelques minutes pour le trouver. Sur l'écran sont apparues plusieurs photos – des bâtiments soignés en brique couleur d'héliolite entourés d'arbres vert émeraude, des gens élégants qui marchaient et riaient, leurs livres calés sous le bras et un sac à dos à l'épaule. Cela m'évoquait les images d'un film. D'un film au dénouement heureux.

Le lendemain, j'ai roulé soixante kilomètres jusqu'à la première librairie et j'ai acheté des fiches de révision pour l'examen d'admission. Puis, assise sur mon lit, je me suis attaquée à l'épreuve pratique de mathématiques. J'ai parcouru la première page. Je ne reconnaissais même pas les symboles. C'était pareil à la deuxième page, et à la troisième.

Je suis allée montrer les fiches à maman.

« Qu'est-ce que c'est ? ai-je demandé.

— Des maths.

— Alors où sont les chiffres ?

— C'est de l'algèbre. Les lettres remplacent les nombres.

— Comment je fais ça ? »

Elle a pris un stylo et un papier, réfléchi quelques minutes, mais n'a pas été en mesure de résoudre les cinq premières équations.

Le lendemain, j'ai refait les mêmes soixante kilomètres – cent vingt pour l'aller-retour – et je suis rentrée à la maison avec un gros manuel d'algèbre.

Tous les soirs, alors que l'équipe était sur le point de quitter Malad, papa téléphonait à la maison pour que le dîner soit prêt quand le pick-up graviraît la côte en bringuebalant. Je guettais cet appel, et quand il arrivait je montais dans la voiture de maman et je m'en allais. Je ne savais pas pourquoi. J'allais à Worm Creek, je m'installais au balcon du théâtre et suivais les répétitions, les pieds sur le parapet, un livre de maths ouvert devant moi. Je n'avais rien étudié en mathématiques depuis la division avec reste et quotient, et ces notions ne m'étaient pas familières. Je comprenais la théorie des fractions mais je peinais à les manipuler, et le seul fait de voir une décimale dans une page suffisait à me donner des palpitations. Tous les soirs pendant un mois, je me suis installée à l'opéra, dans un fauteuil de velours rouge, et je me suis exercée aux opérations les plus élémentaires – comment multiplier des fractions, comment utiliser l'inverse d'un nombre, comment ajouter, multiplier et diviser des nombres décimaux – pendant que, sur scène, les personnages déclamaient leurs répliques.

Je me suis mise à l'étude de la trigonométrie. Je puisais un réconfort dans ces formules et ces équations étranges. J'étais attirée par le théorème de Pythagore et sa promesse d'universel – la faculté de prédire la nature de trois points quelconques comportant un angle droit, partout, toujours. Ce que je savais de la physique, je l'avais appris à la ferraille, où le monde semblait souvent instable, capricieux. Mais il y avait là un principe au moyen duquel les dimensions de la vie devenaient définissables, saisissables. Peut-être la réalité n'était-elle pas entièrement volatile. Peut-être était-elle explicable, prévisible. Peut-être y avait-il moyen de faire en sorte qu'elle ait un sens.

Le supplice a commencé quand j'ai dépassé le théorème de Pythagore pour aborder sinus, cosinus et tangente. J'étais incapable d'appréhender de telles abstractions. Je percevais la logique inhérente, je ressentais leur pouvoir d'instaurer l'ordre et la symétrie, mais j'étais incapable d'y accéder. Ils gardaient leurs secrets, devenant une sorte de seuil au-delà duquel existait un monde fait de lois et de raison. Cependant, j'étais incapable de franchir cette porte.

Ma mère m'a dit qu'elle voulait apprendre la trigonométrie, que c'était sa responsabilité de me l'enseigner. Elle réservait une soirée, et nous prenions place toutes les deux à la table de la cuisine, en griffonnant sur des bouts de papier et en nous arrachant les cheveux. Nous restions des heures sur un simple problème, et chaque réponse obtenue était erronée.

« Au lycée, je n'étais pas bonne en trigo, se lamentait ma mère, en refermant brutalement le livre. Et j'ai oublié le peu que je savais. »

Au salon, papa compulsait les plans d'architecte de ses greniers industriels et marmonnait tout seul. Je l'avais regardé dessiner ces plans, effectuer les calculs, modifier tel angle ou allonger telle poutrelle. Papa avait de maigres qualifications en mathématiques, mais il était impossible de douter de son aptitude : en un sens, je savais que si je soumettais l'équation à mon père, il saurait la résoudre.

Quand je lui ai annoncé que je projetais d'aller à l'université, il m'a répondu que la place d'une femme était au foyer, que je ferais mieux d'apprendre les plantes médicinales – « la pharmacie de Dieu », comme il les appelait, avec un sourire entendu –, afin de succéder à maman. Et il a récriminé encore davantage, bien sûr, sur le fait que je me prostituais pour acquérir la connaissance des hommes au lieu de celle de Dieu, mais j'ai quand même décidé de le questionner au sujet de la trigonométrie. C'était au moins une parcelle de la connaissance humaine qu'il devait posséder, j'en étais certaine.

J'ai noté le problème sur une feuille de papier vierge. Quand je me suis approchée, doucement, et que j'ai lentement fait glisser la feuille sur les plans, il n'a pas levé les yeux.

« Papa, tu peux résoudre ça ? »

Il m'a jeté un regard sévère, puis ses yeux se sont adoucis. Il a fait pivoter la feuille, l'a étudiée un moment, puis s'est mis à gribouiller, des nombres, des cercles et de grandes lignes incurvées qui se bouclaient sur elles-mêmes. Sa solution ne ressemblait à rien de ce qu'il y avait dans mon manuel. Elle ne ressemblait à rien de ce que j'avais déjà vu. Je l'ai entendu grommeler, puis il a cessé de griffonner, a relevé les yeux et m'a fourni la réponse correcte.

Je lui ai demandé comment il avait résolu le problème.

« Je ne sais pas comment je résous ça, a-t-il répliqué en me tendant la feuille. Tout ce que je sais, c'est qu'il s'agit de la réponse. »

Je suis retournée à la cuisine, en comparant l'équation propre, équilibrée, au fouillis de ces calculs inachevés et de ces croquis étourdissants. J'ai été frappée par l'étrangeté de cette page : papa maîtrisait cette science, pouvait déchiffrer son langage, décrypter sa logique, la plier, la tordre, en extraire la vérité. Mais après être passée par lui, elle se transformait en chaos.

J'ai étudié la trigonométrie pendant un mois. J'ai parfois rêvé de sinus, de cosinus et de tangente, d'angles mystérieux et de calculs bousculés mais, malgré tout cela, je n'accomplissais pas de réels progrès. J'étais incapable d'apprendre la trigonométrie seule. En revanche, je connaissais quelqu'un qui y était arrivé. Tyler m'a suggéré de le retrouver chez notre tante Debbie, parce qu'elle habitait près de Brigham Young University. C'était à trois heures de route. Cependant, aller frapper à la porte de notre tante me mettait mal à l'aise. C'était la sœur de ma mère, Tyler avait vécu chez elle pendant sa première année à la BYU, mais c'était tout ce que je savais d'elle.

C'est mon frère Tyler qui m'a ouvert. Nous nous sommes installés au salon pendant que Debbie préparait un ragoût. Il a facilement résolu les équations, en rédigeant des explications méthodiques pour chaque étape. Il étudiait l'ingénierie mécanique et était l'un des meilleurs de sa promotion, il allait sortir diplômé et entamerait ensuite un doctorat à Purdue University, dans l'Indiana. Mes équations de trigonométrie étaient très en deçà de ses capacités, mais s'il s'ennuyait, il n'en a rien montré ; il m'a patiemment expliqué les principes, à plusieurs reprises. Une porte venait de s'entrouvrir, et j'y glissais un œil furtif.

Tyler venait de partir, et Debbie me mettait un plat de ragoût dans les mains, quand le téléphone a sonné. C'était mère.

« Il y a eu un accident », m'a-t-elle annoncé.

Elle avait peu d'informations. Shawn était tombé à Malad. Il avait atterri sur la tête. Quelqu'un avait appelé le 911, et on l'avait héliporté jusqu'à un hôpital, à Pocatello. Les médecins ne savaient pas s'il allait survivre. C'était tout ce qu'elle pouvait me dire.

Je voulais en entendre davantage, un pronostic, même si c'était juste pour avoir l'opportunité d'y opposer mes arguments. Je voulais l'entendre me dire « Ils pensent qu'il va s'en sortir », ou même « Ils s'attendent à ce qu'on le perde ». N'importe quoi, sauf ce qu'elle me répondait là, en l'occurrence : « Ils ne savent pas. »

Mère a ajouté que je devrais venir à l'hôpital. J'imaginais Shawn sur une civière blanche, la vie s'échappant de lui. Je sentais cette perte monter en moi comme une lame de fond, mes genoux se sont presque dérobés sous moi, mais l'instant d'après j'ai ressenti autre chose. Du soulagement.

Un orage menaçait, on annonçait un mètre de neige sur Sardine Canyon, qui protégeait l'accès à notre vallée. La voiture de ma mère, que j'avais conduite jusque chez Debbie, avait des pneus lisses. J'ai dit à ma mère que je ne pourrais pas franchir le canyon.

L'histoire de la chute de Shawn allait me parvenir par bribes, quelques fils narratifs ténus émanant de Luke et Benjamin, qui étaient sur place. C'était un après-midi glacial et un vent violent soulevait de légers nuages de poussière. Shawn était debout sur une palette en bois, à six ou sept mètres au-dessus du sol. Un mur à moitié terminé se dressait quatre mètres au-dessous de lui, hérissé de fers à béton, semblables à des brochettes épointées. Je ne sais pas au juste ce qu'il fabriquait sur cette palette – il terminait sans doute de placer des montants ou de souder, parce que c'était le type de tâche dont il avait la charge. Papa conduisait le chariot élévateur.

J'ai entendu des récits contradictoires sur les causes de sa chute[1]. Quelqu'un soutient que papa a déplacé la

---

1. Mon récit de sa chute se fonde sur l'histoire qui m'en a été rapportée à l'époque. Tyler a entendu la même version ; en fait, beaucoup de détails de ce récit proviennent de ses souvenirs. Interrogés quinze ans plus tard, d'autres se le remémorent

flèche du chariot élévateur à l'improviste et que Shawn a basculé par-dessus. Mais si l'on en croit le consensus général, il était debout, près du bord, et, sans raison aucune, il aurait reculé et perdu l'équilibre. Il a plongé de quatre mètres de hauteur, son corps a décrit une lente rotation dans le vide, de sorte que lorsqu'il a tapé dans les fers du mur en béton, il les a heurtés la tête la première, puis il a dévalé les deux derniers mètres cinquante jusqu'au sol.

C'est ainsi que la chute m'a été rapportée, mais mon esprit en retrace un schéma différent – sur une page blanche, aux lignes régulièrement espacées. Il monte, tombe d'une déclivité, heurte les fers à béton et redescend au sol. Je perçois un triangle. Quand je pense l'événement en ces termes, il possède une logique. Ensuite la logique de la page cède face à celle de mon père.

Papa surveillait son fils d'un œil. Shawn paraissait désorienté. Il avait une pupille dilatée et l'autre pas, mais personne ne savait ce que cela voulait dire.

---

différemment. Mère affirme que Shawn n'était pas debout sur une palette, seulement sur la fourche du chariot élévateur. Luke se souvient de la palette, mais remplace les fers à béton par une trappe métallique d'évacuation, dont la grille avait été retirée. Il soutient que la chute a eu lieu d'une hauteur de quatre mètres, et que Shawn a commencé à se comporter bizarrement dès qu'il a repris conscience. Luke n'a aucun souvenir de la personne qui a téléphoné aux secours, qui a composé le 911, mais il affirme que d'autres ouvriers travaillaient dans une scierie voisine, et il croit que l'un d'eux a appelé immédiatement après la chute de notre frère.

Personne ne savait que cela signifiait qu'il souffrait d'un saignement intracrânien.

Papa avait suggéré à Shawn de faire une pause. Luke et Benjamin l'avaient aidé à se tenir en position debout, appuyé contre le pick-up, puis ils s'étaient remis au travail.

Passé cette étape, les faits deviennent encore plus flous.

D'après le récit que j'en ai entendu, un quart d'heure plus tard, Shawn s'aventurait de nouveau sur le site du chantier. Papa, le pensant prêt à reprendre son poste, lui avait demandé de grimper sur la palette, et Shawn, qui n'avait jamais aimé s'entendre dire ce qu'il devait faire, s'était mis à crier contre papa à propos de tout et de rien – l'équipement, les dessins du grenier, sa paie. Il avait hurlé à s'en casser la voix, et ensuite, juste au moment où papa avait cru qu'il s'était calmé, il avait empoigné notre père à la taille et l'avait balancé contre un sac de blé. Avant que papa ait réussi à se relever, Shawn avait décampé, en faisant des bonds, en beuglant, en ricanant. Luke et Benjamin, convaincus qu'il se passait quelque chose de grave, s'étaient lancés à sa poursuite. Luke l'avait atteint le premier, mais n'avait pu le retenir ; ensuite, Benjamin y avait ajouté le poids de son corps et Shawn avait ralenti. Mais ce n'est que lorsque les trois hommes s'y étaient mis à eux tous pour le plaquer – en projetant son corps à terre où, parce qu'il résistait, sa tête avait violemment cogné – qu'il s'était finalement immobilisé.

Personne ne m'a jamais décrit ce qui s'est passé quand la tête de Shawn a heurté le sol une seconde fois. S'il a fait une syncope, ou vomi, ou perdu conscience, je ne sais au juste. Mais c'était suffisamment effrayant pour que quelqu'un – peut-être papa, probablement Benjamin – ait composé le 911, ce qu'aucun membre de la famille n'avait encore fait auparavant.

On leur a promis qu'un hélicoptère arriverait en quelques minutes. Plus tard, les docteurs avanceraient l'hypothèse que lorsque papa, Luke et Benjamin s'étaient battus avec Shawn – il avait alors subi une commotion cérébrale –, il était déjà dans un état critique. Ils estimaient que c'était un miracle qu'il ne soit pas mort dès que sa tête avait heurté le sol.

J'ai du mal à les imaginer attendant l'hélicoptère. Papa se rappelait qu'à l'arrivée des secours, Shawn sanglotait, réclamait maman. Et qu'à l'instant où il avait atteint l'hôpital, son état d'esprit avait changé. Nu, sur sa civière, les yeux injectés de sang, il braillait qu'il arracherait les yeux du prochain salopard qui l'approcherait. Ensuite il s'était effondré en sanglots, avant de finalement perdre connaissance.

Shawn a survécu à cette nuit.

Dans la matinée, j'ai pris la route de Buck's Peak. Incapable d'expliquer pourquoi je ne me précipitais pas au chevet de mon frère, j'ai juste prévenu ma mère que je devais travailler.

« Il te réclame, m'a-t-elle confié.

— Tu disais qu'il ne reconnaissait plus personne.

— C'est vrai. Mais l'infirmière vient de me demander s'il connaît quelqu'un qui s'appelle Tara. Il a répété ton nom sans arrêt, ce matin, dans son sommeil et après son réveil. Je leur ai indiqué que Tara était sa sœur et maintenant ils me soutiennent que ce serait bien si tu y allais. Il pourrait te reconnaître, et ce serait déjà quelque chose. Ton nom est le seul qu'il ait prononcé depuis qu'il est hospitalisé. »

Je suis restée silencieuse.

« Je paierai l'essence », a-t-elle ajouté. Elle devait penser que je refusais de venir à cause des trente dollars que coûterait le carburant. J'étais gênée qu'elle ait pensé cela, mais selon elle, si ce n'était pas pour l'argent, je n'avais aucune autre raison.

« Je pars tout de suite. »

Étrangement, j'ai très peu de souvenirs de l'hôpital, ou de l'état de mon frère. Je me rappelle vaguement qu'il avait la tête enveloppée de gaze et que, lorsque j'ai demandé pourquoi, ma mère m'a expliqué que les médecins l'avaient opéré, avaient ouvert son crâne pour soulager un peu la pression, arrêter une hémorragie, ou réparer elle ne savait quoi – en réalité, je suis incapable de me souvenir de ce qu'elle m'a dit. Shawn était comme un enfant fiévreux. Je suis restée avec lui une heure. Il a ouvert quelquefois les yeux, mais s'il était conscient, il ne m'a pas reconnue.

Le lendemain, je suis retournée à l'hôpital, il était éveillé. Lorsque je suis entrée dans la chambre, il a cligné des yeux, regardé notre mère, comme pour s'assurer qu'elle me voyait, elle aussi.

« Tu es venue, a-t-il dit. Je pensais pas que tu viendrais. »

Il m'a pris la main et s'est endormi.

J'ai observé son visage, contemplé les bandages qui lui enveloppaient le front et les oreilles, et cela m'a purgée de mon amertume. J'ai alors compris pourquoi je n'étais pas venue plus tôt. J'avais eu peur de ce que je ressentirais, peur de me sentir heureuse s'il mourait.

Je suis sûre que les médecins voulaient le garder en observation, mais nous n'avions pas d'assurance-santé, et la facture était déjà si lourde que Shawn allait être obligé de la rembourser pendant les dix années à venir. Dès que son état a été suffisamment stable, nous l'avons ramené à la maison.

Pendant deux mois, mon frère a vécu dans le canapé du salon. Il était physiquement faible – il lui restait tout juste assez de force pour aller à la salle de bains et revenir. Il avait complètement perdu l'audition d'une oreille et entendait mal de l'autre – quand les gens lui parlaient il tournait souvent son oreille valide vers eux, plutôt que les yeux. Excepté cet étrange mouvement et les pansements, il avait l'air normal. Pas de gonflement, pas d'hématomes. Selon les médecins, c'était parce que les dégâts étaient très lourds : l'absence d'atteintes externes signifiait que toutes les lésions étaient internes.

Il m'a fallu un certain temps pour me rendre compte que s'il n'avait pas changé en apparence, il n'était plus le même. Il paraissait lucide, mais si vous l'écoutiez attentivement, ses histoires n'avaient aucun sens. Ce n'était pas vraiment des histoires, mais une suite de digressions.

Je me sentais coupable de ne pas lui avoir immédiatement rendu visite à l'hôpital, alors pour me racheter, j'ai abandonné mon travail et j'ai veillé sur lui jour et nuit. Quand il voulait de l'eau, j'allais en chercher, quand il avait faim, je cuisinais.

Sadie a commencé à venir le voir et Shawn était content de la recevoir. J'attendais ses visites avec impatience parce qu'elles me donnaient l'occasion d'étudier. Mère jugeait important que je reste avec Shawn, et personne ne me dérangeait. Pour la première fois de ma vie, je disposais de longs moments où je pouvais apprendre – sans avoir à trier de la ferraille, à filtrer des teintures ou à vérifier l'inventaire de Randy. J'examinais les notes de Tyler, je lisais et relisais ses explications consciencieuses. Au bout de quelques semaines de ce régime, par magie ou par miracle, les notions étaient rentrées. J'ai repassé l'examen blanc. Si l'algèbre complexe restait encore indéchiffrable – elle provenait d'un monde qui dépassait mes capacités à comprendre –, la trigonométrie m'était devenue intelligible. Je réussissais à comprendre ces messages écrits dans une langue venue d'un monde de logique et d'ordre qui n'existait qu'à l'encre noire et sur papier blanc.

Entre-temps, le monde réel sombrait dans le chaos. Les médecins ont annoncé à notre mère que la blessure de Shawn avait peut-être altéré sa personnalité – qu'à l'hôpital il avait manifesté des tendances à l'inconstance, même à la violence, et que de tels changements risquaient de se révéler permanents.

Mon frère se laissait en effet emporter par des crises de rage, des moments de colère aveugle où il ne cherchait qu'à blesser quelqu'un. Il avait l'instinct de la méchanceté, le don de prononcer le seul et unique mot dévastateur, qui, plus d'une nuit, laisserait notre mère en larmes. Ces colères changeaient, et empiraient, à mesure que son état physique s'améliorait. Et tous les matins je me retrouvais à nettoyer les toilettes, sachant que ma tête pourrait fort bien atterrir au fond avant le déjeuner. Mère répétait que j'étais la seule à pouvoir calmer Shawn, et je me persuadais que c'était vrai. *Qui mieux que moi ? Il ne m'a rien fait.*

En y repensant aujourd'hui, je ne suis pas sûre que la blessure ait autant transformé Shawn, mais je me suis laissée convaincre que si, et que toute cruauté de sa part était nouvelle. Je peux relire mes journaux intimes de cette période et suivre cette évolution à la trace – celle d'une jeune fille réécrivant son histoire. Dans celle qu'elle s'est construite, rien n'était arrivé de mal avant que son frère ne tombe de cette palette. « J'aurais aimé récupérer mon meilleur ami, écrivait-elle. Avant sa blessure, jamais il ne m'a fait de mal. »

15

Plus une enfant

Il y a eu un moment important, cet hiver-là. J'étais agenouillée sur le tapis, j'écoutais papa attester de la vocation de guérisseuse de notre mère, quand ma respiration
s'est bloquée dans ma poitrine. Je me suis sentie comme
tirée hors de moi-même. Je ne voyais plus mes parents ni
notre salon. Ce que je voyais, c'était une femme adulte,
avec son propre esprit, ses propres prières, qui n'était
plus assise, comme je l'étais, aux pieds de son père.

Je voyais le ventre gonflé de cette femme et c'était
mon ventre. Sa mère, la sage-femme, était assise à
côté d'elle. Elle prenait la main de sa mère et lui disait
qu'elle voulait un bébé mis au monde à l'hôpital, par
un médecin. Je vais te conduire en voiture, répondait
sa mère. La femme se dirigeait vers la porte, mais la
porte était bloquée – par la loyauté, par l'obéissance.
Par son père, qui se tenait là, inébranlable. Mais la
femme était la fille de ce père. Et elle avait absorbé
toutes les certitudes et le poids de ce père. Elle l'ignora
et franchit la porte.

J'ai essayé d'imaginer quel avenir une telle femme pourrait revendiquer. J'essayais de faire naître des scènes dans lesquelles son père et elle étaient d'un avis divergent. Quand elle ignorait son avis et s'en tenait au sien propre. Mais mon père m'avait appris qu'il ne pouvait exister deux opinions raisonnables sur un même sujet : il y a la Vérité et il y a les Mensonges. J'étais agenouillée sur le tapis, j'écoutais mon père tout en examinant cette étrangère, et je me sentais en suspens entre eux deux, attirée vers l'un et l'autre, repoussée par les deux. Je comprenais qu'aucun avenir ne pourrait les contenir, qu'aucun destin ne pourrait les tolérer, elle et lui en même temps. Je resterais une enfant, pour toujours, ou je le perdrais.

J'étais allongée sur le lit, je regardais les ombres que projetait la faible lumière du plafonnier, quand j'ai entendu la voix de mon père à la porte. D'instinct, je me suis levée d'un bond, dans une espèce de garde-à-vous, mais dès que je me suis retrouvée sur mes pieds, je n'étais plus sûre de savoir quoi faire. Ce moment était sans précédent : mon père n'avait encore jamais visité ma chambre.

Il est passé devant moi à grandes enjambées et s'est assis sur mon lit, puis a tapoté le matelas à côté de moi, du plat de la main. Tendue, j'ai obéi, mes pieds touchaient à peine le sol. J'ai attendu qu'il parle, mais les secondes se sont égrenées en silence. Ses yeux étaient fermés, sa mâchoire relâchée, comme s'il écoutait des voix séraphiques.

« J'ai prié », m'a-t-il confié. Sa voix était douce, une voix aimante. « J'ai prié au sujet de ta décision d'aller à l'université. »

Ses yeux se sont rouverts. Ses pupilles se sont dilatées à la lumière de la lampe, absorbant la couleur noisette de l'iris. Je n'avais jamais vu d'yeux aussi dédiés à la noirceur ; ils semblaient surnaturels, gages d'un pouvoir spirituel.

« Le Seigneur m'a pris à témoin, a-t-il continué. Il est mécontent. Tu as rejeté Ses bienfaits pour te prostituer au savoir de l'homme. Tu as attisé Sa colère contre toi. Elle ne va pas tarder à s'abattre. »

Je ne me souviens pas de mon père se levant pour s'en aller – mais c'est ce qu'il a dû faire – tandis que je restais assise, terrorisée. La colère de Dieu avait semé la dévastation dans des villes, elle avait inondé la terre entière. Je me suis sentie faible, puis totalement impuissante, ma vie n'était pas mienne. D'un moment à l'autre, je pouvais être extraite de mon corps, traînée vers le ciel pour rendre compte à un Père furieux.

Le lendemain matin, j'ai trouvé ma mère occupée à mélanger des huiles dans la cuisine.

« J'ai décidé de ne pas aller à la Brigham Young University », ai-je annoncé.

Elle a levé la tête, fixé un point sur le mur derrière moi.

« Ne dis pas ça. Je ne veux pas entendre ça », a-t-elle murmuré.

Je ne comprenais pas. Je croyais qu'elle serait heureuse de me voir céder à Dieu. Puis elle a posé les yeux sur moi. Je n'avais plus ressenti leur intensité depuis des années, et j'en suis restée interdite.

« De tous mes enfants, tu étais la seule, pensais-je, qui n'avait rien de plus pressé que de se précipiter hors d'ici. Je ne m'attendais pas à cela de la part de Tyler – cela m'a surprise – mais de toi, si. Ne reste pas. Pars. Ne laisse rien t'empêcher de t'en aller. »

J'ai entendu les pas de mon père dans l'escalier. Ma mère a soupiré, elle a battu des paupières, comme si elle sortait d'une transe.

Papa a pris un siège à la table de la cuisine et elle s'est levée pour lui préparer son petit déjeuner. Il s'est lancé dans un sermon sur les professeurs progressistes, et mère a mélangé de la pâte pour faire des crêpes, en acquiesçant, à intervalles réguliers.

Sans Shawn au poste de contremaître, l'affaire de construction de papa s'est étiolée. Comme j'avais quitté mon emploi chez Randy pour veiller sur mon frère, j'avais besoin d'argent. Aussi, quand papa s'est remis à son activité de ferrailleur, cet hiver-là, je m'y suis remise aussi.

Le jour de mon retour à la ferraille, c'était par une matinée glaciale, à peu près comme la première. L'endroit avait changé. Il y avait toujours ces empilements de voitures estropiées, mais elles ne dominaient plus le paysage. Quelques années auparavant, papa avait été engagé par Utah Power, l'opérateur d'électricité, pour démanteler des centaines de pylônes. On l'avait autorisé à conserver les équerres d'acier, et celles-ci étaient maintenant entassées – il y en avait pour cent quatre-vingts tonnes – en monceaux enchevêtrés un peu partout dans la décharge.

Tous les matins, je me levais à six heures pour étudier – parce qu'il m'était plus facile de me concentrer aux premières heures du jour, avant d'être épuisée par le ferraillage. J'avais beau craindre toujours la colère de Dieu, je me disais que l'obtention de mon diplôme ACT était si peu probable qu'une intervention divine serait nécessaire. Et si Dieu intervenait, alors cela signifiait certainement que mon entrée dans une école était Sa volonté.

L'examen ACT se décomposait en quatre sections : mathématiques, anglais, sciences et lecture. Mes compétences en mathématiques s'amélioraient, mais elles demeuraient faibles. Tout en étant capable de répondre à la plupart des questions de l'épreuve pratique, j'étais lente – il me fallait le double ou le triple du temps imparti. En grammaire, il me manquait des connaissances élémentaires – même si j'apprenais, en commençant par les substantifs et en continuant avec les prépositions et les gérondifs. La science restait un mystère – peut-être parce que le seul livre de sciences que j'avais jamais lu comportait des pages détachables à colorier. Des quatre matières, la lecture était la seule pour laquelle je me sentais en confiance.

La Brigham Young University était un établissement sélectif. Il me fallait une note élevée – au moins vingt-sept, ce qui signifiait que je devais me situer dans les quinze premiers pour cent de ma tranche d'âge. J'avais seize ans, je n'avais jamais passé un examen, et mon engagement dans un semblant de cursus éducatif était récent. Je me faisais l'effet de m'en remettre au hasard, à un lancer de dés où les dés n'étaient pas entre mes mains. Ce serait Dieu qui inscrirait les points.

La nuit précédant l'examen, je n'ai pas trouvé le sommeil. Mon cerveau jonglait avec toutes sortes de scènes désastreuses, il était comme brûlant de fièvre. À 5 heures, je me suis levée, j'ai pris un petit déjeuner et j'ai parcouru les soixante kilomètres jusqu'à l'université d'État de l'Utah. On m'a conduite dans une salle de classe toute blanche, avec trente autres étudiants, qui ont pris place et posé leurs stylos sur leur table. Une femme d'âge mûr nous a distribué les feuilles d'examen et d'étranges feuillets roses que je n'avais encore jamais vus.

« Excusez-moi, ai-je demandé quand elle m'a remis le mien. Qu'est-ce que c'est ?

— C'est un QCM. Pour cocher vos réponses.

— Cela marche comment ?

— C'est la même chose que n'importe quel autre questionnaire à choix multiples. »

Elle allait s'éloigner, visiblement irritée, comme si je jouais la comédie.

« Je n'en ai jamais utilisé un. »

Elle m'a observée un moment.

« Vous remplissez la case de la bonne réponse, m'a-t-elle expliqué. Vous la noircissez complètement. C'est compris ? »

L'épreuve a commencé. Je n'étais encore jamais restée assise quatre heures d'affilée à une table dans une salle pleine de gens. Il y avait un bruit invraisemblable, et pourtant il me semblait être la seule personne à l'entendre, la seule à être incapable de m'abstraire du bruissement des pages que les autres tournaient et du frottement des pointes de stylo sur le papier.

Quand ce fut terminé, je pensais avoir échoué en maths, et j'étais certaine d'avoir raté l'épreuve de sciences. Mes réponses pour la partie sciences ne pouvaient même pas être qualifiées de devinettes. Je les avais cochées au hasard, et cela donnait des motifs de points noirs sur cet étrange feuillet rose.

Sur le chemin du retour, je me sentais stupide. Plus encore, je me sentais ridicule. Maintenant que j'avais vu les autres étudiants – que je les avais observés entrant d'un pas décidé dans cette salle de classe, en rangs bien ordonnés, prendre leur place et cocher calmement leurs réponses, comme s'ils exécutaient un numéro bien rodé –, il me semblait insensé de m'être imaginé que je puisse me classer dans les quinze pour cent de tête.

C'était leur monde. J'ai enfilé ma combinaison et je suis retournée au mien.

Au printemps, nous avons connu une journée de chaleur inhabituelle, et Luke et moi l'avons passée à soulever des pannes de charpente – ces poutrelles métalliques placées à l'horizontale tout le long d'une toiture. Ces pièces pesaient très lourd et le soleil était impitoyable. La sueur nous dégoulinait du nez, gouttait sur le métal peint. Luke s'est défait de sa chemise, a empoigné les manches et les a déchirées, pratiquant ainsi de larges fentes que le vent pouvait traverser. Je n'aurais jamais songé adopter une solution aussi radicale, mais après la vingtième panne, mon dos collait de transpiration, j'ai agité les pans de mon tee-shirt pour m'éventer, puis j'ai remonté mes manches jusqu'à rendre visibles quelques centimètres de mes épaules. Quelques instants après, papa m'a vue et s'est dirigé droit sur moi et, d'un geste brusque, a rabaissé mes manches. «On n'est pas dans une maison de passe, ici», a-t-il lâché.

Je l'ai regardé s'éloigner et, machinalement, comme si ce n'était pas moi qui prenais cette décision, je les ai remontées. Une heure plus tard, il était de retour et, quand il m'a vue, il s'est figé, l'air perplexe. Il m'avait dit quoi faire et j'avais désobéi. Il est resté là un instant, hésitant, puis il est venu jusqu'à moi, a empoigné mes deux manches de chemise et me les a rabaissées d'un coup sec. Il n'avait pas fait dix pas que je les avais déjà remontées.

J'avais envie d'obéir. J'en avais l'intention. Mais l'après-midi était si étouffant, et cette brise légère sur mes bras tellement appréciable. Ce n'était que quelques centimètres. J'étais couverte de saleté, des tempes à la pointe des pieds. Le soir, il me faudrait une demi-heure pour m'extraire cette crasse noire des narines et des oreilles. Je n'avais vraiment pas l'impression d'être un objet de désir ou de tentation.

Je me sentais comme un chariot élévateur humain. En quoi quelques centimètres de peau pouvaient-ils compter ?

Je mettais mes chèques de paie de côté, au cas où j'aurais besoin de l'argent pour mes frais de scolarité. Papa l'a remarqué et a commencé à me réclamer de l'argent pour certaines petites choses. Après le deuxième accident de voiture, mère avait de nouveau souscrit une assurance, et il estimait que je devais payer ma part. Je me suis exécutée. Ensuite, il en a exigé davantage. Pour l'immatriculation. « Tu finiras écrasée sous ces redevances du Gouvernement », a-t-il dit quand je lui ai tendu l'argent en espèces.

Il s'en est contenté, jusqu'à ce qu'arrivent mes résultats. À mon retour de la ferraille, j'ai trouvé une enveloppe blanche. Je l'ai déchirée pour l'ouvrir, en maculant la page de cambouis. J'ai survolé les notes par épreuve pour consulter la note d'ensemble. Vingt-deux. Mon cœur battait fort, des battements de bonheur. Ce n'était pas un vingt-sept, mais cela m'ouvrait des possibilités. Peut-être l'université d'État d'Idaho.

J'ai montré ma note générale à maman et elle en a informé papa. Ce dernier s'est agité, puis s'est mis à hurler qu'il était temps que j'aille m'installer autre part.

« Si elle est assez grande pour toucher une paie, elle est assez grande pour payer un loyer ! a-t-il beuglé. Et elle peut aller le payer ailleurs. »

Au début, mère a argumenté, mais en quelques minutes, il l'avait convaincue.

Debout dans la cuisine, je jaugeais les options qui s'offraient à moi, songeant que je venais tout juste de remettre quatre cents dollars à papa – le tiers de mes économies –, quand ma mère s'est tournée vers moi.

« Tu penses que tu pourrais déménager d'ici vendredi ? »

Quelque chose s'est rompu en moi. Un barrage ou une digue. Je me sentais ballottée, incapable de tenir en place. J'ai crié. Des cris étranglés. Des cris de noyée. Je n'avais nulle part où aller. Je n'avais pas les moyens de payer un appartement, et même si je les avais eus, les seuls appartements à louer étaient en ville. Il me faudrait alors un véhicule. Je ne disposais que de huit cents dollars. J'ai bredouillé tout cela à ma mère, puis je me suis précipitée dans ma chambre et j'ai claqué la porte.

Quelques instants plus tard, elle est venue frapper.

« Je sais que tu considères que nous nous montrons injustes, m'a-t-elle dit, mais quand j'avais ton âge, je vivais seule et je m'apprêtais à épouser ton père.

— À seize ans, tu étais mariée ? ai-je répliqué.

— Ne sois pas ridicule. Tu n'as pas seize ans. »

Je l'ai dévisagée. Elle m'a dévisagée.

« Si, j'ai seize ans. »

Elle m'a toisée du regard.

« Tu as au moins vingt ans. » Elle a incliné la tête. « N'est-ce pas ? »

Nous sommes restées silencieuses. Mon cœur cognait dans ma poitrine.

« J'ai eu seize ans en septembre.

— Ah. » Mère s'est mordu la lèvre, puis elle s'est
levée et m'a souri. « Bien, alors ne t'inquiète pas pour
ça. Tu peux rester. Ton père, franchement, je ne sais
pas ce qui lui est passé par la tête. Nous avions oublié,
j'imagine. C'est compliqué de retenir l'âge que vous
avez, vous, les enfants. »

Shawn est retourné au travail, en boitillant, pas très
solide sur ses jambes. Il portait un chapeau de ranger
australien, un grand couvre-chef à larges bords, fabriqué dans un cuir huilé couleur chocolat. Avant l'accident, il ne portait de chapeau que lorsqu'il montait à
cheval, mais maintenant il le gardait tout le temps sur la
tête, même dans la maison. Papa jugeait cela irrespectueux. Marquer son irrespect envers papa, c'était peut-
être ce motif qui poussait Shawn à mettre ce chapeau,
mais je crois que l'autre raison était liée à la taille du
couvre-chef, qui était confortable à porter et masquait
les cicatrices de son opération au crâne.

Au début, ses journées de travail étaient courtes.
Papa venait de conclure un contrat pour construire
une étable avec salle de traite dans le comté d'Oneida,
à une trentaine de kilomètres de Buck's Peak, et Shawn
s'affairait dans la décharge, révisant des schémas et
mesurant des poutrelles en T.

Luke, Benjamin et moi nous chargions de la ferraille. Papa avait décidé qu'il était temps de récupérer
les équerres des pylônes entassées aux quatre coins de
la ferme. Pour les vendre, il fallait que chaque pièce
mesure moins d'un mètre vingt. Shawn a suggéré de

découper l'acier au chalumeau, mais papa a répliqué que ce serait trop lent et coûterait trop de combustible.

Quelques jours plus tard, il est rentré à la maison avec la machine la plus effrayante que j'aie jamais vue. Il appelait ça la Cisaille. À première vue, elle ressemblait à une paire de ciseaux de trois tonnes, et c'était exactement cela. Les lames composées d'un métal très dense mesuraient une trentaine de centimètres de largeur et un mètre cinquante de long. Elles ne coupaient pas grâce à leur tranchant, mais grâce à leur force et à leur masse. Elles mordaient l'acier en refermant leurs grandes mâchoires actionnées par un puissant piston rattaché à une grande roue en fer. Cette roue était entraînée par une courroie et un moteur, ce qui signifiait que si quelque chose se prenait dans la machine, il faudrait entre trente secondes et une minute pour arrêter la roue et immobiliser les lames. Elles montaient et descendaient dans un grondement, plus bruyant que le passage d'un train, mâchant un acier aussi épais que le bras d'un homme. Le fer n'était pas tant découpé que cassé net. Parfois, le métal résistait, avec une secousse susceptible de propulser celui qui tenait la pièce vers ces lames broyeuses.

Au fil des années, papa avait imaginé quantité de procédés dangereux, mais c'était le premier qui me terrifiait vraiment. Peut-être était-ce dû à l'évidente dangerosité de l'engin, à la certitude que le moindre faux mouvement coûterait un membre à quelqu'un. Ou alors au fait de sa totale inutilité. C'était pure complaisance. Comme un jouet, si tant est qu'un jouet soit capable de vous décapiter.

Shawn l'a qualifié d'engin de mort, ajoutant que papa avait perdu le peu de bon sens qu'il avait jamais eu. «Tu essaies de tuer quelqu'un ? s'est-il écrié. Parce que j'ai un fusil dans mon pick-up, et ça fera beaucoup moins de saletés. » Notre père n'a pu réprimer un sourire. Je ne lui avais jamais vu un air aussi ravi.

Mon frère a regagné l'atelier en claudiquant et en secouant la tête, incrédule. Papa s'est mis à placer des barres d'acier dans la Cisaille. Chaque barre l'entraînait vers l'avant et, à deux reprises, il a failli basculer la tête la première sous les lames. J'ai fermé très fort les yeux, sachant que si la tête de papa était prise, les lames ne ralentiraient même pas, elles lui trancheraient juste le cou et continueraient leur travail de broyage.

Maintenant qu'il avait la certitude que la machine fonctionnait, il a indiqué à Luke de prendre la relève, et Luke, toujours désireux de faire plaisir, s'est exécuté. Cinq minutes plus tard, son bras était entaillé jusqu'à l'os. Il a couru vers la maison, tandis que le sang giclait.

D'un regard, papa a passé son équipe en revue. Il a fait un signe à Benjamin, mais Benjamin a secoué la tête en répondant qu'il préférait que ses doigts restent rattachés à sa main, merci quand même. Papa a eu un regard impatient en direction de la maison – il se demandait sans doute combien de temps il faudrait à maman pour arrêter ce saignement. Puis, ses yeux se sont posés sur moi.

«Viens un peu ici, Tara.»

Je n'ai pas bougé.

«Viens là», a-t-il répété.

Je me suis avancée lentement, sans ciller, en fixant la Cisaille comme si elle risquait de m'attaquer. Le sang de Luke était encore visible sur la lame. Papa a attrapé une équerre d'un mètre quatre-vingts de long et m'en a tendu l'extrémité.

«Tu la tiens fermement, m'a-t-il expliqué. Mais si ça résiste, tu lâches.»

Les lames sectionnaient, dans un mouvement de va-et-vient, en émettant une espèce de grognement – comme un chien qui gronde, pensais-je, elles vous avertissaient de foutre le camp. Mais l'obsession de papa pour cette machine l'avait rendu insensible à la raison.

«C'est facile», insistait-il.

Quand j'ai inséré la première pièce métallique entre les lames, je me suis mise à prier. Pas pour m'éviter une blessure – c'était impossible –, mais pour que la blessure soit similaire à celle de Luke ; juste une entaille dans la chair, que je puisse rentrer à la maison, moi aussi. Je choisissais des pièces de petite taille, dans l'espoir que mon poids suffise à contrôler le brusque effet de retour. Lorsque j'ai manqué de petites pièces, j'ai attrapé la plus courte de celles qui restaient, mais dont le diamètre était encore fort important. Je l'ai poussée dans la machine et j'ai attendu que les mâchoires se referment sur elle. Le bruit du fer épais et résistant qui se rompait était assourdissant. La barre s'est redressée d'un coup, m'a fait basculer en avant, et mes deux pieds se sont soulevés de terre. J'ai tout lâché et me suis effondrée au sol. La pièce de fer, violemment broyée par les lames, désormais libérée, a été projetée en l'air avant de s'abattre tout près de moi.

«QU'EST-CE QUI SE PASSE, BORDEL ?»

Shawn est apparu dans l'angle de mon champ de vision. Il s'est approché à grands pas et m'a remise sur pied, avant de pivoter pour faire face à papa.

«Il y a cinq minutes, ce monstre a failli arracher le bras de Luke ! Et tu y colles Tara ?

— Elle a de l'étoffe», lui a répliqué papa en m'adressant un clin d'œil.

Shawn a écarquillé les yeux. Il était censé prendre ça calmement, mais il semblait au bord de l'apoplexie.

«La machine va la décapiter !» a-t-il hurlé. Il s'est tourné vers moi et m'a désigné le ferronnier mécanique, la machine à emboutir le métal qui se trouvait dans l'atelier. «Va me fabriquer des sabots pour fixer ces pannes. Je veux plus que tu t'approches de ce truc.»

Papa s'est interposé.

«C'est mon équipe. Tu travailles pour moi, et Tara aussi. Je lui ai demandé de faire tourner la Cisaille et c'est ce qu'elle va faire.»

Ils se sont hurlé dessus pendant un quart d'heure. C'était différent de leurs précédentes prises de bec – cette fois, c'était haineux, et sans retenue. Je n'avais jamais vu quelqu'un hurler sur mon père de la sorte, et j'étais stupéfaite du changement qui creusait ses traits. Ça m'a fait peur. Son visage s'est transformé, raidi de désespoir. Shawn avait éveillé quelque chose en papa, une pulsion primaire. S'il avait le dessous dans cette confrontation, il ne pourrait sauver la face. Si je ne faisais pas tourner la Cisaille, papa ne serait plus papa.

Shawn s'est rué sur lui et l'a poussé, d'une violente bourrade dans la poitrine. Papa a reculé en titubant, a trébuché, puis il est tombé. Il est resté un instant couché dans la boue, étourdi, avant de parvenir à se relever. Il a bondi sur son fils. Shawn a levé les bras pour parer le coup, mais quand papa a vu ça, il a baissé les poings, se rappelant sans doute que Shawn n'avait que récemment recouvré sa faculté de marcher.

« Je lui ai ordonné de le faire, et elle va le faire, a répété mon père, d'une voix sourde et rageuse. Sans quoi, elle ne vivra plus sous mon toit. »

Shawn m'a regardée. Sur le moment, il a paru envisager de m'aider à boucler ma valise – après tout, c'était à mon âge qu'il avait fui papa –, mais j'ai secoué la tête. Je ne partirais pas, pas comme ça. J'allais d'abord faire tourner la Cisaille, et Shawn le savait. Il s'est tourné vers l'engin, puis vers le tas d'équerres à côté de moi – à peu près une vingtaine de tonnes de ferraille.

« Elle va le faire », a-t-il déclaré.

Papa a eu l'air de grandir de quinze centimètres. Shawn s'est penché, en équilibre instable, et il a soulevé une lourde pièce de métal, avant de la hisser vers la Cisaille.

« Ne sois pas stupide ! s'est exclamé papa.

— Si elle s'en charge, je m'en charge », a rétorqué mon frère. Leur bagarre l'avait privé de voix. Je ne l'avais jamais vu céder à notre père, pas une fois, mais dans cet affrontement, il s'était résigné à être le vaincu. Il avait compris que même s'il ne se soumettait pas, moi je me soumettrais.

« Tu es mon contremaître ! a beuglé papa. J'ai besoin de toi à Oneida, pas que tu bricoles avec cette ferraille !

— Alors, éteins la Cisaille. »

Exaspéré, papa s'est éloigné en jurant, songeant probablement qu'avant le dîner Shawn se fatiguerait et reprendrait son poste de contremaître. Mon frère a regardé mon père s'éloigner, puis il s'est tourné vers moi.

« OK, Sedide Pœur. Tu m'apportes les pièces et moi je les rentre dans la machine. Si le fer est épais, disons une quinzaine de millimètres, j'aurai besoin de ton poids sur mon dos pour m'éviter de me faire happer entre les lames. C'est bon ? »

Shawn et moi avons fait tourner la Cisaille pendant un mois. Papa était trop entêté pour l'éteindre, même si cela lui coûtait plus d'argent d'avoir son contremaître occupé à faire de la récupération de métaux que cela ne lui en aurait coûté de découper cette ferraille au chalumeau. Quand nous avons eu fini, j'avais quelques bleus, mais aucune blessure. Shawn semblait exsangue, vidé de toute vitalité. Il n'y avait que quelques mois qu'il était tombé de la palette, et son corps n'était pas de taille à supporter un tel travail. À maintes reprises, quand une tige de ferraille se cabrait sous un angle inattendu, il avait pris un coup sur la tête. Quand cela lui arrivait, il restait une minute assis par terre, se masquant les yeux des deux mains, puis il se levait et attrapait la barre suivante. Le soir, il s'allongeait sur le sol de la cuisine, dans sa chemise tachée et son jean poussiéreux, trop exténué pour même se doucher.

J'allais lui chercher toute la nourriture et toute l'eau qu'il réclamait. Sadie venait presque tous les soirs, et quand il nous envoyait chercher de la glace, puis nous priait de retirer cette glace, puis de lui en remettre, nous nous précipitions ensemble. Nous étions toutes les deux ses Yeux de Poisson.

Le lendemain matin, Shawn et moi retournions à la Cisaille. Il lui insérait des fers entre les mâchoires, qu'elle croquait avec une force telle qu'elle le soulevait de terre, avec une aisance taquine, comme s'il s'agissait d'un jeu, comme s'il était un enfant.

16

Homme déloyal, ciel désobéissant[1]

La construction de l'étable munie d'une salle de traite a débuté, à Oneida. Shawn a dessiné et soudé l'armature – d'énormes poutrelles composant le squelette du bâtiment. Elles étaient trop lourdes pour le chargeur ; seule une grue pouvait les soulever. La procédure était délicate et imposait aux soudeurs de se tenir en équilibre aux deux extrémités d'une poutre qu'on plaçait sur ses piliers, avant qu'ils ne la fixent à la soudure. Shawn a surpris tout le monde en annonçant qu'il voulait que ce soit moi qui actionne la grue.

« Tara ne peut pas piloter une grue, a protesté papa. Il va me falloir la moitié de la matinée pour lui apprendre les commandes, et elle ne saura toujours pas s'y prendre, nom de nom !

---

1. John Milton, *Paradis perdu*, Livre 9 : « De la part de l'homme, honteuse défiance et rupture déloyale, révolte et désobéissance ; de la part du ciel (maintenant aliéné), éloignement et dégoût, colère et juste réprimande. » *(N.d.T.)*

— Mais elle sera prudente, a insisté mon frère, et j'en ai marre de me taper des chutes à la con. »

Une heure plus tard, j'étais dans la cabine de l'engin, et Shawn et Luke étaient perchés chacun à un bout d'une poutre, sept mètres au-dessus du sol. J'effleurais le levier avec délicatesse, j'écoutais le sifflement des cylindres hydrauliques qui se déployaient.

« Stop ! » criait Shawn quand la poutre était en place. Je pouvais voir leurs têtes casquées se pencher quand ils entamaient la soudure.

Cet été-là, la décision de me faire piloter la grue a été la seule et unique querelle sur cent où mon frère a eu le dessus. La plupart de ces disputes ne se résolvaient pas de façon aussi pacifique. Ils se chamaillaient presque tous les jours – à cause d'un défaut dans les schémas ou d'un outil qui avait été oublié à la maison. Papa paraissait chercher l'affrontement, afin de prouver qu'il était le patron.

Un après-midi, il s'est approché et il est resté planté à côté de Shawn, pour le regarder souder. Une minute plus tard, sans aucune raison, il s'est mis à hurler : que Shawn avait pris trop de temps à la pause déjeuner, qu'il ne faisait pas lever l'équipe suffisamment tôt ou qu'il ne nous obligeait pas à travailler assez dur. Papa a beuglé de longues minutes, ensuite mon frère a retiré son casque de soudure, l'a regardé calmement.

« Tu vas la boucler, que je puisse bosser ? »

Mais papa a continué de brailler. Il a ajouté que mon frère était trop paresseux, qu'il ne savait pas diriger une équipe, qu'il ne comprenait pas la valeur du vrai travail. Mon frère est descendu de son poste de soudure et s'est dirigé vers le pick-up à plateau, sans se presser. Papa l'a suivi, sans s'arrêter de crier. Shawn a retiré ses gants, lentement, délicatement, un doigt après l'autre, comme si cet homme qui lui hurlait dessus à vingt centimètres de son visage n'existait pas. Il est demeuré immobile un long moment, en laissant les insultes glisser sur lui, puis il est monté dans le pick-up et il a démarré, en laissant papa hurler sur un nuage de poussière.

Je me souviens de l'effroi que j'ai ressenti en voyant ce pick-up dévaler le chemin de terre. Shawn était la seule personne que j'aie jamais vue tenir tête à papa, le seul qui avait la force d'esprit, de conviction, capable de faire céder papa. J'avais vu notre père se déchaîner et hurler contre chacun de mes frères. Shawn était le seul que j'aie jamais vu lui tourner le dos et s'en aller.

C'était un samedi soir. J'étais chez grand-mère-en-ville, mon livre de maths ouvert, calé debout sur la table de la cuisine, une assiette de cookies à côté de moi. J'étudiais pour repasser l'ACT. J'étudiais souvent chez grand-mère, pour éviter les sermons paternels.

Le téléphone a sonné. C'était Shawn. Est-ce que je voulais voir un film ? J'ai dit oui, quelques minutes plus tard j'ai entendu un puissant grondement, et je suis allée regarder par la fenêtre. Avec sa moto noire rugissante et son chapeau australien à larges bords, à l'arrêt, parallèlement à la palissade en bois blanc de grand-mère, il semblait appartenir à un autre monde. Grand-mère a commencé de confectionner des brownies, et Shawn et moi sommes montés à l'étage choisir un film.

Quand elle est montée nous apporter les brownies, nous avons mis la vidéo en pause. Nous les avons dégustés en silence, nos cuillers tintant bruyamment contre les assiettes en porcelaine de grand-mère.

«Tu vas la décrocher, ta note de vingt-sept, a-t-il lâché subitement quand nous avons fini.

— Ça ne change rien. Je ne pense pas que j'irai, de toute manière. Et si papa avait raison? Et si je me faisais laver le cerveau?»

Il a haussé les épaules.

«Tu es aussi intelligente que papa. Si c'est lui qui a raison, tu verras bien une fois que tu seras là-bas.»

Le film s'est terminé. Nous avons souhaité bonne nuit à grand-mère. La soirée était douce, parfaite pour la moto. Shawn m'a proposé de monter derrière lui, il me ramènerait à la maison, et nous reviendrions prendre la voiture le lendemain. Il a fait vrombir le moteur, en attendant que je grimpe derrière lui. Alors que je faisais un pas dans sa direction, je me suis soudain souvenue du livre de maths resté sur la table de grand-mère.

«Vas-y, ai-je dit. Je te suis tout de suite.»

Il a rabattu son chapeau sur sa tête, fait demi-tour avec sa moto et foncé dans la rue déserte.

J'ai conduit dans un état de stupeur bienheureuse. Il faisait nuit noire – cette obscurité épaisse qui

n'appartient qu'à la campagne profonde, où les mai-
sons sont rares et les éclairages encore plus rares, et
où la lumière des étoiles n'a pas de rivale. J'ai suivi le
ruban sinueux de la nationale comme je l'avais suivi
un nombre incalculable de fois, fonçant en bas de Bear
River Hill, avalant la portion de route plate parallèle à
Fivemile Creek. Plus loin devant moi, la route grimpait
et virait vers la droite. Je savais que le virage était là
avant de l'avoir vu, et je me suis étonnée de ces phares
immobiles que je voyais briller dans le noir.

J'ai entamé la montée. Il y avait un pâturage sur ma
gauche, un fossé sur ma droite. Dans la partie où la
pente était plus prononcée, j'ai aperçu trois véhicules
arrêtés le long du fossé. Les portières étaient ouvertes,
les plafonniers allumés. Sept ou huit personnes étaient
regroupées autour de quelque chose. Je me suis dépor-
tée sur l'autre voie pour les contourner, mais quand
j'ai repéré un petit objet posé au milieu de la route, je
me suis arrêtée.

Un chapeau australien à larges bords.

Je me suis garée et me suis précipitée vers le petit
groupe près du fossé.

«Shawn !»

Le groupe s'est écarté pour me laisser passer. À plat
ventre sur le gravier, mon frère gisait dans une mare
de sang qui paraissait rose, à la lumière blafarde des
phares. Il ne bougeait pas. «Il a heurté une vache en
sortant du tournant, a expliqué un homme. Il fait si
noir ce soir, il ne l'a pas vue. Nous avons appelé une
ambulance. On n'ose pas le bouger.»

Le corps de Shawn était déformé, le dos tordu. Je n'avais aucune idée du temps que pourrait mettre une ambulance, et il y avait tellement de sang. J'ai décidé d'arrêter l'hémorragie. J'ai glissé mes mains sous ses épaules et j'ai essayé de le soulever. En vain. J'ai levé les yeux vers le groupe et j'ai reconnu un visage. Dwain[1]. C'était l'un des nôtres. Mère avait accouché quatre de ses huit enfants.

« Dwain ! Aide-moi à le retourner. »

Dwain a roulé Shawn sur le dos. Pendant une seconde qui aurait pu contenir une heure entière, j'ai dévisagé mon frère, j'ai regardé le filet de sang couler de sa tempe sur sa joue droite, dégouliner sur son oreille et sur son tee-shirt blanc. Il avait les yeux fermés, la bouche ouverte. Le sang suintait de son front par un trou de la taille d'une balle de golf. Apparemment, sa tempe avait dû être traînée contre l'asphalte, la peau avait été arrachée, puis l'os. Je me suis penchée tout près et j'ai scruté l'intérieur de la plaie. J'ai eu la vision d'une matière molle et spongieuse. J'ai retiré mon blouson et l'ai appuyé contre la tête de mon frère.

À ce contact, Shawn a laissé échapper un long soupir, ses yeux se sont rouverts.

« Sedipœur », a-t-il murmuré avant de perdre conscience.

J'avais mon téléphone portable dans ma poche. J'ai composé le numéro. Papa a répondu.

---

1. Interrogé quinze ans plus tard, Dwain ne se rappelle pas avoir été là. Mais il est bien là, clairement, dans ma mémoire.

Je devais être affolée, bredouiller. J'ai expliqué que Shawn avait planté sa moto, qu'il avait un trou dans la tête.

«Plus lentement. Qu'est-ce qui s'est passé?»

J'ai répété une deuxième fois.

«Qu'est-ce que je dois faire? ai-je ajouté.

— Ramène-le à la maison, a ordonné papa. Ta mère va s'en charger.»

J'ai ouvert la bouche, mais aucun mot n'en est sorti. Enfin, j'ai pu parler.

«Je ne plaisante pas. J'arrive à voir son cerveau!

— Ramène-le à la maison, a répété papa. Ta mère peut s'en occuper.»

J'ai entendu le bourdonnement sourd d'une tonalité. Il avait raccroché.

«J'habite juste de l'autre côté de ce champ, a proposé Dwain qui avait entendu. Ta mère pourra le soigner là-bas.

— Non, ai-je réagi. Papa veut l'avoir à la maison. Aide-moi à le mettre dans la voiture.»

Quand nous l'avons soulevé, Shawn a gémi, mais n'a plus parlé. Quelqu'un nous a conseillé d'attendre l'ambulance. Quelqu'un d'autre a estimé qu'on devrait le conduire à l'hôpital nous-mêmes. Je pense que personne n'a cru que nous allions le ramener chez nous, pas avec sa cervelle qui s'écoulait lentement de son front.

Nous l'avons allongé en chien de fusil sur la banquette arrière. Je me suis mise au volant, et Dwain s'est installé côté passager. Avant de m'engager sur la route, j'ai jeté un œil dans mon rétroviseur, puis j'ai tendu la main pour basculer le rétro vers le bas, afin qu'il reflète le visage de mon frère, blême et ensanglanté. Mon pied a hésité au-dessus de la pédale de l'accélérateur.

Trois secondes se sont écoulées, quatre peut-être. Il n'en fallait pas plus.

« On y va ! » a beuglé Dwain.

Je l'ai à peine entendu. J'étais perdue, paniquée. Mes pensées s'emballaient fiévreusement, dans un brouillard de ressentiment. J'étais comme dans un rêve, comme si cette hystérie m'avait libérée d'une fiction à laquelle, cinq minutes plus tôt, j'avais encore besoin de croire.

Je n'avais jamais pensé au jour où mon frère était tombé de la palette. Il n'y avait rien à en penser. Il était tombé parce que Dieu voulait qu'il tombe ; il n'y avait pas d'autre signification plus profonde. Je n'avais jamais songé à l'effet que cela aurait pu me faire d'être présente à ce moment-là. De voir Shawn plonger, se raccrocher au vide. De le regarder se fracasser, puis se plier, demeurer allongé, immobile. Je ne m'étais jamais laissée aller à imaginer ce qui s'était passé ensuite – la décision de papa de le laisser près du pick-up, les regards inquiets que se sont sans doute échangés Luke et Benjamin.

Maintenant, en scrutant les traits du visage de mon frère, transformés en ruissellements sanglants, je me souvenais. Je me souvenais que Shawn était resté assis près du pick-up pendant un quart d'heure, avec son cerveau qui saignait. Ensuite, il avait eu cette crise et les garçons l'avaient plaqué au sol, si bien qu'il était tombé, ce qui avait causé une deuxième blessure, la blessure qui, d'après les médecins, aurait dû le tuer. C'était la raison pour laquelle mon frère ne serait plus jamais tout à fait celui qu'il était.

Si la première fois était la volonté de Dieu, de qui la seconde était-elle la volonté ?

Je n'étais jamais allée à l'hôpital en ville, mais c'était facile à trouver.

Dwain a demandé ce que je fichais quand j'ai fait demi-tour et accéléré dans la descente. Tout en fonçant au milieu de la vallée longeant Fivemile Creek, puis en grimpant Bear River Hill sans lever le pied, je prêtais une oreille attentive à la respiration imperceptible de mon frère. À l'hôpital, je me suis garée sur la rampe des urgences, et Dwain et moi avons porté mon frère, franchi les portes vitrées. J'ai hurlé à l'aide. Une infirmière est apparue, en courant, puis une autre. Shawn avait alors repris conscience. Ils l'ont emmené et quelqu'un m'a poussée dans la salle d'attente.

Il n'y avait aucun moyen d'éviter ce qu'il me fallait faire ensuite. J'ai appelé papa.

« T'es presque à la maison ? a-t-il demandé.

— Je suis à l'hôpital. »

Il y a eu un silence, puis il a repris :

« On arrive. »

Un quart d'heure plus tard, ils étaient là, et nous avons attendu tous les trois, ensemble, mal à l'aise,

moi me rongeant les ongles sur une banquette bleue,
ma mère faisant les cent pas en claquant des doigts,
et papa assis, sans un geste, sous une horloge murale
trop bruyante.

Le docteur a procédé à un scanner. Il nous a
expliqué que la blessure était vilaine, mais les dégâts
minimes. En repensant à ce que les médecins avaient
dit la dernière fois – qu'avec les blessures à la tête,
ce sont souvent celles qui semblent les pires qui sont
en réalité les moins graves –, je me suis sentie stupide
d'avoir paniqué et d'avoir conduit Shawn ici. Le trou
dans l'os était petit, a ajouté le praticien. L'os finirait
par repousser tout seul, ou un chirurgien pourrait
poser une plaque métallique. Shawn a répondu qu'il
préférait voir comment ça guérissait, et le médecin a
rabattu la peau sur la plaie et l'a recousue.

Vers 3 heures du matin, nous avons reconduit mon
frère à la maison. Papa conduisait, ma mère à côté de
lui, et j'étais à l'arrière avec Shawn. Personne ne parlait.
Papa n'a pas hurlé, ni prononcé de sermon ; en fait, il
n'a plus jamais mentionné cette nuit. Mais il y avait un
je-ne-sais-quoi dans sa manière de poser le regard, sans
jamais me regarder directement, qui suggérait qu'une
bifurcation s'était présentée sur la route, que j'avais
pris une direction et lui, l'autre. Après cette nuit, il n'a
plus jamais été question de savoir si je pouvais m'en
aller ou rester. C'était comme si nous vivions dans le
futur, et comme si je n'étais déjà plus là.

Aujourd'hui, quand je repense à cette nuit, je ne
pense pas à cette route dans l'obscurité, à mon frère

gisant dans une mare de sang. Je revois la salle d'attente, avec sa banquette bleu glacier et ses murs pâles. Je sens encore cette atmosphère stérile. J'entends le tic-tac de l'horloge en plastique.

Mon père est assis en face de moi. Tandis que j'observe son visage usé, je suis frappée par une vérité si puissante que je suis étonnée de ne pas l'avoir saisie plus tôt. Je ne suis pas une bonne fille. Je suis une traîtresse, une louve parmi les agneaux ; il y a chez moi quelque chose de différent, et cette différence n'est pas un bienfait. J'ai envie de hurler, de sangloter contre les genoux de mon père et de promettre que je ne recommencerai plus jamais. Mais toute louve que je sois, je suis quand même au-dessus du mensonge. Et ce mensonge, il le flairerait de toute manière. Nous savons l'un et l'autre que s'il m'arrive de trouver à nouveau Shawn sur la route, baignant dans une flaque écarlate, je referai exactement ce que je viens de faire.

Je ne me sens pas désolée, non. Simplement honteuse.

L'enveloppe est arrivée trois semaines après, alors que Shawn se remettait sur pied. Je l'ai décachetée, je me sentais engourdie, comme si je lisais ma sentence après que le verdict de culpabilité avait déjà été rendu. Mes yeux ont cherché directement la note générale. Vingt-huit. J'ai de nouveau vérifié. J'ai contrôlé mon nom. Il n'y avait pas d'erreur. Sans savoir comment – et un miracle était pour moi la seule façon de l'expliquer –, j'avais réussi.

Ma première pensée s'est résumée à une résolution : je me suis juré de ne plus jamais travailler pour mon père. J'ai pris la voiture, je suis allée à la seule épicerie de la ville, chez Stokes, et je me suis portée candidate à un emploi : emballer les courses. J'avais seulement seize ans, mais je ne l'ai pas dit au gérant, et il m'a engagée pour quarante heures par semaine. Ma première journée de travail a débuté à 4 heures le lendemain matin.

Quand je suis rentrée à la maison, papa pilotait le chargeur dans la ferraille. Je suis montée sur l'échelle et j'ai empoigné la rambarde. La voix à moitié couverte par le rugissement du moteur, je lui ai annoncé que j'avais trouvé un travail mais que je conduirais la grue les après-midi, jusqu'à ce qu'il puisse embaucher quelqu'un. Il a laissé retomber le bras articulé, et il a regardé droit devant lui.

« Tu as déjà pris ta décision, a-t-il répliqué. Inutile de faire traîner. »

Une semaine plus tard, j'ai déposé un dossier d'inscription à la Brigham Young University. Je n'avais aucune idée de la manière de rédiger cette demande, alors Tyler l'a écrite pour moi. Il a raconté que j'avais été instruite suivant un programme rigoureux élaboré par ma mère, qui avait veillé à ce que je satisfasse à tous les critères pour passer mon diplôme.

Mes sentiments concernant cette candidature changeaient de jour en jour, presque de minute en minute. Certaines fois, j'étais sûre que Dieu voulait me voir entrer à l'université, parce qu'Il m'avait accordé cette note de vingt-huit. À d'autres, j'étais certaine d'être refusée, et que Dieu me punirait d'avoir formulé cette demande, d'avoir tenté d'abandonner ma propre famille. Mais quelle que soit l'issue, je savais que je m'en irais. Je partirais quelque part, même si ce n'était pas à la faculté. Dès l'instant où j'avais conduit Shawn à l'hôpital au lieu de l'amener à ma mère, mon foyer n'était plus mon foyer. Je l'avais en partie rejeté, et maintenant, il me rejetait.

La commission d'admission a été efficace, je n'ai pas attendu longtemps. La lettre est arrivée dans une enveloppe ordinaire. Quand je l'ai vue, mon cœur s'est serré. Les lettres de rejet sont de petit format, me suis-je dit. Je l'ai ouverte et j'ai lu : « Félicitations. » J'étais admise pour le semestre qui débutait le 5 janvier.

Ma mère m'a étreinte. Papa a essayé de se montrer enjoué : « Cela prouve au moins une chose. Notre école à la maison est aussi bonne que n'importe quelle instruction publique. »

Trois jours avant mes dix-sept ans, mère m'a conduite dans l'Utah, pour me trouver un appartement. La recherche a pris toute la journée, nous sommes rentrées tard à la maison, et nous avons trouvé papa en train de manger un plat surgelé. Mal cuit – c'était une sorte de bouillie. L'atmosphère autour de lui était lourde, combustible. Comme si tout risquait d'exploser d'un instant à l'autre. Mère n'a même pas retiré ses chaussures, elle s'est juste précipitée dans la cuisine et s'est mise aux fourneaux pour préparer un vrai dîner. Papa est passé au salon et s'est emporté contre le magnétoscope. Du couloir, je voyais que les câbles n'étaient pas branchés. Quand j'en ai fait la remarque, il a explosé. Il a lâché un juron en fouettant l'air de ses bras, en hurlant que dans la maison d'un homme les câbles devraient toujours être branchés, qu'un homme ne devrait jamais avoir à entrer dans une pièce pour découvrir les câbles de son magnétoscope débranchés. Pourquoi diable les avais-je débranchés, d'ailleurs ?

Mère est sortie précipitamment de la cuisine pour intervenir :

« C'est moi qui ai débranché les câbles. »

Papa s'en est pris à elle, en postillonnant.

« Pourquoi prends-tu toujours son parti ? Un homme devrait être en mesure d'attendre le soutien de sa femme ! »

J'ai trifouillé les câbles pendant que papa se tenait au-dessus de moi, en vociférant. Ils m'échappaient des mains. La panique qui submergeait mon cerveau m'empêchait de me souvenir comment connecter le rouge au rouge, le blanc au blanc.

Soudain, c'était fini. J'ai levé les yeux vers mon père, vers son visage écarlate, la veine qui battait dans son cou. Je n'avais pas réussi à brancher les câbles. Je me suis redressée et, une fois debout, cela m'était égal de savoir s'ils étaient branchés ou non. Je suis sortie de la pièce. J'ai atteint la cuisine et papa criait toujours. En me dirigeant vers le bout du couloir, je me suis retournée. Ma mère avait pris ma place, accroupie devant le magnétoscope, cherchant les câbles à tâtons, et papa était campé devant elle.

La perspective de Noël, cette année-là, me faisait l'effet d'attendre de sauter du haut d'une falaise. Depuis le Bug de l'an 2000, jamais je ne m'étais sentie aussi certaine qu'un événement terrible s'annonçait, quelque chose qui anéantirait tout ce que j'avais connu auparavant. Et qu'est-ce qu'il y aurait à la place ? J'essayais d'imaginer le futur, de le peupler de professeurs, de devoirs, de salles de cours, mais mon esprit était incapable de les faire apparaître. Dans mon imagination, il n'y avait aucun avenir. Il y avait le Nouvel An, et puis il n'y avait plus rien.

Je n'ignorais pas que je devais me préparer, essayer d'acquérir l'instruction secondaire que, d'après la lettre de Tyler à l'université, je possédais déjà. Mais je ne savais pas comment, et je ne voulais pas lui demander de l'aide. Il commençait une nouvelle vie à Purdue University – il allait même se marier –, et je doutais qu'il prenne en charge la mienne.

Quand il est revenu à la maison pour Noël, j'ai remarqué qu'il lisait un livre intitulé *Les Misérables*, et j'en ai conclu que ce devait être le genre de bouquin que lit une étudiante. Je me suis donc acheté mon propre exemplaire, en espérant qu'il m'apprendrait des choses sur l'histoire ou la littérature. Il n'en a rien été. C'était impossible, car j'étais incapable de faire la différence entre la fiction et les faits véridiques. Napoléon ne m'était pas plus réel que Jean Valjean, je n'avais jamais entendu parler ni de l'un ni de l'autre.

II

17

Qu'il soit sanctifié[1]

Le jour du Nouvel An, mère m'a emmenée sur la route de ma nouvelle vie. Je n'ai pas emporté grand-chose avec moi : une dizaine de pots de pêches en conserve de la maison, des draps et des couvertures, un sac poubelle rempli de vêtements. Nous filions sur l'Interstate et j'ai regardé le paysage se fragmenter, se découper, les sommets arrondis et noirs des monts Bear River céder la place aux Rocheuses acérées. L'université était nichée au cœur des monts Wasatch, dont les massifs blancs saillaient puissamment de la terre. Ils étaient beaux, mais leur beauté me semblait agressive, menaçante.

Mon appartement était à un kilomètre et demi au sud du campus. Il comprenait une cuisine, un salon et trois petites chambres. Les autres jeunes femmes qui habitaient là – je savais que c'étaient des femmes

---

1. 4ᵉ Commandement : « Souviens-toi du jour du repos pour le sanctifier. » Exode, 20:8. *(N.d.T.)*

parce qu'à la Brigham Young University, tous les logements étaient séparés en fonction du sexe – n'étaient pas encore revenues de leurs congés de Noël. Il ne m'a fallu que quelques minutes pour apporter mes affaires de la voiture. Mère et moi sommes restées un moment dans la cuisine, mal à l'aise, puis elle m'a serrée dans ses bras et elle est repartie.

J'ai vécu seule dans l'appartement silencieux pendant trois jours. Sauf que ce n'était pas silencieux. Il n'y avait aucun silence. Nulle part. Je n'avais jamais passé plus de quelques heures dans une ville et je m'apercevais qu'il m'était impossible de me défendre contre les bruits étranges qui m'envahissaient constamment. Le tintement des signaux aux passages piétons, le hululement strident des sirènes, le sifflement des freins à air comprimé, même les conversations feutrées des gens qui marchaient sur le trottoir – j'entendais chaque bruit individuellement. Mes oreilles accoutumées au silence de Buck's Peak se sentaient agressées par tous ces bruits.

Lorsque ma première colocataire est arrivée, j'étais en manque de sommeil. Elle s'appelait Shannon, et elle étudiait à l'école de cosmétologie de l'autre côté de la rue. Elle portait un bas de pyjama en peluche rose et un haut blanc moulant avec de fines bretelles. Je restais figée sur ses épaules nues. J'avais déjà vu des femmes habillées comme cela auparavant – papa les appelait «Gentilles» – et j'avais toujours évité de trop m'approcher d'elles, comme si leur immoralité risquait d'être contagieuse. À présent, j'en avais une sous mon toit.

Shannon m'a toisée du regard, l'air franchement désappointé, en découvrant mon manteau en flanelle informe et mon jean d'homme trop grand.

« Tu as quel âge ? m'a-t-elle demandé.

— Je suis en première année », ai-je répondu. Je ne voulais pas admettre que je n'avais que seize ans et que j'aurais dû être au lycée, en train de terminer mon année de première.

Shannon est allée à l'évier et j'ai vu le mot « Juicy » écrit en travers de son derrière. C'était plus que je n'en pouvais supporter. Je me suis repliée vers ma chambre, en marmonnant que j'allais me coucher.

« Bonne idée, a-t-elle répliqué. À l'église, c'est tôt. En général, je suis en retard.

— Tu vas à l'église, toi ?

— Bien sûr. Pas toi ?

— Bien sûr que si. Mais toi, tu y vas vraiment ? »

Elle m'a dévisagée, en se mordillant la lèvre.

« L'église, c'est à huit heures, a-t-elle précisé. Bonne nuit ! »

En fermant la porte de ma chambre, j'avais l'esprit qui tournait à toute vitesse. Comment pouvait-elle être mormone ?

Papa répétait qu'il y avait des Gentils partout – que la plupart des mormons étaient eux-mêmes des Gentils, et qu'ils ne le savaient simplement pas. J'ai pensé au débardeur et au pantalon de pyjama de Shannon, et subitement je me suis rendu compte que tout le monde, à Brigham Young University, faisait sans doute partie des Gentils.

Mon autre colocataire est arrivée le lendemain. Elle s'appelait Mary, elle était en section d'éducation de la petite enfance, en troisième année. Elle s'habillait comme j'attendais qu'une mormone s'habille un dimanche, dans une robe à fleurs qui descendait jusqu'aux pieds. Ses vêtements étaient pour moi une sorte de signe distinctif; ils me signalaient qu'elle n'était pas une Gentille et, pendant ces quelques heures, je me suis sentie moins seule.

Jusqu'au soir, quand Mary s'est subitement levée du canapé.

«Les cours commencent demain! a-t-elle dit. Il est temps de remplir les placards de provisions.»

Une heure plus tard, elle est rentrée avec des sacs en papier pleins de courses. Faire des commissions était interdit pendant le sabbat – je n'avais jamais acheté ne serait-ce qu'un paquet de chewing-gums un dimanche. Mary, loin de s'en soucier, a commencé à déballer des œufs, du lait et des pâtes sans se rendre compte que chacun des articles qu'elle rangeait dans notre réfrigérateur commun constituait une violation des Commandements du Seigneur. Quand elle a sorti une boîte de Coca Light, dont mon père disait que c'était une infraction aux préceptes du Seigneur en matière de santé, je me suis encore une fois réfugiée dans ma chambre.

Le lendemain matin, j'ai pris le bus dans la mauvaise direction. Le temps que je rectifie mon erreur, le cours était presque fini. Je suis restée dans le fond de la salle, très embarrassée, jusqu'à ce que le professeur, une femme mince aux traits délicats, me fasse signe de prendre le seul siège disponible, non loin du premier rang. Je me suis assise, en sentant tous les yeux converger sur moi. Le cours était consacré à Shakespeare, et je trouvais que c'était un bon signe. Mais maintenant que j'y étais, je me rendais compte que je ne savais rien de lui. C'était juste un nom que j'avais entendu prononcer.

Quand la sonnerie a retenti, le professeur s'est approché de mon pupitre.

« Ta place n'est pas ici », a-t-elle dit.

Je l'ai dévisagée, perplexe. Bien sûr que ma place n'était pas ici, mais comment le savait-elle ? J'étais sur le point de passer aux aveux complets – que je n'étais jamais allée en classe, que je n'avais pas réellement satisfait aux critères pour entrer en première année. C'est alors qu'elle a ajouté ces mots :

« Ce cours est pour les étudiants seniors.

— Il y a des seniors étudiants ? » me suis-je étonnée.

Elle a levé les yeux au ciel, comme si j'essayais d'être drôle (les *seniors* sont les étudiants en licence).

« Ici, c'est le cours 382. Tu devrais être en cours 110. »

Il m'a fallu traverser presque tout le campus avant de comprendre le sens de sa remarque, puis j'ai consulté mon emploi du temps et, pour la première fois, j'ai remarqué les nombres à côté des intitulés des cours.

Je me suis rendue à l'administration, où j'ai appris que tous les cours de première année étaient complets.

Ce que je devais faire, m'a-t-on suggéré, c'était de vérifier en ligne toutes les deux ou trois heures et de rejoindre une classe si quelqu'un abandonnait sa place. À la fin de la semaine, j'avais réussi à m'introduire dans les cours introductifs d'anglais, d'histoire américaine, de musique et de religion, mais sur l'art dans la civilisation occidentale, j'étais coincée dans un niveau troisième année.

Le cours d'anglais de première année était assuré par une femme enjouée, qui n'avait pas loin de la trentaine et n'arrêtait pas de parler de ce qu'elle appelait « la forme de la dissertation » que, selon elle, nous avions apprise au lycée.

Le cours suivant, celui d'histoire américaine, se tenait dans un amphithéâtre baptisé du nom du prophète Joseph Smith. J'avais cru que l'histoire américaine serait facile car papa nous avait appris des choses au sujet des Pères fondateurs – je savais tout de Washington, Jefferson, Madison. Mais le professeur les avait à peine mentionnés, pour nous parler plutôt de « fondements philosophiques » et des écrits de Cicéron et Hume, des noms que je n'avais jamais entendus.

Lors du premier cours, le professeur nous a avertis que le prochain commencerait par un questionnaire rapide sur les lectures. Pendant deux jours, j'ai tenté d'arracher un sens à des passages d'ouvrages très touffus, mais des termes comme « humanisme civique » et « Lumières écossaises » ponctuaient la page comme autant de trous noirs, absorbant tous les autres mots autour d'eux. J'ai rempli le questionnaire et répondu faux à toutes les questions.

Cet échec a laissé un sentiment de gêne. C'était le premier indice de ma capacité à m'en sortir ou non – ce que j'avais dans la tête en fait d'«éducation» allait-il suffire ? Après ce questionnaire, la réponse semblait claire : cela ne suffisait pas. En réalisant cela, j'aurais pu incriminer mon éducation familiale, mais je me suis abstenue. Ma loyauté envers mon père s'était accrue en proportion des kilomètres qui nous séparaient. Sur la montagne, je pouvais me rebeller. Mais ici, dans cet endroit animé et bruyant, entourée de Gentils déguisés en saints, je me raccrochais à chacune des vérités, des doctrines qu'on m'avait inculquées. Les professeurs diplômés étaient des Fils de Perdition. L'école à domicile était un commandement du Seigneur.

Mon échec dans ce questionnaire n'a nullement sapé ma dévotion toute neuve dans une foi ancienne, mais un cours sur l'art occidental y a pourvu.

À mon entrée, la salle de classe était lumineuse, le soleil du matin déversait sa chaleur à travers un mur de hautes fenêtres. J'ai choisi un siège à côté d'une fille en chemisier au col boutonné. Elle s'appelait Vanessa.

« On devrait rester ensemble, m'a-t-elle proposé. Nous sommes les deux seules première année de tout le cours. »

La classe a commencé quand un vieil homme avec de petits yeux et un nez aquilin a fermé les volets des fenêtres. Il a actionné un interrupteur et un projecteur de diapositives a empli la salle d'une lumière blanche.

Puis une image est apparue, celle d'un tableau. Le professeur a discuté de sa composition, des coups de pinceau, de son histoire. Ensuite, il est passé au tableau suivant, puis au suivant, et encore un autre.

Après cela, le projecteur a montré une image particulière, celle d'un homme avec un chapeau défraîchi et un pardessus. Derrière lui se dressait un mur de béton. Il tenait un petit papier près de son visage, mais sans le regarder. C'était nous qu'il regardait.

J'ai ouvert le livre illustré que j'avais acheté pour le cours, afin de pouvoir l'étudier de plus près. Quelque chose était écrit en italique sous l'image, mais j'étais incapable de comprendre de quoi il s'agissait. En plein milieu, il y avait un de ces mots-trous noirs, qui dévorait le reste. J'avais vu d'autres étudiants poser des questions, alors j'ai levé la main.

Le professeur m'a donné la parole, et j'ai lu la phrase à voix haute. Quand je suis arrivée au mot en question, j'ai marqué un temps de silence. « Je ne connais pas ce mot. Qu'est-ce qu'il signifie ? »

Il y a eu un silence. Pas celui du souffle qu'on retient, d'un bruit que l'on met en sourdine, mais un silence total, presque violent. Pas un bruissement de papier, pas un grattement de stylo.

Le professeur a pincé les lèvres.

« Je vous remercie pour ça », a-t-il dit, avant de retourner à ses notes.

Pendant le reste du cours, j'ai à peine bougé. J'ai fixé le bout de mes chaussures, en me demandant ce qui s'était produit, et pourquoi, chaque fois que je levais les yeux, il y avait toujours quelqu'un pour me regarder comme si j'étais une erreur de la nature. Bien sûr que j'étais une erreur de la nature, mais je me demandais comment ils le savaient.

À la sonnerie de la cloche, Vanessa a fourré son cahier dans son sac. Puis elle a marqué un temps d'arrêt.

« Tu ne devrais pas te moquer de ça. Ce n'est pas une plaisanterie. »

Elle s'est éloignée avant que j'aie pu répondre.

Je suis restée à ma place jusqu'à ce que tout le monde soit parti, au prétexte que la fermeture Éclair de mon manteau se serait coincée, afin d'éviter de croiser le regard de qui que ce soit. Ensuite, je suis allée tout droit au laboratoire informatique, chercher le mot « Holocauste ».

Je ne sais combien de temps je suis restée là, à lire des choses sur le sujet. Lorsque j'ai estimé en avoir lu assez, je me suis redressée sur mon siège et j'ai fixé le plafond. Je pense que j'étais sous le choc, mais je ne sais pas au juste si c'était le choc d'apprendre une telle horreur, ou celui d'apprendre ma propre ignorance. Je me souviens bien de m'être représenté, non pas les camps, non pas les fosses ou les chambres à gaz, mais le visage de ma mère. Un déferlement d'émotions m'a submergée, une sensation intense, si étrangère que je n'étais pas sûre de savoir ce que c'était. J'ai eu envie de lui hurler dessus, sur ma propre mère, et cela m'effrayait.

J'ai fouillé dans mes souvenirs. À certains égards, le mot « Holocauste » ne m'était pas totalement inconnu. Mère m'avait peut-être éclairée à ce sujet, quand nous cueillions des cynorhodons ou préparions une teinture d'aubépine. Il me semblait avoir eu vaguement connaissance de la mort de Juifs, quelque part, il y a longtemps. Mais j'avais pensé qu'il s'agissait d'un petit conflit, comme le massacre de Boston, dont papa parlait beaucoup, au cours duquel une demi-douzaine de personnes avaient péri en martyrs d'un gouvernement tyrannique[1]. M'être méprise à un tel degré – cinq morts contre six millions – paraissait impossible.

J'ai retrouvé Vanessa, avant le cours suivant, et me suis excusée de cette mauvaise plaisanterie. Je ne lui ai rien expliqué, parce que j'en étais incapable. Je lui ai juste dit que j'étais désolée et que je ne recommencerais pas. Pour tenir cette promesse, je n'ai plus levé la main du reste du semestre.

Ce samedi-là, j'étais assise à mon bureau, avec une pile de devoirs. Il fallait tout terminer le jour même parce que je ne pouvais violer le sabbat.

J'ai consacré la matinée et l'après-midi à essayer de déchiffrer le manuel d'histoire, sans guère de succès. Dans la soirée, je me suis efforcée de rédiger un récit personnel en anglais, mais je n'avais jamais écrit de texte auparavant – sauf ceux traitant du péché et

---

1. Le 5 mars 1770, en plein différend entre les Treize Colonies et l'Angleterre, l'armée britannique tuait sept personnes lors de manifestations de protestation. *(N.d.T.)*

du repentir, que personne n'avait jamais lus – et ne savais comment m'y prendre. Je n'avais aucune idée de ce que le professeur désignait par la «forme dissertation». J'ai écrit quelques phrases, les ai barrées, puis j'ai recommencé. J'ai répété ce manège jusqu'à minuit passé.

Je savais que je devais m'arrêter – c'était l'heure du Seigneur – mais je n'avais même pas commencé le devoir de théorie musicale, que je devais rendre le lundi matin à 7 heures. Le sabbat démarre à mon réveil, me suis-je dit, et j'ai continué de travailler.

Je me suis réveillée le visage couché sur le bureau. La pièce était illuminée. Je pouvais entendre Shannon et Mary dans la cuisine. J'ai enfilé ma robe du dimanche et nous sommes parties toutes les trois à l'église à pied. Comme il s'agissait d'une congrégation d'étudiants, tout le monde avait pris place au côté de ses colocataires, et je me suis assise près des miennes. Shannon s'est immédiatement mise à bavarder avec la fille derrière nous. Regardant autour de moi dans la chapelle, j'ai encore été frappée du nombre de femmes portant des jupes au-dessus du genou.

La fille qui parlait à Shannon lui proposait de venir regarder un film l'après-midi. Mary et Shannon ont accepté, mais j'ai refusé d'un signe de tête. Je ne regardais pas de films un dimanche.

Shannon a levé les yeux au ciel.

«Elle est très croyante», a-t-elle commenté.

J'avais toujours su que mon père croyait en un dieu différent. Enfant, j'avais conscience que si ma famille fréquentait la même église que tout le monde dans notre ville, notre religion n'était pas pareille. Les autres croyaient en la décence ; nous, nous la pratiquions. Ils croyaient au pouvoir de guérison de Dieu ; nous remettions nos blessures entre Ses mains. Ils croyaient en la préparation de la Résurrection ; nous nous y préparions véritablement. Aussi loin que je me souvienne, j'étais convaincue que les membres de ma famille étaient les seuls vrais mormons que j'aie jamais connus, et cependant, pour une raison qui m'échappait, ici, dans cette université, dans cette chapelle, je ressentais pour la première fois l'immensité du fossé. À présent, je comprenais : je pouvais me ranger du côté de ma famille, ou du côté des Gentils, dans un camp ou dans l'autre, mais il n'y avait pas d'entre-deux.

Le service religieux s'est achevé et nous nous sommes glissées dans la file d'attente pour l'école du dimanche. Shannon et Mary ont choisi des sièges près du premier rang. Elles m'en ont réservé un, mais j'ai hésité, songeant que j'avais rompu le sabbat. J'étais ici depuis moins d'une semaine et j'avais déjà dérobé une heure au Seigneur. C'était peut-être pour cela que papa ne voulait pas que je vienne ici : parce qu'il savait qu'en vivant au contact de gens de moindre foi, je risquais de devenir comme eux.

Shannon m'a fait un signe de la main et son décolleté s'est échancré. Je suis passée devant elle et je me suis réfugiée dans un coin, aussi loin que possible de Mary et elle. J'étais satisfaite de cet arrangement qui m'était familier : moi, blottie dans un coin, loin des autres, une reproduction exacte de toutes les séances d'école du dimanche de mon enfance. C'était la seule impression familière que j'éprouvais depuis mon arrivée dans cet endroit, et je m'en délectais.

18

Du sang et des plumes

Après cet épisode, j'ai rarement adressé la parole à Shannon et Mary, et elles m'ont rarement parlé, excepté pour me rappeler d'assumer ma part des corvées quotidiennes, ce que je ne faisais jamais. L'appartement me semblait très bien comme il était. Il y avait des pêches qui pourrissaient au frigo et des assiettes sales dans l'évier, et alors ? L'odeur vous prenait à la gorge dès que vous franchissiez la porte, et alors ? Dans mon esprit, si la puanteur était supportable, la maison était propre, et j'étendais cette philosophie à ma propre personne. Je ne me servais jamais de savon, sauf quand je me douchais, d'ordinaire une ou deux fois par semaine, et même en ce cas, il m'arrivait de ne pas en faire usage. En ressortant des toilettes, le matin, je passais régulièrement au pas de charge devant le lavabo du couloir où Shannon et Mary se lavaient toujours les mains. Toujours. Je les voyais hausser les sourcils et repensais à grand-mère-en-ville. *Quelles frivoles. Je ne me pisse pas sur les mains.*

Dans l'appartement, l'atmosphère était tendue. Shannon me regardait comme si j'étais une chienne enragée, et je ne faisais rien pour la rassurer.

Mon compte en banque diminuait régulièrement. Je m'étais inquiétée de ne pas finir mon année, mais au bout d'un mois, au premier semestre, après avoir payé mes frais de scolarité et mon loyer, et m'être acheté ma nourriture et mes livres, j'ai commencé à me dire que même si je finissais mon année, je ne reviendrais plus l'an prochain. La raison était évidente : je n'en avais pas les moyens. J'ai consulté en ligne les critères d'attribution d'une bourse. Une prise en charge de la totalité des frais exigerait une note générale quasi parfaite.

Le semestre n'était entamé que depuis un mois, mais je savais déjà qu'une bourse était hors d'atteinte, au point que c'en était risible. En histoire américaine, les choses devenaient plus faciles – mais seulement dans la mesure où je n'échouais plus complètement aux QCM. Je me débrouillais bien en théorie musicale, mais en anglais, je peinais. Mon professeur m'affirmait que j'avais un don pour l'écriture mais que la langue que j'employais était bizarrement formelle et guindée. Je ne lui ai pas révélé que j'avais appris à lire et à écrire en ne lisant que la Bible, le Livre de Mormon et des discours de Joseph Smith et Brigham Young.

Le véritable écueil, pour moi, c'était la civilisation occidentale. Ces cours n'étaient que du jargon, sans doute parce que, pendant presque tout ce mois de janvier, j'avais cru que l'Europe était un pays, pas un continent, si bien que les propos du professeur avaient rarement de sens à mes yeux. Et après l'incident de l'Holocauste, je n'allais pas me risquer à demander des éclaircissements.

Malgré tout, c'était mon cours préféré. À cause de Vanessa. À chaque séance, nous étions assises côte à côte. Je l'aimais bien, parce qu'elle semblait être le même genre de mormone que moi : elle portait une tenue ample et boutonnée haut, et elle m'avait confié ne jamais boire de Coca ou ne jamais faire ses devoirs le dimanche. Elle était la seule personne à l'université qui n'avait pas l'air d'une Gentille.

En février, le professeur annonça qu'au lieu d'un seul examen de milieu de trimestre, il nous organiserait des examens mensuels, le premier ayant lieu la semaine suivante. Je ne savais pas comment me préparer. Le cours n'avait pas de manuel, mais juste le livre illustré de tableaux et quelques CD de compositions classiques. J'écoutais la musique en feuilletant les pages illustrées de peintures. Je faisais vaguement l'effort de retenir qui avait peint ou composé quoi, mais je ne mémorisais aucune orthographe. L'ACT était le seul examen que j'aie jamais passé, et c'était un QCM – je supposais donc que toutes les épreuves étaient sous forme de questionnaires à choix multiples.

Le matin de l'épreuve, le professeur a prié tout le monde de sortir son livre bleu. J'ai à peine eu le temps de me demander ce qu'était un livre bleu que tout le monde en sortait un de son sac. Le geste était fluide, synchronisé, comme s'ils l'avaient répété. Je me sentais comme l'unique danseuse sur scène qui aurait manqué la répétition. J'ai demandé à Vanessa si elle en avait un en plus, et c'était le cas. Je l'ai ouvert, m'attendant à un examen à choix multiples, mais le cahier était vierge.

On a fermé les volets, le faisceau du projecteur a clignoté, un tableau s'est affiché. Nous avions soixante secondes pour écrire le titre de l'œuvre et le nom entier de l'artiste. Mon esprit ne produisait qu'un bourdonnement sourd. Cela a continué sur plusieurs questions : je ne bougeais pas, je ne répondais pas.

Un Caravage clignotait à l'écran – *Judith décapitant Holopherne*. J'ai observé fixement l'image, celle d'une jeune fille tenant calmement une épée à bout de bras, la lame tranchant le cou d'un homme comme elle aurait tranché un fromage avec un fil à couper le beurre. J'avais décapité des poulets avec papa, en attrapant leurs pattes scabieuses tandis qu'il levait la hache et l'abattait dans un *tchac* sonore, puis je resserrais mon étreinte, tenant bon, en y mettant tout ce que j'avais. Alors que le poulet convulsait dans la mort, ses plumes s'envolaient et son sang éclaboussait mon jean. Me remémorant les poulets, je m'interrogeais sur la plausibilité de la scène de Caravage : personne n'avait cette expression sur le visage – tranquille, indifférente – en tranchant une tête.

Je savais que le tableau était de Caravage, mais je me souvenais seulement du nom de famille, que je n'étais même pas capable d'écrire correctement. J'étais certaine que le titre de l'œuvre était *Judith décapitant quelqu'un*, mais je n'aurais pas pu formuler le nom d'*Holopherne*, même si cela avait été mon propre cou sous la lame.

Il restait trente secondes. Peut-être réussirais-je à marquer quelques points si je pouvais juste noter quelque chose – n'importe quoi – sur la page. J'ai essayé le nom phonétiquement : « Carevadjio », en m'inspirant de l'italien Caravaggio. Cela ne me paraissait pas juste. L'une des lettres était redoublée, je m'en souvenais. J'ai barré le premier, et j'ai écrit « Carrevagio ». Encore faux. J'ai prononcé plusieurs orthographes à voix haute, chacune étant pire que la précédente. Vingt secondes.

Ma voisine, Vanessa, n'arrêtait pas de gratter. Comme de juste. Elle était ici à sa place. Elle avait une écriture soignée, et j'étais en mesure de lire ce qu'elle avait rédigé : Michelangelo Merisi da Caravaggio. Et, à côté, en capitales non moins impeccables, *Judith décapitant Holopherne*. Dix secondes. J'ai copié le texte, sans inclure le nom complet du Caravage, parce que, dans un réflexe d'intégrité bien sélectif, je décidai que ce serait tricher. En un éclair, le projecteur est passé à l'image suivante.

J'ai de nouveau jeté un œil à la feuille de Vanessa pendant l'examen, mais c'était sans espoir. Je ne pouvais copier sa rédaction, et il me manquait le savoir-faire factuel et stylistique pour composer la mienne. Faute de compétence et de connaissance, j'ai dû griffonner ce qui me venait. Je ne me rappelle plus si on nous priait d'évaluer *Judith décapitant Holopherne*, mais si c'était le cas, je suis certaine que j'ai dû donner mes impressions : que le calme du visage de la jeune fille ne correspondait guère à mon expérience de l'abattage des poulets. Parée du langage approprié, cela aurait pu constituer une réponse fantastique – à propos de la sérénité de la jeune femme s'inscrivant en un puissant contrepoint au réalisme général de l'œuvre. Mais je doute que le professeur ait été très impressionné par mon observation selon laquelle « quand vous coupez la tête d'un poulet, il ne faut pas sourire parce que vous pourriez avoir du sang et des plumes dans la bouche ».

L'examen s'est achevé. On a rouvert les volets. Je suis sortie et me suis tenue dans le froid de l'hiver, les yeux levés vers les cimes des monts Wasatch. J'avais envie de demeurer là. Ces montagnes étaient aussi peu familières et aussi menaçantes que jamais, mais j'avais envie de rester.

J'ai attendu une semaine les résultats d'examen, et à deux reprises pendant cette période, j'ai rêvé de Shawn – je le trouvais inanimé sur l'asphalte, je retournais son corps et je voyais son visage écarlate. Suspendue entre la peur du passé et la crainte de l'avenir, j'ai consigné ce rêve dans mon journal. Ensuite, sans explication, comme si le lien entre les deux était évident, j'ai écrit : *Je ne comprends pas pourquoi je n'ai pas été autorisée à recevoir une instruction convenable quand j'étais enfant.*

Les résultats nous ont été remis quelques jours plus tard. J'avais échoué.

Un hiver, lorsque j'étais très jeune, Luke avait trouvé un grand-duc dans le pré, inconscient et à moitié gelé.

Il était couleur de suie, et, à mes yeux d'enfant, me semblait aussi grand que moi. Luke l'avait emporté dans la maison, où nous nous étions émerveillés devant son plumage doux et ses serres impitoyables. Je me souviens d'avoir caressé ses plumes zébrées, si soyeuses qu'elles étaient comme de l'eau, et de mon père tenant son corps relâché entre ses mains. Je savais que si l'oiseau avait été conscient, je ne l'aurais pas approché. Je défiais la nature, rien qu'en la touchant.

Ses plumes étaient imbibées de sang. Une épine lui avait transpercé l'aile. « Je ne suis pas vétérinaire, m'a dit ma mère. Je soigne les humains. » Mais elle a retiré l'épine et nettoyé la blessure. Papa a expliqué que l'aile mettrait des semaines à se réparer, et que le hibou se réveillerait bien avant. Se sentant pris au piège, cerné de prédateurs, il se frapperait à mort pour tenter de se libérer. C'était un animal sauvage, et dans la nature, cette blessure serait fatale.

Nous avons déposé le rapace sur le linoléum près de la porte du fond et, quand il s'est réveillé, nous avons dit à mère de rester hors de la cuisine. Elle a rétorqué qu'il gèlerait en enfer avant qu'elle n'abandonne sa cuisine à un hibou, puis elle y est entrée au pas de charge et s'est mise à manier et à entrechoquer des casseroles pour préparer le petit déjeuner. Le hibou battait pitoyablement des ailes, ses griffes grattaient le sol, il se cognait la tête, saisi de panique. Nous pleurions, et mère a battu en retraite. Deux heures plus tard, papa avait barré la moitié de la cuisine avec des panneaux de contreplaqué. Le hibou est resté là plusieurs semaines en convalescence. Nous prenions des souris au piège pour le nourrir, mais parfois il ne les mangeait pas et nous ne pouvions dégager les carcasses. L'odeur de mort était forte, infecte, elle prenait aux tripes.

Le hibou ne tenait plus en place. Quand il s'est mis à refuser toute nourriture, nous avons ouvert la porte de derrière et l'avons laissé s'échapper. Il n'était pas complètement guéri, mais papa a déclaré qu'il avait plus de chances dans les montagnes qu'avec nous. Il n'était pas à sa place, ici. Personne ne pouvait lui apprendre à être à sa place ici.

J'avais envie de confier à quelqu'un que j'avais échoué à l'examen, mais quelque chose m'empêchait d'appeler Tyler. C'était peut-être de la honte. Ou alors c'était parce qu'il se préparait à devenir père. Il avait fait la connaissance de son épouse, Stefanie, à Purdue, et ils s'étaient rapidement mariés. Elle ignorait tout de notre famille. Pour moi, c'était comme s'il préférait sa nouvelle vie – sa nouvelle famille – à l'ancienne.

J'ai appelé à la maison. Papa a décroché. Mère mettait un bébé au monde, ce qu'elle faisait de plus en plus maintenant que les migraines avaient cessé.

« Quand maman sera-t-elle là ? ai-je demandé.

— Je sais pas. Tu pourrais aussi bien poser la question au Seigneur, car c'est Lui qui décide, a-t-il ajouté avec un petit rire. Comment ça se passe, à l'école ? »

Papa et moi ne nous étions plus parlé depuis qu'il m'avait crié dessus au sujet du magnétoscope. Je sentais bien qu'il s'efforçait de me soutenir, mais je ne me sentais pas capable de lui avouer que j'étais en train d'échouer. J'avais envie de lui raconter que ça se déroulait bien. *Que c'était super facile.*

«Pas génial, ai-je dû admettre. Je ne pensais pas que ce serait si dur.»

Silence. J'imaginais le visage de papa se durcir. J'ai attendu le direct qu'il s'apprêtait à m'assener.

«Ça va aller, mon chou, a-t-il dit à la place.

— Non, ça n'ira pas, ai-je insisté. Il n'y aura pas de bourse. Je ne vais même pas passer dans la classe supérieure.» À présent, ma voix tremblait.

«S'il n'y a pas de bourse, il n'y a pas de bourse, a-t-il conclu. Pour ce qui est de l'argent, je pourrais peut-être te donner un coup de main. On verra ça. Sois heureuse, c'est tout, d'accord?

— D'accord.

— Rentre à la maison, si tu as besoin.»

J'ai raccroché, pas sûre de ce que je venais d'entendre. Je savais que cela ne durerait pas, que la prochaine fois que nous nous parlerions, tout serait différent, la tendresse de ce moment, oubliée, notre joute incessante reviendrait occuper le devant de la scène. Mais ce soir, il avait envie de m'aider. Et ce n'était pas rien.

En mars, il y avait une autre épreuve d'examen de civilisation occidentale. Cette fois, j'ai préparé des fiches. J'ai consacré des heures à mémoriser des orthographes bizarres, nombre d'entre elles étant françaises (j'avais désormais compris que la France faisait partie de l'Europe). Jacques-Louis David et François Boucher : j'étais incapable de les prononcer, mais je savais les écrire.

Mes notes de cours n'avaient aucun sens, j'ai donc demandé à Vanessa si je pouvais jeter un œil aux siennes. Elle m'a regardée d'un air sceptique, et, pendant un moment, je me suis demandé si elle avait remarqué que je trichais en copiant ses réponses lors de l'examen. Elle m'a répondu qu'elle ne me communiquerait pas ses notes, mais que nous pouvions étudier ensemble. Après les cours, je la suivais donc dans sa chambre de la résidence universitaire. Nous nous asseyions par terre, en tailleur, nos cahiers ouverts devant nous.

J'essayais de lire à partir de mes notes, mais les phrases étaient incomplètes, embrouillées.

«Ne te soucie pas de tes notes, m'a-t-elle expliqué. Elles ne sont pas aussi importantes que le manuel.

— Quel manuel ?

— Le manuel», a-t-elle répété. Elle a ri, comme si j'avais voulu être drôle. J'étais tendue, parce que je ne voulais pas être drôle.

«Je n'ai pas de manuel.

— Bien sûr que si ! » Elle a brandi l'épais volume illustré dont j'avais pris l'habitude de mémoriser les titres et les artistes.

«Ah, ça. Oui, j'ai regardé.

— Tu as regardé ? Tu ne l'as pas lu ? »

Je l'ai dévisagée. Je ne comprenais pas. C'était un cours sur la musique et l'art. On nous avait distribué des CD de musiques à écouter, et un livre avec des tableaux à regarder. Il ne m'était pas venu à l'esprit de lire le livre d'art, pas plus que de lire les CD.

«Je pensais qu'on était juste censés regarder les images.»

Dit à voix haute, cela paraissait stupide.

«Alors quand le programme nous indiquait les pages cinquante à quatre-vingt-cinq, tu ne pensais pas que tu devais lire quelque chose?

— Je regardais les images», ai-je répété. La deuxième fois, ça sonnait encore pire.

Vanessa s'est mise à feuilleter le livre, qui ressemblait soudain vraiment à un manuel.

«Alors, c'est ça ton problème. Tu dois lire le manuel.»

En prononçant ces mots, sa voix avait quelques inflexions sarcastiques, comme si cette bourde, après tout le reste – après ma plaisanterie sur l'Holocauste et mes coups d'œil sur sa copie d'examen –, dépassait les bornes, comme si elle en avait assez de moi. Elle m'a signifié qu'il était temps pour moi d'y aller; elle devait étudier un autre cours. J'ai pris mon cahier et je suis partie.

«Lire le manuel» s'est révélé être un excellent conseil. À l'épreuve suivante, j'ai obtenu un B et, à la fin du semestre, je parvenais à décrocher des A. C'était un miracle, et je l'interprétais comme tel. Je continuais d'étudier jusqu'à 2 ou 3 heures du matin tous les soirs, estimant que c'était le prix à payer pour me gagner le soutien de Dieu. Je me débrouillais bien en histoire, mieux en anglais, et surtout très bien en théorie musicale. Une bourse couvrant l'intégralité des frais d'études était peu probable, mais je réussirais peut-être à obtenir la moitié.

Pendant le dernier cours de civilisation occidentale, le professeur a annoncé que tant d'étudiants avaient échoué au premier examen qu'il avait décidé de l'annuler. Et hop. Ma note calamiteuse était effacée. J'avais envie de taper dans la main de Vanessa. Ensuite, je me suis souvenue qu'elle n'était plus en classe avec moi.

19

Au commencement

À la fin du semestre, je suis rentrée à Buck's Peak. Dans quelques semaines, la BYU rendrait les notes publiques, et je saurais alors si je pouvais y retourner à l'automne.

Je remplissais mes journaux intimes de promesses de rester à l'écart de la ferraille. J'avais besoin d'argent – papa aurait dit que je vivais une austérité plus austère que les Dix Commandements –, et je suis donc retournée à mon ancien boulot chez Stokes. Je me suis présentée à l'heure la plus chargée de l'après-midi, quand je savais qu'ils seraient en sous-effectif. Quand je l'ai trouvé, le gérant était bien entendu occupé à emballer des articles d'épicerie. Je lui ai demandé s'il souhaitait que je m'en charge. Il m'a observée trois bonnes secondes, puis a retiré son tablier et me l'a tendu. Son adjointe m'a adressé un clin d'œil – c'était elle qui m'avait suggéré de poser la question à l'heure d'affluence. Il y avait dans les allées rectilignes et propres de Stokes, chez les gens chaleureux qui travaillaient là, quelque chose qui me calmait et me rendait heureuse. C'est une remarque étrange, s'agissant d'une épicerie, mais je me sentais comme à la maison.

Dès que j'ai franchi la porte de derrière, papa m'attendait. Il a avisé le tablier.

« Cet été, tu travailles pour moi.

— Je travaille chez Stokes, ai-je répliqué.

— Tu te crois trop bonne pour te charger de la ferraille ? » Il a haussé le ton. « Nous sommes ta famille. Ta place est ici. »

Ses traits étaient défaits, ses yeux injectés de sang. L'hiver avait été particulièrement pénible. À l'automne, papa avait investi une forte somme d'argent dans de nouveaux équipements – une excavatrice, une nacelle élévatrice et un poste de soudure mobile. C'était maintenant le printemps et tout avait disparu. Luke avait accidentellement mis le feu au poste de soudure ; la nacelle s'était détachée parce que quelqu'un – je n'ai jamais demandé qui – n'avait pas correctement fixé le crochet d'attelage ; et l'excavatrice avait fini à la ferraille quand Shawn, en voulant la déplacer, avait pris un virage trop vite avec le pick-up et la remorque. Avec la chance des damnés, Shawn avait pu s'extraire de l'épave en rampant, mais était incapable de se remémorer les journées qui avaient précédé l'accident. Le pick-up, la remorque et l'excavatrice étaient inutilisables.

La détermination de papa était gravée sur son visage. Elle était dans sa voix, dans la rudesse de son ton. Il fallait qu'il sorte victorieux de cette impasse. Il s'était convaincu que si je faisais partie de l'équipe, il y aurait moins d'accidents, moins de revers.

« Tu es plus lente qu'une coulée de goudron qui remonterait la pente, m'avait-il répété dix fois. Mais tu réussis à faire le boulot sans rien bousiller. »

Mais je ne pouvais faire ce travail, parce que m'y plier serait un retour en arrière. J'étais revenue à la maison, dans mon ancienne chambre, mon ancienne vie. Si je recommençais à travailler avec papa, me levais tous les matins, enfilais des chaussures de chantier à embout en acier et sortais arpenter péniblement la ferraille, ce serait comme si ces quatre derniers mois n'avaient jamais existé, comme si je n'étais jamais partie.

Je suis passée devant papa et me suis enfermée dans ma chambre. Un instant plus tard, mère a frappé à ma porte. Elle est entrée dans ma chambre en silence et s'est assise sur le lit, si légère que j'ai à peine senti son poids à côté de moi. J'ai cru qu'elle allait me dire la même chose que la dernière fois. La fois où je lui avais rappelé que je n'avais que seize ans, et où elle m'avait répondu que je pouvais rester.

« Tu as une occasion d'aider ton père, a-t-elle murmuré. Il a besoin de toi. Il ne te le dira jamais, mais c'est la vérité. C'est à toi de choisir ce que tu vas faire. » Il y a eu un silence. « Mais si tu ne l'aides pas, a-t-elle ajouté, tu ne peux pas rester ici. Tu vas devoir vivre ailleurs. »

Le lendemain matin, à 4 heures, j'ai roulé jusqu'à Stokes et j'ai aligné dix heures de travail. À mon retour, en début d'après-midi, il pleuvait à verse, et j'ai trouvé mes vêtements sur la pelouse. Je les ai ramassés et rapportés dans la maison. Mère mélangeait des huiles dans la cuisine, et quand je suis passée devant elle avec mes tee-shirts et mes jeans trempés, elle n'a rien dit.

J'étais assise sur mon lit, l'eau de mes vêtements imbibait la moquette. J'avais emporté un téléphone avec moi, et j'avais les yeux fixés dessus, sans savoir quoi faire. Je n'avais personne à appeler. Je n'avais nulle part où aller et personne à appeler.

J'ai composé le numéro de Tyler dans l'Indiana.

« Je ne veux plus travailler à la ferraille, lui ai-je dit d'une voix rauque quand il a répondu.

— Qu'est-ce qui s'est passé ? » Il paraissait inquiet, redoutant sans doute qu'il y ait encore eu un accident. « Ça va, tout le monde ?

— Tout le monde va bien. Mais papa m'a laissé entendre que je ne pouvais plus rester ici, sauf si je travaillais à la ferraille. Et je ne peux plus. »

Ma voix était anormalement aiguë.

« Qu'est-ce que tu veux que je fasse ? » a-t-il demandé.

Rétrospectivement, je suis sûre qu'il parlait au sens littéral, qu'il me demandait en quoi il pouvait m'aider, mais mes oreilles, solitaires et soupçonneuses, entendaient *qu'est-ce que tu espères de moi ?* Je me suis mise à trembler. Je sentais ma tête tourner. Tyler avait été ma bouée de secours. Depuis des années, il était pour moi une forme de dernier recours, un levier que je pouvais actionner quand j'étais dos au mur. Mais maintenant que je l'avais actionné, je comprenais combien c'était vain. En fin de compte, cela n'aboutissait à rien.

«Qu'est-ce qui s'est passé? a insisté mon frère.

— Rien. Tout va bien.»

J'ai raccroché et appelé Stokes. La gérante adjointe a répondu.

«Tu as fini de travailler pour aujourd'hui?» s'est-elle écriée. Je lui ai dit que je partais, que j'étais désolée, et puis j'ai raccroché. J'ai ouvert mon placard et elles étaient là où je les avais laissées quatre mois plus tôt : mes chaussures de ferraille. Je les ai enfilées. J'ai eu l'impression de ne les avoir jamais retirées.

Papa était dans le chariot élévateur, il soulevait un empilement de tôles ondulées. Il aurait besoin de quelqu'un pour placer des blocs de bois sur la remorque afin de décharger la pile. Quand il m'a vue, il a abaissé la pile de tôles, pour que je puisse monter, et j'ai grimpé sur la pile, avant de me recevoir sur la remorque.

Mes souvenirs de l'université se sont rapidement effacés. Le frottement des stylos sur le papier, le claquement du projecteur passant la diapositive suivante, le tintement de la sonnerie signalant la fin du cours – tout cela se diluait dans le fracas du fer et le grondement des moteurs diesel. Au bout d'un mois de décharge, la Brigham Young University n'était plus qu'un rêve que j'aurais inventé de toutes pièces. À présent, je m'étais réveillée.

Mon quotidien était redevenu exactement ce qu'il avait été : après le petit déjeuner, je triais de la ferraille ou je sortais le cuivre des radiateurs. Si les garçons travaillaient hors site, je les accompagnais parfois pour conduire le chargeur, le chariot élévateur ou la grue. Au déjeuner, j'aidais maman à cuisiner et à faire la vaisselle, ensuite je ressortais, soit à la ferraille, soit au chariot élévateur.

La seule différence, c'était Shawn. Il n'était plus comme dans mes souvenirs. Il ne proférait jamais un mot grossier, semblait en paix avec lui-même. Il préparait son GED, son diplôme d'équivalence d'études secondaires, et un soir, alors que nous rentrions d'un travail en voiture, il m'a annoncé qu'il allait essayer un semestre au collège communautaire. Il avait envie d'étudier le droit.

Une pièce se jouait cet été-là au Worm Creek Opera House, et Shawn et moi avons acheté des billets. Charles était là lui aussi, quelques rangs devant nous et, à l'entracte, quand Shawn s'est éloigné pour bavarder avec une fille, il s'est approché d'un pas traînant. Pour la première fois, je n'étais pas complètement muette de timidité. Je pensais à Shannon et à sa façon de s'adresser aux gens à l'église, à son entrain amical, ses rires et ses sourires. *Sois juste comme Shannon*, songeais-je. Et pendant cinq minutes, c'est ce que j'ai été.

Charles me regardait étrangement, le même regard que j'avais vu chez les hommes qui regardaient Shannon. Il me demandait si cela me plairait d'aller voir un film samedi. Celui qu'il suggérait était vulgaire, prosaïque, un de ces films que je n'aurais jamais eu envie de voir, mais comme je m'imaginais en Shannon, j'ai répondu que j'adorerais.

Ce samedi soir, j'ai donc essayé d'être Shannon. Le film était épouvantable, pire que ce à quoi je m'attendais. Le genre de film que seul regarderait un Gentil. Mais j'avais du mal à me représenter Charles comme un Gentil. Il n'était que Charles. J'ai envisagé un instant de lui dire que le film était immoral, qu'il ne fallait pas aller voir des choses pareilles, mais – étant toujours en Shannon – je n'ai rien dit. J'ai juste souri quand il m'a demandé si j'avais envie de manger une glace.

À mon retour à la maison, Shawn était le seul à veiller encore. Quand j'ai franchi la porte, je souriais. Il a plaisanté sur le fait que j'avais un petit ami, et c'était une vraie plaisanterie – il avait envie de me faire rire. Il m'a dit que Charles avait bon goût, que j'étais la personne la plus convenable qu'il connaissait, puis il est allé se coucher.

Dans ma chambre, je me suis observée dans le miroir un long moment. La première chose que j'ai remarquée, c'était mon jean d'homme, et le fait qu'il ne ressemblait à rien de ce que portaient les autres filles. La deuxième chose que j'ai remarquée, c'était que mon tee-shirt était trop grand et me faisait paraître plus carrée que je ne l'étais.

Charles m'a appelée le lendemain. J'étais dans ma chambre, après une journée de pose de toiture. Je sentais le diluant pour peinture et j'étais couverte d'une poussière couleur de cendre, mais il n'en savait rien.

Nous avons parlé deux heures. Il a rappelé le lendemain soir, et le soir d'après. Il a proposé que nous
allions manger un hamburger, le vendredi.

Jeudi, après avoir terminé avec la ferraille, j'ai roulé
soixante kilomètres jusqu'au Walmart le plus proche
et je me suis acheté un jean et deux tee-shirts, tous
bleus. Quand je les ai essayés, j'ai à peine reconnu mon
corps, ses galbes et ses courbes. Je les ai retirés immédiatement, sentant bien qu'en un sens c'était une tenue
impudique. Elle ne l'était pas, pas formellement, mais
je savais pourquoi j'en avais envie – pour mon corps,
afin qu'on le remarque – et c'est ce qui me semblait
impudique, même si ces vêtements ne l'étaient pas.
L'après-midi suivant, quand l'équipe a eu fini pour
la journée, j'ai couru à la maison. Je me suis douchée,
pour évacuer la crasse à grand jet, puis j'ai étalé mes
nouveaux vêtements sur mon lit et les ai contem-
plés. Au bout de longues minutes, je les ai enfilés
et j'ai été une nouvelle fois choquée par cette vision
de moi-même. Comme je n'avais plus le temps de
me changer, j'ai enfilé un blouson – alors qu'il faisait
très chaud. Puis soudain, sans pouvoir dire quand
ou pourquoi, j'ai décidé que je n'avais pas besoin de
ce blouson. Pour le reste de la soirée, je n'ai plus eu
à me souvenir de Shannon ; j'ai parlé et ri sans faire
semblant.
Charles et moi avons passé chaque soir de cette
semaine ensemble. Nous avons traîné de parcs en
marchands de glace, de restos à hamburgers en

stations-service. Je l'ai emmené chez Stokes, parce que j'aimais cet endroit, et parce que la gérante adjointe me donnait toujours les beignets invendus de la boulangerie. Nous parlions de musique – de groupes que je n'avais jamais entendus et de mon envie de devenir une musicienne et de parcourir le monde. Nous ne parlions jamais de nous – de savoir si nous étions amis ou autre chose. J'aurais aimé qu'il aborde le sujet, mais il s'en abstenait. J'aurais aimé qu'il me le fasse sentir d'une autre façon – en me prenant par la main ou en me passant un bras autour de l'épaule –, mais de cela aussi, il s'abstenait.

Vendredi, nous sommes restés dehors tard, et quand je suis rentrée, la maison était plongée dans le noir. L'ordinateur de maman était allumé, l'économiseur d'écran baignait le salon d'une lumière verte. Je me suis assise devant et j'ai machinalement consulté le site de la BYU. Les notes étaient en ligne. J'étais reçue. J'avais même fait mieux qu'être reçue : j'avais obtenu un A dans tous les sujets sauf Civilisation occidentale. J'obtiendrais une bourse couvrant la moitié de mes frais de scolarité. Je pouvais y retourner.

Charles et moi sommes sortis l'après-midi suivant au parc, en nous balançant paresseusement sur des balançoires en pneus recyclés. Je lui ai mentionné la bourse. J'avais l'intention de me vanter, mais en le faisant j'ai aussi trahi mes peurs. Je lui ai avoué que je ne devrais même pas être à l'université, qu'on devrait d'abord m'obliger à terminer le lycée. Ou au moins à le commencer.

Tandis que je lui parlais, Charles a gardé le silence. Et, pendant un long moment, il n'a plus rien dit.

« Tu es en colère que tes parents ne t'aient pas mise à l'école ? m'a-t-il enfin demandé.

— C'était un avantage ! » me suis-je exclamée vivement. Ma réaction était instinctive. C'était comme d'entendre une chanson entêtante : je ne pouvais m'empêcher d'enchaîner sur le vers suivant. Charles m'a observée d'un œil sceptique, comme s'il me suggérait de concilier cette réaction avec ce que je venais de dire.

« Eh bien, moi, je suis en colère, a-t-il déclaré. Même si toi, tu ne l'es pas. »

Je n'ai rien répondu. Personne n'avait jamais critiqué mon père, excepté Shawn, et je n'étais pas apte à réagir. J'avais envie de parler à Charles des Illuminati, mais ce mot-là appartenait à mon père et, ne fût-ce que dans ma tête, il me semblait maladroit, emprunté. J'avais honte de mon inaptitude à en prendre possession. Je croyais, à l'époque – et une partie de moi y croira toujours –, que je devais faire miennes les paroles de mon père.

Tous les soirs, pendant un mois, lorsque je rentrais de la ferraille, je passais une heure à récurer la crasse de mes ongles et la saleté de mes oreilles. Je me brossais les cheveux pour les démêler et j'appliquais gauchement du maquillage. Je me massais la pulpe des doigts avec une lotion pour ramollir les cals, juste au cas où Charles les toucherait enfin.

Quand il a fini par oser, nous étions dans sa jeep, en route pour aller regarder un film chez lui. Nous débouchions tout juste sur la route parallèle à Fivemile Creek quand sa main est passée au-dessus du levier de vitesse et s'est posée sur la mienne. Elle était chaude et j'avais envie de la prendre, mais je l'ai aussitôt retirée comme si la sienne m'avait brûlée. Cette réaction était involontaire, et j'aurais aimé pouvoir l'effacer. Elle s'est répétée quand il a essayé une deuxième fois. Mon corps s'est convulsé, cédant à une puissante et étrange pulsion.

Cette réaction instinctive m'a traversée sous la forme d'un mot, une déclaration audacieuse, lyrique, forte, démonstrative. Ce mot n'était pas nouveau. Il était en moi depuis un moment, étouffé, immobile, comme en sommeil, dans un recoin de ma mémoire. En me touchant, Charles l'avait réveillé, et je sentais ce mot palpiter en moi.

J'ai glissé mes mains sous mes genoux et me suis appuyée contre la fenêtre. J'étais incapable de le laisser m'approcher – ni ce soir, ni aucun autre soir pendant des mois – sans frémir à ce mot, mon mot, qui ressurgissait de ma mémoire. *Putain*.

Nous sommes arrivés devant sa maison. Charles a allumé la télévision et s'est installé dans le sofa ; je me suis posée sur le côté, avec légèreté. Les lumières ont diminué, le générique a commencé. Charles s'est rapproché de moi, lentement au début, avec plus d'assurance ensuite, jusqu'à ce que sa jambe effleure la mienne. Dans ma tête, j'ai sursauté, j'ai couru mille kilomètres en l'espace d'un battement de cœur. Dans la réalité, j'ai juste tressailli. Charles a tressailli, lui aussi – je l'avais fait sursauter. J'ai changé de position, en m'enfonçant de tout mon corps contre l'accoudoir du sofa, en rassemblant tous mes membres, en les éloignant de lui. J'ai maintenu cette pose artificielle pendant peut-être vingt secondes, jusqu'à ce qu'il comprenne, en percevant les mots que je ne pouvais prononcer, et se laisse glisser au sol.

20

Les récits des pères

Charles aura été mon premier ami issu de cet autre
monde – celui contre lequel mon père avait essayé
de me protéger. Il était conventionnel, à tous égards
et pour toutes les raisons qui poussaient mon père à
détester le conventionnalisme : il parlait davantage
de football et de marques réputées que de la Fin des
Temps ; il adorait tout au lycée ; il allait à l'église mais,
comme la plupart des mormons, s'il était malade, il
était plus enclin à appeler un médecin qu'un prêtre
mormon.

J'étais incapable de concilier le monde de Charles
avec le mien, et je les ai donc séparés. Tous les soirs,
je guettais sa jeep rouge de ma fenêtre, et quand elle
faisait son apparition sur la route, je courais à la porte.
Le temps qu'il ait grimpé la colline, je l'attendais sur
la pelouse, et avant qu'il ait pu en descendre, j'étais
montée dedans, et me disputais déjà avec lui au sujet
de ma ceinture de sécurité. (Il refusait de rouler tant
que je ne l'avais pas attachée.)

Un jour, arrivé plus tôt, il s'est dirigé vers notre porte. J'ai fait les présentations avec nervosité, tandis que ma mère préparait un mélange de bergamote et d'ylang-ylang, en claquant des doigts pour tester les proportions. Elle lui a dit bonjour, sans arrêter de battre l'air de ses doigts. Quand Charles m'a regardée, surpris, mère a expliqué que Dieu lui parlait à travers ses doigts.

« Hier, j'ai pu vérifier qu'aujourd'hui j'aurais une migraine si je ne prenais pas un bain de lavande, a-t-elle expliqué. J'ai pris ce bain, et vous savez quoi ? Pas de migraine !

— Les médecins sont incapables de soigner une migraine avant qu'elle ne se déclenche, est intervenu papa. Mais le Seigneur, Lui, Il le peut ! »

Nous sommes sortis, en direction de la jeep.

« Ta maison a toujours cette odeur ? a demandé Charles.

— Une odeur de quoi ?

— De plantes pourries. »

J'ai haussé les épaules.

« Tu as bien dû la sentir, a-t-il insisté. C'était fort. J'ai déjà remarqué cette odeur. Sur toi. Tu sens toujours comme ça. Et puis zut, moi aussi, sans doute, maintenant. »

Il a reniflé sa chemise. J'ai gardé le silence. Je n'avais rien perçu.

Papa trouvait que je devenais « bêcheuse ». Il n'appréciait pas que je quitte la ferraille et que je me précipite vers la maison dès que j'avais fini de travailler, ou que je supprime toute trace de cambouis avant de sortir avec Charles. Il savait que je préférais emballer de l'épicerie chez Stokes que conduire un chargeur à Blackfoot, la ville poussiéreuse située à une heure plus au nord où papa construisait une salle de traite. Cela le contrariait, de savoir que j'avais envie d'être ailleurs, habillée comme quelqu'un d'autre.

Sur le site de Blackfoot, il m'inventait de curieuses tâches, comme si m'en charger allait me remémorer qui j'étais. Un jour, alors que nous étions dix mètres en l'air, et que nous sautions de panne en panne sur le toit inachevé – sans harnais parce que nous n'en mettions jamais –, papa s'est rendu compte qu'il avait laissé son cordeau à tracer de l'autre côté du bâtiment.

« Va me chercher ce cordeau, Tara ! » J'ai fait le calcul, j'allais devoir sauter de panne en panne, une quinzaine en tout, espacées d'un mètre vingt, récupérer le cordeau, puis enjamber le même nombre de pannes au retour. C'était exactement le genre d'ordre auquel Shawn répliquait généralement : *Elle ne fera pas ça.*

« Shawn, tu me rapproches avec le chariot élévateur ?

— Tu peux bien aller le chercher, m'a répondu mon frère. À moins que ta fac chic et ton petit copain snob t'aient rendue trop bonne pour ça. »

Ses traits se sont durcis, d'une manière qui m'a paru à la fois familière et inédite. J'ai franchi la longueur d'une panne en équilibre instable, jusqu'à la poutre de rive du toit, en bordure de l'étable. En un sens, c'était plus dangereux – si je tombais sur ma droite, il n'y aurait pas de pannes pour m'arrêter – mais la poutre de rive était plus épaisse, et je pouvais y marcher à la manière d'une funambule.

C'était ainsi que papa et Shawn étaient devenus comme deux camarades, même s'ils n'étaient d'accord que sur un point : mes difficultés avec le monde de l'instruction m'avaient rendue bêcheuse, et ce dont j'avais besoin, c'était qu'on me ramène vers le passé. Qu'on me fixe, qu'on m'ancre dans une ancienne version de moi-même.

Shawn était doué pour le langage, il savait s'en servir pour définir les autres. Il s'est mis à fouiller dans son répertoire de sobriquets. Pendant quelques semaines, «Poupée» a été son favori. «Poupée, va me chercher une meule», braillait-il. «Poupée, monte un peu la flèche de la grue !» Ensuite, il scrutait mon visage, en quête d'une réaction. Il n'en trouvait jamais. Ensuite, il a essayé «Wilbur», le cochon des livres pour enfants. Parce que je mangeais beaucoup, expliquait-il. «En voilà un cochon», criait-il en sifflant quand je me penchais pour fixer une vis ou prendre une mesure.

En fin de journée, il avait pris l'habitude de traîner. Je pense qu'il voulait être dans les parages quand Charles arrivait en voiture. Il avait, semblait-il, tout le temps besoin de remettre de l'huile dans le moteur de son pick-up. Le premier soir où il se trouvait là, j'ai couru et sauté dans la jeep avant qu'il ne puisse prononcer un mot. Le lendemain soir, il m'a grillée au poteau. « Elle est pas superbe, Tara ? a-t-il beuglé en s'adressant à Charles. Des yeux de poisson, et presque aussi intelligente. » C'était une vieille taquinerie, éculée d'avoir trop servi. Sachant que, sur le chantier, je n'y réagirais pas, il l'avait gardée en réserve, dans l'espoir qu'elle ait conservé tout son mordant devant Charles.

Le soir suivant : « Vous sortez dîner ? Te mets pas entre Wilbur et sa pâtée. Y restera rien d'autre de toi qu'une flaque par terre. »

Charles ne réagissait jamais. Nous avions noué une sorte d'accord tacite – celui d'entamer nos soirées dès que la montagne disparaissait dans le rétroviseur. Dans notre monde à tous les deux, il y avait des stations-service et des cinémas, il y avait des bagnoles garées le long de la route tels des bibelots, pleines de gens qui riaient ou klaxonnaient, et nous faisaient signe de la main parce que c'était une petite ville et que tout le monde connaissait Charles. Il y avait des chemins de terre couverts d'une poussière blanche comme de la craie, des canaux couleur ragoût de bœuf, et des champs de blé mordoré qui s'étendaient à l'infini. Il n'y avait plus de Buck's Peak.

Dans la journée, en revanche, il n'y en avait que pour Buck's Peak – et pour le site de Blackfoot. Shawn et moi passions le gros de la semaine à fabriquer des pannes pour terminer le toit de l'étable. Nous utilisions une machine de la taille d'un mobile home pour les presser en forme de Z, ensuite nous fixions des brosses métalliques sur des ponceuses et poncions la rouille afin de les peindre. Une fois la peinture sèche, nous les empilions à côté de l'atelier, mais en à peine deux jours, le vent de la montagne les recouvrait d'une poussière noire, qui se transformait en couche de crasse en se mélangeant aux graisses sur le fer. Il fallait alors les laver avant de pouvoir les charger ; j'allais donc chercher un torchon et un seau d'eau.

La journée était chaude, et je m'essuyais le front trempé de sueur. Mon bandeau s'est rompu. Je n'en avais pas de rechange. Le vent soufflait de la montagne, balayant les mèches de mes cheveux, que j'écartais de la main. J'avais les mains noires de cambouis, et chaque geste me laissait une traînée noire sur le visage.

Quand j'eus fini de nettoyer les pannes, j'ai appelé Shawn. Il a surgi de derrière une poutrelle en T et relevé son masque de soudure. En m'apercevant, son visage s'est éclairé d'un grand sourire.

«Notre négresse est de retour !»

L'été où Shawn et moi avions manié la Cisaille, un de ces après-midi, je m'étais essuyé la sueur de la figure tant de fois que, à l'heure où on avait dételé pour le souper, j'avais la figure noire. C'était la première fois que mon frère m'avait traitée de «négresse». Le terme était surprenant, mais pas inédit. J'avais entendu papa l'utiliser, et je savais plus ou moins ce qu'il signifiait. Mais d'un autre côté, je n'avais pas l'impression qu'il signifiait quoi que ce soit. Je n'avais jamais vu qu'une seule personne noire, une fillette, la fille adoptive d'une famille, à l'église. À l'évidence, ce n'était pas elle que papa avait en tête.

Shawn m'avait appelée sa négresse tout l'été. « Négresse, cours me chercher ces serre-joints ! » Ou : « C'est l'heure du déjeuner, négresse ! » Il ne m'avait plus lâchée avec ça.

Mais le monde avait été chamboulé : j'étais entrée à l'université, je m'étais aventurée dans un amphithéâtre et j'avais écouté, les yeux grands ouverts, le cerveau en effervescence, les cours d'histoire américaine que donnait le professeur Richard Kimball, d'une voix sonore et concentrée. J'avais entendu papa parler de l'esclavage, et j'avais lu des choses à ce sujet dans son livre préféré sur la fondation de l'Amérique. J'y avais lu qu'à l'époque coloniale, les esclaves étaient plus heureux et plus libres que leurs maîtres, car leurs maîtres devaient assumer le fardeau de leur entretien. Pour moi, c'était logique.

Le jour où le professeur Kimball nous avait dispensé un cours sur l'esclavage, un dessin au fusain représentant un marché aux esclaves avait été projeté sur un écran au-dessus de sa tête : aussi grand qu'au cinéma, il dominait la salle. Ce dessin présentait une scène chaotique. Des femmes debout, nues, ou à moitié, enchaînées, et des hommes en cercle autour d'elles. Puis le claquement du projecteur de diapositives avait retenti. L'image suivante était une photographie ancienne, en noir et blanc. En partie effacée, surexposée, cette image demeure emblématique. Un homme y est assis, torse nu, il expose à l'objectif toute une trame de cicatrices protubérantes, entrecroisées. Sa chair ne ressemble plus à de la chair, étant donné ce qu'il a subi.

Au cours des semaines suivantes, j'avais découvert quantité d'autres images. J'avais déjà entendu parler de la Grande Dépression, lorsque j'avais joué le rôle d'Annie, mais ces diapositives d'hommes en chapeau et redingote dans les files d'attente des soupes populaires étaient nouvelles pour moi. Pendant un cours sur la Seconde Guerre mondiale, le professeur Kimball nous avait présenté d'autres photos : des formations d'avions de combat, alternant avec les vestiges de villes bombardées. S'y ajoutaient des visages – Franklin Delano Roosevelt, Hitler, Staline. Puis, la Seconde Guerre mondiale avait disparu en même temps que le faisceau du projecteur.

La fois suivante, de nouveaux visages figuraient sur l'écran. Des visages noirs. Je n'avais plus vu de tels visages durant ce cours – plus depuis celui sur l'esclavage, me semble-t-il. J'avais oublié ces autres Américains, qui m'étaient étrangers. Je n'avais même pas essayé d'imaginer la fin de leur servitude : pour moi, tout le monde avait certainement fini par entendre la voix de la justice, et le problème avait été résolu.

Tel était mon état d'esprit quand le professeur Kimball a entamé un cours sur ce qu'il appelait le mouvement des droits civiques. Une date était apparue à l'écran : 1963. J'ai pensé alors qu'il s'agissait d'une erreur – je me rappelais que la Proclamation d'émancipation avait été promulguée en 1863. Incapable de m'expliquer cet écart de cent années, j'ai néanmoins copié la date dans mes notes, avec un point d'interrogation. Mais à mesure que d'autres photographies défilaient, j'ai compris que ce n'était pas le cas : les photos étaient en noir et blanc, mais les sujets étaient modernes – vivants, clairs et nets. Ce n'étaient plus les natures mortes d'une époque révolue ; elles saisissaient des mouvements. Des manifestations. La police. Des pompiers braquant des lances à incendie sur de jeunes hommes.

Le professeur Kimball égrenait des noms qui m'étaient inconnus. Rosa Parks. L'image d'un policier appuyant l'index d'une femme sur un tampon encreur s'est affichée. Elle avait pris un siège, dans un bus, a expliqué le professeur. J'ai compris qu'elle avait emporté ce siège, qu'elle l'avait volé, même si cela m'a paru bizarre.

Son image a laissé place à une autre. Un garçon noir en chemise blanche et cravate, coiffé d'un feutre gris. Je n'avais jamais entendu son histoire. Je m'interrogeais encore au sujet de Rosa Parks, quand est apparue l'image d'un cadavre. Ils ont repêché son corps dans la rivière, a précisé le professeur Kimball.

Une date était inscrite en dessous : 1955. Ma mère avait quatre ans, en 1955. Lorsque j'en ai pris conscience, la distance entre Emmett Till et moi s'est réduite à néant. Ma proximité avec ce garçon assassiné aurait pu se mesurer aux vies des gens que je connaissais. Ça ne se mesurait plus par rapport aux changements historiques ou géologiques – la chute des civilisations ou l'érosion des montagnes –, mais dans les rides qui creusaient le visage de ma mère.

Le nom suivant était celui de Martin Luther King Jr. Je n'avais jamais vu son visage auparavant, ni entendu son nom, et il m'a fallu plusieurs minutes pour comprendre que le professeur Kimball n'évoquait pas Martin Luther, dont j'avais entendu parler. Et il m'a fallu encore d'autres longues minutes pour relier ce nom à la photo sur l'écran – celle d'un homme à la peau noire qui se tenait devant un temple de marbre blanc, entouré d'une foule importante. Je venais juste de comprendre qui il était et pourquoi il discourait quand on a annoncé qu'il avait été assassiné. J'étais encore assez ignorante pour être surprise.

« Notre négresse est de retour ! »

Je ne sais pas ce que Shawn a vu sur mon visage – était-ce le choc, la colère ou une expression de vacuité. Quoi qu'il en soit, il en était enchanté. Il avait trouvé une vulnérabilité, un point faible. Il était trop tard pour feindre l'indifférence.

« Arrête de m'appeler comme ça ! Tu ne sais même pas ce que ça signifie.

— Bien sûr que si. Tu as du noir partout sur la figure, pareil qu'une négresse ! »

Pour le reste de l'après-midi – le reste de l'été –, j'ai été la négresse. Auparavant, j'abordais ça avec indifférence. Ça m'amusait plutôt, et je trouvais Shawn spirituel. Maintenant, j'avais envie de le bâillonner. Ou de l'installer avec un bon livre d'histoire, tant que ce n'était pas celui que papa conservait toujours au salon, sous un exemplaire encadré de la Constitution des États-Unis.

J'étais incapable de formuler ce que ce surnom m'inspirait. Shawn l'avait choisi pour m'humilier, pour me bloquer dans un temps, dans une idée ancienne de moi-même. Mais au lieu de me figer sur place, ce mot me transportait. Chaque fois qu'il le prononçait – « Hé, négresse, redresse la flèche de la grue » ou « va me chercher un niveau, négresse » –, je repartais à l'université, me retrouvais dans cet amphithéâtre, où j'avais vu l'histoire humaine se dérouler et où je m'étais questionnée sur la place que j'y occupais. Chaque fois que Shawn braillait « négresse, passe à la rangée suivante », les histoires d'Emmett Till, de Rosa Parks et de Martin Luther King me revenaient en tête. Je voyais leurs visages se superposer à chaque panne de charpente que Shawn soudait. Tant et si bien qu'à la fin, je commençais à saisir une notion qui aurait dû m'être révélée bien avant : quelqu'un s'était opposé à la grande marche vers l'égalité, quelqu'un avait été celui à qui il fallait arracher cette liberté.

Je ne pensais pas que mon frère était cette personne. Je doute d'avoir jamais pensé à lui en ces termes. Néanmoins, quelque chose avait changé. Je m'étais engagée sur le chemin de la conscience, j'avais perçu quelque chose d'élémentaire concernant mon frère, mon père, moi-même. Je sentais en quoi nous avions été façonnés par une tradition qui nous avait été léguée par d'autres, une tradition que nous ignorions, volontairement ou accidentellement. Je commençais à comprendre que nous avions prêté nos voix à un discours dont le seul objectif était de déshumaniser et de brutaliser les autres – parce que nourrir ce discours était plus facile, parce que conserver le pouvoir semble être la voie de l'avenir.

J'aurais été incapable de le formuler en ces termes, pas tant que je transpirais d'un bout à l'autre de ces après-midi de plomb, sur ce chariot élévateur. Je ne possédais pas le langage que je possède aujourd'hui. Mais je comprenais au moins ce fait : on m'avait traitée un millier de fois de négresse, et j'avais ri, et maintenant j'étais incapable d'en rire. Le mot et la manière dont Shawn le prononçait n'avaient pas changé ; seules mes oreilles étaient différentes. Elles n'entendaient plus l'accent de la plaisanterie. Ce qu'elles percevaient, c'était un signal, un appel à travers le temps, auquel répondait une conviction croissante : plus jamais je ne me laisserais embrigader dans un conflit que je ne comprenais pas.

21

Scutellaire

Papa m'a payée la veille de mon retour à la Brigham Young University. Il ne disposait pas d'assez d'argent pour me donner ce qu'il m'avait promis, mais cela suffisait à couvrir la première moitié des frais de scolarité qui était due. J'ai passé ma dernière journée dans l'Idaho, avec Charles. C'était un dimanche, mais je ne suis pas allée à l'église. Je souffrais d'une otite depuis deux jours, et pendant la nuit l'élancement diffus s'était mué en douleur aiguë, permanente. J'avais de la fièvre. Ma vision était déformée, sensible à la lumière. C'est alors que Charles m'a appelée. Est-ce que je voulais venir chez lui ? J'ai répondu que je ne voyais pas assez bien pour conduire. Un quart d'heure plus tard, il est venu me chercher.

En me tenant l'oreille dans le creux de la main, je me suis affalée dans le siège passager, puis j'ai retiré mon blouson et me le suis mis sur la tête pour faire barrage à la lumière. Charles m'a demandé quel médicament j'avais pris.

«De la lobélie. Et de la scutellaire.

— Je ne pense pas que ça agisse, m'a-t-il prévenue.

— Si. Ça va mettre quelques jours.»

Il a haussé les sourcils, sans rien ajouter.

La maison de Charles était rangée et spacieuse, avec de grandes fenêtres lumineuses et des sols rutilants. Elle me rappelait celle de grand-mère-en-ville. Je me suis assise sur un tabouret, la tête contre le comptoir froid. J'ai entendu le grincement d'une porte de placard qui s'ouvre et le *pop* d'un couvercle en plastique. Quand j'ai ouvert les yeux, deux comprimés rouges étaient posés sur le comptoir devant moi.

«C'est ce que les gens prennent contre la douleur, a-t-il précisé.

— Pas nous.

— Nous? Qui est-ce? Tu pars demain. Tu n'es plus l'une des leurs.»

J'ai fermé les yeux, avec l'espoir qu'il laisse tomber.

«À ton avis, si tu avales ces comprimés, que va-t-il se passer?»

Je n'ai pas répondu. Je ne savais pas ce qui se passerait. Mère répétait tout le temps que les médicaments étaient une forme particulière de poison, qui ne quitte jamais le corps mais vous pourrit lentement de l'intérieur pour le restant de votre existence. Elle me soutenait que si je prenais un médicament maintenant, même si je n'avais pas d'enfants avant dix ans, ils naîtraient difformes.

«Les gens prennent des médicaments contre la douleur, a-t-il dit. C'est normal.»

J'ai dû tressaillir au mot «normal», car il s'est tu. Il a rempli un verre d'eau et l'a placé devant moi, puis il a délicatement poussé les comprimés vers moi, jusqu'à ce qu'ils viennent au contact de mon bras. J'en ai pris un dans la main. Je n'avais encore jamais vu de comprimé de près. C'était plus petit que je ne m'y attendais.

Je l'ai avalé, puis l'autre.

Aussi loin que remontent mes souvenirs, chaque fois que j'avais mal quelque part, que ce soit à cause d'une coupure ou d'un mal de dents, mère préparait une teinture de lobélie et de scutellaire. Ainsi, j'avais fini par respecter la douleur, même par la révérer, aussi nécessaire qu'intouchable.

Vingt minutes après avoir avalé ces pilules rouges, j'ai senti que mon mal d'oreille avait disparu. J'étais incapable de comprendre son absence. J'ai passé l'après-midi à balancer la tête de gauche à droite, pour tenter de libérer, de relancer la douleur. Je pensais que si j'étais capable de crier assez fort, ou de bouger assez vite, cette souffrance auriculaire allait peut-être revenir et je saurais qu'en fin de compte le médicament n'était qu'une imposture.

Charles m'observait en silence, mais il devait juger mon comportement absurde, surtout quand je me suis mise à tirer sur mon oreille, qui était encore vaguement endolorie, afin de tester les limites de cette étrange sorcellerie.

Mère était censée me conduire à la BYU, le lendemain matin, mais dans la nuit, elle avait été appelée pour mettre un bébé au monde. Il y avait un véhicule stationné dans l'allée – une Kia Sephia que papa avait achetée à Tony quelques semaines plus tôt. La clé était sur le démarreur. J'ai chargé mes affaires dedans et j'ai roulé jusqu'en Utah, calculant que la voiture compenserait tout juste la somme d'argent que papa me devait. J'imagine que c'est aussi ce qu'il en a déduit parce qu'il n'en a jamais touché un mot.

Je me suis installée dans un appartement à moins de huit cents mètres de l'université. J'avais de nouvelles colocataires. Robin était grande et athlétique et, la première fois que je l'ai vue, elle portait un short de jogging qui était bien trop court, mais je ne suis pas restée bouche bée devant elle. Quand j'ai fait la connaissance de Jenni, elle buvait un Coca Light. Mon regard ne s'est pas arrêté non plus sur sa boisson, parce que j'avais vu Charles en boire des dizaines.

Robin était la plus âgée et, je ne savais trop pourquoi, elle m'était sympathique. En un sens, elle comprenait que mes faux pas étaient le fruit de l'ignorance, et non de l'intention, et elle me corrigeait gentiment, mais avec franchise. Elle me disait exactement ce qu'il fallait que je fasse, ou pas, pour m'entendre avec les autres filles de l'appartement. Plus question de conserver des aliments en les laissant pourrir dans les placards ou de laisser des assiettes rancies dans l'évier.

Robin m'a expliqué ceci lors d'une réunion des colocataires. Quand elle a eu fini, une autre, Megan, s'est raclé la gorge.

«J'aimerais vous rappeler à toutes de vous laver les mains après être passées aux toilettes, a-t-elle fait. Et pas juste avec de l'eau, mais avec du savon.»

Robin a levé les yeux au ciel.

«Je suis sûre qu'ici tout le monde se lave les mains.»

Ce soir-là, après être sortie des toilettes, je me suis arrêtée au lavabo et je me suis lavé les mains. Avec du savon.

Le lendemain, c'était le premier jour de cours. Charles m'avait composé mon emploi du temps. Il m'avait inscrite à deux cours de musique et à un autre de religion – des matières qui seraient faciles pour moi. Ensuite, il m'avait enrôlée dans deux autres cours exigeants – algèbre, qui me terrifiait, et biologie, qui ne m'effrayait pas, mais uniquement parce que je ne savais pas ce que c'était.

L'algèbre a failli me priver de ma bourse. Le professeur passait chaque cours à ânonner d'une voix inaudible en allant et venant devant le tableau noir. Je n'étais pas la seule à être perdue, mais je l'étais plus que tous les autres. Charles essayait de m'aider, mais il entamait sa terminale au lycée et il avait son propre travail. En octobre, j'ai présenté les épreuves de mi-trimestre, et j'ai échoué.

Je n'en dormais plus. Je veillais tard, tortillais mes cheveux au point de faire des nœuds, m'efforçant de percer à jour le contenu du manuel, avant de m'allonger sur mon lit et de broyer du noir devant mes cours. Je me suis mise à souffrir d'ulcère à l'estomac. Un jour, Jenni m'a trouvée recroquevillée sur la pelouse d'un résident que je ne connaissais pas, à mi-chemin entre le campus et notre appartement. J'avais le ventre en feu, je tremblais de douleur, mais j'ai refusé qu'elle me conduise à l'hôpital. Elle s'est assise à côté de moi durant une demi-heure, puis elle m'a raccompagnée chez nous, à pied.

Mon mal au ventre s'est intensifié, me brûlant toutes les nuits, m'empêchant de dormir. Comme j'avais besoin d'argent pour le loyer, je me suis déniché un poste de gardienne du bâtiment d'ingénierie. Mon service commençait tous les matins à 4 heures. Entre les ulcères et mon emploi, je dormais à peine. Jenni et Robin ne cessaient de me répéter d'aller consulter un médecin, ce que je refusais. Lorsque je rentrerais chez moi pour Thanksgiving, ma mère me soignerait, leur expliquais-je. Elles échangeaient des regards inquiets sans répondre.

Au téléphone, Charles m'a signifié que mon comportement était autodestructeur, que je souffrais d'une incapacité pathologique à demander de l'aide. Quand il parlait, c'était presque un chuchotement.

Je lui ai répliqué qu'il était dingue.

«Alors va parler à ton professeur d'algèbre ! Tu es en situation d'échec. Demande de l'aide.»

Il ne m'était jamais venu à l'esprit de parler à un professeur – je ne savais pas que nous étions autorisés à le faire –, alors j'ai décidé d'essayer, ne serait-ce que pour prouver à Charles que j'en étais capable.

Quelques jours avant Thanksgiving, j'ai frappé à la porte de son bureau. Il paraissait plus petit qu'en salle de cours, et plus luisant : la lampe au-dessus de sa table de travail se reflétait sur son crâne et ses lunettes. Il fouillait dans ses papiers et, lorsque je me suis assise, il n'a pas levé les yeux.

« Si je rate ce cours, je perds ma bourse », ai-je déclaré, sans toutefois préciser que, sans bourse, je ne pourrais plus revenir.

« Je suis désolé, a-t-il répondu en me regardant à peine. Mais c'est un établissement difficile. Il vaudrait mieux que vous reveniez quand vous serez plus âgée. Ou vous faire transférer. »

Ignorant ce qu'il entendait par « transférer », je n'ai pas commenté. Je me suis levée pour m'en aller et, pour une raison qui m'échappe, cela l'a radouci.

« À vrai dire, a-t-il repris, beaucoup d'étudiants échouent. » Il s'est redressé. « Que pensez-vous de ceci : l'examen de fin d'année couvre toutes les matières du semestre. Je vais annoncer en cours que tout étudiant qui obtient une note parfaite à cette épreuve – non pas un quatre-vingt-dix-huit, mais vraiment un cent – aura un A, quels qu'aient été ses résultats à l'épreuve de mi-trimestre. Ça vous semble juste ? »

Je lui ai répondu que oui. Ce n'était pas gagné, mais j'étais la reine des situations perdues d'avance. J'ai appelé Charles. Je lui ai annoncé que je rentrais dans l'Idaho pour Thanksgiving et qu'il me fallait quelqu'un qui m'aide en algèbre. Il m'a promis de me retrouver à Buck's Peak.

22

Ce que nous avons chuchoté
et ce que nous avons crié

À mon arrivée au Peak, mère préparait le repas de Thanksgiving. La grande table en chêne était couverte de bocaux de teintures et de flacons d'huiles essentielles, que j'ai débarrassés. Charles venait pour le dîner.

Shawn était d'humeur sombre. Il était assis à table et me regardait ranger les flacons, laver la porcelaine de ma mère, qui n'avait jamais servi, et dresser la table, en veillant à la bonne distance entre chaque assiette et son couteau.

Shawn s'agaçait de me voir faire tant de chichis.

«C'est juste Charles, s'est-il moqué. Ses exigences ne sont pas si élevées. Il est avec toi, après tout.»

Je suis allée chercher les verres. Quand j'en ai placé un devant lui, il m'a planté un doigt dans les côtes, en appuyant fort.

«Ne me touche pas!» me suis-je écriée d'une voix perçante. Et soudain, la pièce a basculé. On venait de me faucher les pieds et on m'a traînée dans le salon, hors de la vue de maman.

Il m'a retournée sur le dos et s'est assis sur mon ventre, en me clouant les bras le long du corps avec ses genoux. La brutalité de son geste m'a vidé le souffle de la poitrine. Il a appuyé de l'avant-bras contre ma trachée. J'ai toussé, tâchant d'avaler assez d'air pour hurler. En vain, les voies aériennes étaient bloquées.

«Quand tu te comportes comme une gamine, tu me forces à te traiter comme une gamine.»

Il a presque hurlé en disant ça. Il ne me parlait pas mais il s'adressait à notre mère, pour bien préciser ce moment : j'étais une enfant qui se conduisait mal, et il corrigeait l'enfant. La pression sur ma trachée s'est relâchée et j'ai ressenti une délicieuse plénitude gagner mes poumons. Il savait que je n'appellerais pas au secours.

«Ça suffit ! a crié ma mère depuis la cuisine, sans que je sache si elle s'adressait à Shawn ou à moi.

— Beugler, c'est malpoli, a répété mon frère, en s'adressant encore à la cuisine. Tu vas rester par terre jusqu'à ce que tu t'excuses.»

Je lui ai dit que j'étais désolée. Un instant plus tard, j'étais debout.

J'ai plié des serviettes en papier et j'en ai posé une à chaque place. Arrivée à l'assiette de Shawn, j'ai senti son doigt s'enfoncer de nouveau dans mes côtes. Je n'ai pas réagi.

Charles est arrivé tôt – papa n'était pas encore rentré de la ferraille – et s'est assis face à Shawn, qui le fixait d'un regard noir. Je redoutais de les laisser seuls, mais ma mère avait besoin d'aide en cuisine, je suis donc retournée aux fourneaux en m'efforçant de trouver des raisons de revenir régulièrement à la table. Lors d'un de ces allers-retours, j'ai entendu Shawn parler à Charles de ses fusils. Et durant un autre, de toutes les méthodes qu'il était capable d'employer pour tuer un homme. Les deux fois, j'ai lâché un rire sonore, dans l'espoir que Charles prendrait cela pour une plaisanterie. La troisième fois que je suis revenue à la table, Shawn m'a attirée sur ses genoux. Cette fois-là, j'ai encore ri.

La comédie ne pouvait durer, pas même jusqu'au dîner. Alors que je passais devant Shawn avec un grand plat en porcelaine chargé de petits pains, il a planté son doigt dans mon ventre si brutalement que j'en ai eu le souffle coupé. J'ai laissé échapper le plat, qui s'est fracassé.

« Pourquoi tu as fait ça ? » ai-je hurlé.

La suite est arrivée si vite que je ne sais plus comment Shawn m'a plaquée au sol. Je me suis retrouvée sur le dos, et lui sur moi. Il a exigé que je m'excuse d'avoir cassé ce plat. J'ai murmuré ces excuses, à voix basse, pour que Charles n'entende pas. Et ça a mis Shawn en rage. Il m'a empoignée par les cheveux – cette fois encore, près de la racine, pour avoir plus de prise – et m'a forcée à me relever avant de me traîner vers les toilettes. Tout s'est passé très vite. Charles n'a pas eu le temps de réagir. La dernière chose que j'ai vue, alors que Shawn me tirait brutalement par les cheveux dans le couloir, c'était Charles qui se levait d'un bond, les yeux écarquillés, le visage pâle.

Shawn me maintenait le poignet replié, le bras tordu dans le dos, et il m'a forcée à plonger la tête dans la cuvette des toilettes. Mon nez était juste au-dessus de l'eau. Shawn hurlait, mais je n'entendais pas quoi. Je guettais des pas dans le couloir et, dès que je les ai entendus, la panique s'est emparée de moi. Il était impossible que Charles me voie ainsi. Il ne pouvait pas découvrir qu'en dépit de tous mes faux-semblants – mon maquillage, mes nouvelles tenues, mes couverts en porcelaine –, c'était ça que j'étais.

Je me suis tordue, cambrée de tout mon corps, et suis arrivée à arracher mon poignet à Shawn. Ça l'a surpris, j'étais plus forte qu'il ne s'y attendait, ou peut-être juste plus imprudente, et il a perdu prise. J'ai bondi vers la porte. J'avais atteint le seuil et mis un pied dans le couloir quand ma tête est repartie violemment en arrière – Shawn m'avait rattrapée par les cheveux. Il m'a tirée à lui avec une force telle que nous avons tous les deux basculé et atterri dans la baignoire.

Ensuite, tout ce dont je me souviens, c'est Charles me relevant, et moi qui ris – un hululement suraigu de démente. Je pensais que si je réussissais à rire assez fort, les apparences pourraient encore rester sauves, et Charles se laisserait convaincre que tout ça, c'était pour rire. Les larmes me montaient aux yeux – mon gros orteil était fracturé – mais je continuais de glousser. Shawn se tenait dans l'encadrement de la porte, l'air bizarre.

«Est-ce que ça va ? s'inquiétait Charles.

— Bien sûr que ça va ! Shawn est si si si… marrant. »

Tandis que je prononçais ce dernier mot, ma voix s'est étranglée. Au moment où je posais le pied par terre, une onde de douleur m'a traversée. Charles a essayé de me porter, mais je l'ai repoussé et j'ai marché sur mon pied fracturé, en serrant les dents pour ne pas pleurer, tout en flanquant des tapes à mon frère, comme par jeu.

Charles n'est pas resté dîner. Il s'est enfui vers sa jeep et je n'ai pas eu de nouvelles avant plusieurs heures. Puis il m'a appelée et demandé de le rejoindre à l'église. Il refusait de revenir à Buck's Peak. Nous sommes restés assis dans la voiture, sur le parking désert et noir. Il pleurait.

«Ce que tu as vu, c'est pas ce que tu crois», ai-je dit.

Si quelqu'un m'avait posé la question, j'aurais juré que Charles était ce qu'il y avait pour moi de plus important au monde. Mais en réalité, non. Et je le lui prouverais. Ce qui était important pour moi, ce n'était pas l'amour ou l'amitié, mais ma faculté de me mentir à moi-même, et de me convaincre que j'étais forte. Je ne pourrais jamais pardonner à Charles d'avoir découvert que je ne l'étais pas.

Je suis devenue fantasque, exigeante, hostile. J'ai inventé une sorte de barème, qui évoluait, selon lequel je mesurais son amour pour moi et, quand il n'était pas à la hauteur, je devenais paranoïaque. Incapable de me contrôler, je me défoulais sur ce témoin perplexe – le seul être à m'avoir jamais aidée –, libérant ainsi toute ma rage et mon ressentiment mêlé de crainte envers papa ou Shawn. Quand nous nous disputions, je lui hurlais que je ne voulais plus jamais le revoir. Et je le lui ai crié si souvent qu'un soir, alors que je l'appelais pour me changer les idées, comme je le faisais toujours, il n'a plus voulu.

Nous nous sommes rencontrés une ultime et dernière fois, dans un champ en retrait de la nationale. Buck's Peak nous surplombait. Il m'a avoué qu'il m'aimait, mais que cela le dépassait. Il ne pouvait me sauver. Moi seule le pouvais.

Je n'ai pas compris de quoi il voulait parler.

L'hiver a recouvert le campus d'une épaisse couche de neige. Je restais enfermée, mémorisant des équations, essayant de vivre comme avant – d'imaginer ma vie à l'université déconnectée de mon existence à Buck's Peak. Le mur séparant les deux s'était révélé infranchissable. Charles n'était qu'un orifice dans ce mur.

Les ulcères à l'estomac se sont réveillés, cela me brûlait, c'était douloureux, toute la nuit. Une fois, je me suis réveillée, parce que Robin me secouait. Elle m'a expliqué que je criais dans mon sommeil. Je me suis tâté le visage, qui était mouillé. Elle m'a serrée dans ses bras, si fort que je me suis sentie protégée.

Le lendemain matin, elle m'a proposé de l'accompagner chez un médecin – pour les ulcères, mais aussi pour faire une radio de mon pied, parce que mon gros orteil était devenu noir. Je lui ai répliqué que je n'avais nul besoin de docteur. Les ulcères guériraient, et quelqu'un s'était déjà occupé de mon orteil.

Elle a haussé les sourcils.

«Qui? Qui te l'a soigné?»

J'ai haussé les épaules. Elle en a conclu que ce devait être ma mère, et je ne l'ai pas détrompée. La vérité, c'était qu'après Thanksgiving j'avais demandé à Shawn de vérifier si c'était cassé. Il s'était agenouillé sur le sol de la cuisine et j'avais posé le pied sur sa cuisse. Dans cette posture, il semblait rapetisser. Il avait examiné l'orteil un moment, puis il avait levé les yeux vers moi et j'avais entrevu une lueur dans son regard bleu. Je pensais qu'il allait me dire qu'il était désolé, mais à l'instant où je croyais qu'il allait le faire, il m'avait empoigné le bout de l'orteil et avait tiré d'un coup sec. Il m'a semblé que mon pied explosait, tant l'onde de choc qui était remontée dans ma jambe était violente. Je tâchais de ravaler un hoquet de douleur quand il s'était relevé en me posant la main sur l'épaule.

«Désolé, Sedide Pœur. Mais ça fait moins mal quand on ne voit rien venir.»

Une semaine après que Robin eut proposé de m'emmener chez le docteur, elle m'a une nouvelle fois réveillée. Elle m'a prise dans ses bras et serrée contre elle, comme si son corps pouvait m'empêcher de voler en éclats.

«Tu devrais voir l'évêque, m'a-t-elle conseillé le lendemain matin.

— Je vais bien, ai-je répété, dans une caricature de moi-même, comme le font les gens qui ne vont pas bien. J'ai juste besoin de sommeil. »

Plus tard, j'ai trouvé sur ma table de travail un prospectus du service d'aide psychologique de l'université. J'y ai à peine jeté un œil avant de l'expédier à la corbeille. Je refusais de voir un psychologue. En consulter un, ce serait réclamer de l'aide, et je me croyais invincible. Il s'agissait d'une illusion subtile, une pirouette mentale. Mon orteil n'était pas fracturé parce qu'il n'était pas fracturable. Seule une radio réussirait à prouver le contraire. Par conséquent, seule une radio me fracturerait l'orteil.

Mon examen final d'algèbre s'est lui aussi déroulé sous l'emprise de cette superstition. Dans mon esprit, il revêtait une sorte de pouvoir mystique. J'ai révisé avec l'intensité des aliénés, convaincue que si je réussissais à exceller dans cette épreuve, à décrocher une note parfaite, impossible, même avec mon orteil cassé et sans l'aide de Charles, cela prouverait que j'étais au-dessus de tout cela. Invulnérable.

Le matin de l'épreuve, je me suis rendue au centre d'examens et j'ai pris place dans cette salle pleine de courants d'air. La feuille était devant moi. Les problèmes étaient abordables, malléables, ils se prêtaient à mes manipulations, formaient des solutions, l'une après l'autre. J'ai rendu ma feuille de réponses, puis je suis restée dans le couloir glacial, le nez levé vers l'écran qui afficherait mon résultat. Quand il est apparu, j'ai cligné des yeux, une fois, deux fois. Cent. La note parfaite.

Je me sentais emplie d'une exquise torpeur. Je me sentais ivre et j'avais envie de hurler au monde : *Voilà la preuve ; rien ne m'atteint.*

À Noël, Buck's Peak était comme toujours – une cime enneigée, ornée de conifères – et mes yeux, de plus en plus habitués à la brique et au béton, étaient presque aveuglés par l'ampleur et la clarté de la montagne.

Lorsque j'ai monté la colline en voiture, Richard était aux commandes du chariot élévateur, déplaçant une pile de pannes de charpente pour l'atelier que papa construisait à Franklin, près de la ville. Richard avait vingt-deux ans, c'était l'un des êtres les plus intelligents que je connaissais, mais il ne détenait pas de diplôme du secondaire. Quand je suis passée devant lui dans l'allée, j'ai songé qu'il conduirait sans doute ce chariot élévateur pour le restant de sa vie.

Je n'étais à la maison que depuis quelques minutes quand Tyler a téléphoné.

« Je prenais juste des nouvelles, a-t-il dit. Pour savoir si Richard préparait son examen d'entrée à l'université.

— Il va se présenter ?

— Je n'en sais rien. Peut-être. Papa et moi, on l'a travaillé en ce sens.

— Papa ? »

Il a ri.

« Eh oui, papa. Il veut que Richard aille à la fac. »

J'ai cru que mon frère plaisantait jusqu'à ce que, une heure plus tard, nous soyons tous installés autour de la table du dîner et que papa, la bouche pleine de pommes de terre, s'écrie :

« Richard, je te donne la semaine prochaine de congé, payée, si tu en profites pour étudier dans tes bouquins. »

J'ai attendu une explication. Elle n'a pas tardé à tomber.

« Richard est un génie, m'a annoncé papa un instant plus tard, avec un clin d'œil. Il est cinq fois plus malin que ne l'était Einstein. Il est capable de réfuter toutes leurs théories socialistes et leurs spéculations impies. Il va débarquer là-bas et faire péter tout leur satané système. »

Papa a continué de s'émerveiller, sans se rendre compte de l'effet que cela produisait sur ceux qui l'écoutaient. Shawn s'est tassé sur son banc, le dos contre le mur, les yeux baissés, vers le sol. Le regarder, c'était comme voir un homme taillé dans la pierre, aussi lourd et vide de mouvement. Richard était le fils prodige, le don de Dieu, l'Einstein qui réfuterait Einstein. Richard allait changer le monde. Pas Shawn. Il avait perdu une part trop importante de son esprit le jour où il était tombé de cette palette. L'un des fils de mon père conduirait un chariot élévateur jusqu'à la fin de ses jours, oui, mais ce ne serait pas Richard.

Pourtant, ce dernier paraissait encore plus malheureux que Shawn. Les épaules voûtées, le cou rentré, comme si le poids des louanges paternelles l'écrasait. Après le départ de papa, Richard m'a confié qu'il avait passé un examen blanc pour l'ACT. Il avait récolté une note si faible qu'il n'osait même pas me la donner.

« Apparemment, je suis Einstein, a-t-il murmuré, la tête dans les mains. Qu'est-ce que je fais ? Papa est convaincu que je vais casser la baraque, et moi, je ne suis même pas sûr de réussir à être admis. »

Chaque soir, c'était le même numéro. Pendant tout le dîner, papa dressait la liste de toutes les théories scientifiques fallacieuses que son génie de fils allait réfuter ; ensuite, après le dîner, je parlais à Richard de l'université, des cours, des livres, des professeurs, de choses qui, je le savais, attiseraient son besoin inné d'apprendre. J'étais inquiète : les attentes de papa étaient si grandes, et la peur de Richard de le décevoir si intense, qu'il était capable de ne pas se présenter à l'examen.

L'atelier de Franklin était prêt à accueillir sa toiture et, deux jours après Noël, j'ai forcé mon orteil, encore tordu et noir, à entrer dans une chaussure de chantier à embout d'acier, puis j'ai passé la matinée sur un toit à placer des vis à tête cruciforme dans de la tôle galvanisée. C'était la fin de l'après-midi et Shawn a lâché sa visseuse électrique et posé le pied sur le bras en extension du chargeur, pour descendre en équilibre. « C'est l'heure de faire une pause, Sedide Pœur, m'a-t-il crié d'en bas. On va en ville. »

J'ai sauté sur la palette et il a abaissé le bras jusqu'au sol.

«Tu conduis», m'a-t-il demandé avant de se caler dans son siège et de fermer les yeux. J'ai pris la direction de Stokes.

À partir du moment où je me suis garée sur le parking, des détails étranges me reviennent – l'odeur d'huile que nos gants en cuir exhalaient, la sensation de papier de verre que j'avais au bout des doigts. Et Shawn dans le siège à côté de moi, qui m'adressait de larges sourires. Au milieu d'une marée de voitures, j'en repère une. Une jeep rouge. Charles. Je traverse le parking principal et m'engage sur la partie asphaltée du côté nord du magasin, où se garent les employés. Je baisse le pare-soleil pour vérifier ma tête, non sans remarquer l'écheveau qu'est devenue ma chevelure, et la graisse de métal qui s'est logée dans mes pores. Mes vêtements sont lourds de crasse.

Shawn avise la jeep rouge. Il me voit me lécher le pouce, pour tenter de récurer la saleté sur ma figure, il s'énerve.

«Allons-y !

— J'attends dans la voiture.

— Tu viens.»

Il peut sentir ma honte. Il sait que Charles ne m'a jamais vue ainsi – que tous les jours, l'été dernier, je me suis précipitée à la maison pour effacer jusqu'à la moindre tache, la moindre traînée noire, masquer mes coupures et mes cals sous des vêtements neufs et du maquillage. Cent fois, Shawn m'a vue sortir de la salle de bains, méconnaissable, après que je m'étais lavée de ma journée de ferraille, disparue dans le siphon de la douche.

« Tu viens », répète-t-il. Il contourne le véhicule et ouvre ma portière. Le geste est vieux jeu, vaguement galant.

« Je n'ai pas envie.

— Tu n'as pas envie que ton petit ami te voie avec ton allure glamour ? » Il sourit et me plante son doigt dans les côtes. Il me regarde étrangement, comme pour me souffler : *Voilà qui tu es, et rien d'autre. Tu as fait semblant d'être quelqu'un d'autre. Quelqu'un de mieux. Mais tu n'es que ça, et rien d'autre.*

Il éclate de rire. D'un rire fort, débridé, comme s'il était arrivé quelque chose de drôle. Sans cesser de rire, il m'attrape par le bras et le tire vers le haut, comme s'il allait me basculer sur son dos et me porter, à la manière d'un pompier. Je refuse que Charles me voie. Je tâche de mettre un terme à ce jeu.

« Ne me touche pas », lui dis-je sèchement.

Ce qui se passe ensuite n'est qu'un brouillard dans mon souvenir. Je ne revois que des instantanés – du ciel qui se renverse ridiculement, de poings qui s'abattent sur moi, d'un regard étrange, sauvage dans les yeux d'un homme que je ne reconnais pas. Je vois mes mains agrippées au volant, et je sens des bras puissants me tirer de force par les jambes. Quelque chose se déplace dans ma cheville, je sens un craquement ou un claquement. Je lâche prise. Je suis extraite de la voiture.

Je sens un asphalte glacé contre mon dos, des graviers qui me rentrent dans la peau. Mon jean a glissé plus bas que mes hanches. Shawn m'a tirée par les jambes, et j'ai senti que je perdais mon jean, centimètre après centimètre. Mon tee-shirt est remonté. Je me vois, le corps étendu à plat sur le macadam, mon soutien-gorge et mon slip décolorés. J'ai envie de me couvrir mais Shawn m'a cloué les mains au-dessus de la tête. Je suis couchée, immobilisée, je me sens gagnée par le froid. J'entends ma voix le supplier, mais je ne la reconnais pas. J'entends les sanglots d'une autre fille qui n'est pas moi.

Je suis tirée vers le haut, il me remet sur mes pieds. Je m'agrippe à mes vêtements. Ensuite, je me retrouve cassée en deux, le poignet tordu, courbé, plié aussi loin qu'il peut plier, et sur lequel on appuie encore. Quand l'os commence à céder, j'ai le nez tout près du sol. J'essaie de reprendre mon équilibre, de me servir de la force de mes jambes pour le repousser, mais quand ma cheville reçoit le poids du corps, elle plie. Je crie. Des têtes se tournent dans notre direction. Des gens tendent le cou pour voir quel est ce remue-ménage. J'éclate aussitôt de rire – un gloussement hystérique qui, malgré mes efforts, résonne un peu comme un cri.

«Tu vas entrer là-dedans», répète Shawn, et j'entends craquer un os de mon poignet.

Je le suis au milieu des lumières aveuglantes. Je ris, nous passons de rayon en rayon, réunissant ce qu'il veut acheter. Je ris à chaque mot qu'il prononce, espérant convaincre toute personne qui aurait pu être sur le parking que tout cela n'était qu'une blague. Je marche sur ma cheville foulée, mais la douleur est à peine perceptible.

Charles demeure invisible.

Le trajet du retour vers le chantier s'effectue en silence. Huit kilomètres, qui m'en paraissent cinquante. À mon arrivée, je me dirige vers l'atelier en boitillant. Papa et Richard sont à l'intérieur. Je boitais déjà à cause de mon orteil, ma nouvelle claudication n'est donc pas vraiment visible. Pourtant, lorsqu'il jette un œil à mon visage, maculé de cambouis et de larmes, Richard comprend que quelque chose ne va pas. Papa, lui, ne voit rien.

Je ramasse ma visseuse et tente de fixer mes vis de la main gauche. Mais la pression est inégale et, avec tout le poids du corps sur un seul pied, je n'ai pas un bon équilibre. Les vis ripent sur la tôle peinte, laissant de longues stries spiralées, semblables à des rubans entortillés. Voyant que j'avais abîmé deux plaques de tôle, papa m'a réexpédiée à la maison.

Ce soir-là, le poignet bandé, je griffonne dans mon journal. Je m'interroge. Pourquoi ne s'est-il pas arrêté quand je l'ai supplié ? *C'était comme de se faire cogner par un zombie. Comme s'il était incapable de m'entendre.*

Shawn frappe à ma porte. Je glisse mon journal intime sous mon oreiller. Il entre, les épaules voûtées. C'était un jeu, me dit-il posément. Il ne s'était pas rendu compte qu'il m'avait fait mal, avant de me voir me tenir le bras, sur le chantier. Il palpe les os de mon poignet, examine ma cheville. Il m'apporte des glaçons enveloppés dans un torchon et me suggère, la prochaine fois que nous nous amuserons, de lui signaler si ça ne va pas. Il ressort. Je reprends mon journal. *Était-ce réellement un jeu pour rire ? Ne voyait-il pas qu'il me faisait mal ? Je n'en sais rien. Je n'en sais vraiment rien.*

Je finis par douter de m'être exprimée clairement : qu'avais-je chuchoté et qu'avais-je crié ? J'en conclus que si je le lui avais demandé autrement, si j'avais été plus calme, il aurait arrêté. Je continue d'écrire jusqu'à ce que je finisse par y croire, ce qui ne me prend guère de temps. Car j'ai *envie* d'y croire. Il est réconfortant de penser que le défaut est de mon côté, parce que cela signifie que ce défaut reste en mon pouvoir.

Je range mon journal et m'allonge dans mon lit, en me répétant cette version de l'histoire comme s'il s'agissait d'un poème que j'aurais décidé d'apprendre par cœur. J'ai presque fini de le mémoriser quand cette récitation s'interrompt. Des images m'envahissent l'esprit – visions de moi sur le dos, les bras bloqués au-dessus de ma tête. Ensuite, je suis sur le parking. Je baisse les yeux sur mon ventre, je les lève sur mon frère. Son expression est inoubliable : ce n'est ni de la colère ni de la rage. Je n'y décèle aucune fureur. Rien que du plaisir. Ensuite, une part de moi-même comprend, alors même que j'argumente déjà contre cette idée, que mon humiliation était justement ce qui causait ce plaisir. Ce n'était pas un accident ni un effet secondaire. C'était le but.

Cette demi-prise de conscience s'empare de moi et, pendant quelques minutes, elle me submerge. Je me lève et reprends mon journal. Puis je fais une chose que je n'avais encore jamais faite : j'écris ce qui s'est passé. Je n'emploie pas de mots vagues, indistincts, comme cela m'est arrivé d'autres fois. Je ne me cache pas derrière des allusions, des suggestions. Je raconte ce dont je me souviens : *À un certain stade, quand il m'a forcée à sortir de la voiture, j'avais les deux mains bloquées au-dessus de la tête et mon tee-shirt a remonté. Je lui ai demandé de me laisser le remettre en place, mais c'était comme s'il ne pouvait m'entendre. Il a contemplé ce spectacle comme un gros connard. C'est une bonne chose que je sois si menue. Si j'étais plus grande, à ce moment-là, je l'aurais réduit en miettes.*

« Je ne sais pas ce que tu as au poignet, m'a dit papa le lendemain matin, mais tu ne sers à rien dans cet état-là. Tu peux aussi bien retourner dans l'Utah. »

Le trajet en direction de la Brigham Young University a eu un effet hypnotique. Le temps que j'arrive, mes souvenirs de la veille s'étaient brouillés, presque estompés.

Ils ont retrouvé leur netteté quand j'ai relevé mes mails. Il y avait un message de Shawn. Des excuses. Il s'était déjà excusé, dans ma chambre. Depuis que je le connaissais, je ne l'avais jamais vu s'excuser deux fois.

J'ai ressorti mon journal et j'ai noté autre chose sur la page en regard de la précédente – celle où je révisais mon souvenir. *C'était un malentendu*, ai-je écrit. *Si je l'avais prié d'arrêter, il aurait arrêté.*

Mais quel que soit le souvenir que je décidais d'en retenir, cet événement allait tout changer. En y repensant aujourd'hui, j'en suis toujours étonnée, non de ce qui s'est passé, mais de l'avoir couché par écrit. Quelque part dans cette fragile coquille – chez cette jeune fille que l'illusion de l'invincibilité rendait absente et vide –, une étincelle subsistait.

Les mots du deuxième récit n'éclipseraient pas ceux du premier. Les uns et les autres demeureraient, mes souvenirs à côté des siens. Il y avait de l'audace dans mon refus de corriger l'incohérence, de ne pas déchirer l'une ou l'autre page. Admettre l'incertitude, c'est reconnaître la faiblesse, l'impuissance, et croire en soi-même en dépit de l'une et l'autre. C'est une fragilité, mais il y a dans cette fragilité une force : la conviction de vivre dans sa propre tête, et non dans celle de quelqu'un d'autre. Je me suis souvent demandé si les mots les plus forts que j'ai écrits ce soir-là ne m'étaient pas venus non de la colère ou de la rage, mais du doute : *Je ne sais pas. Je ne sais tout simplement pas.*

Ne rien savoir avec certitude, mais refuser de céder à ceux qui revendiquent cette certitude, c'était un privilège que je ne m'étais jamais accordé. Le récit de ma vie était généré par d'autres. Leurs voix étaient fermes, catégoriques, absolues. Il ne m'était jamais venu à l'esprit que ma voix pourrait être aussi forte que les leurs.

23

Je suis de l'Idaho

Peu après, un dimanche, un homme, à l'église, m'a invitée à dîner. J'ai refusé. C'est arrivé une deuxième fois, quelques jours plus tard, avec un autre homme. Là encore, j'ai refusé. Je ne pouvais pas accepter. Je ne voulais pas que ces hommes m'approchent, ni les uns ni les autres.

La nouvelle est parvenue aux oreilles de l'évêque qu'une femme parmi ses ouailles était contre le mariage. Après le service dominical, son secrétaire m'a abordée pour m'avertir que j'étais attendue dans le bureau de l'évêque.

Quand j'ai serré la main du prélat, mon poignet était encore sensible. C'était un homme d'âge mûr au visage rond et sombre, aux cheveux séparés par une raie impeccable. Sa voix était aussi douce que du satin. Il semblait me connaître avant même que j'aie ouvert la bouche. (En un sens, il me connaissait, puisque Robin lui avait beaucoup parlé de moi.) Il m'a suggéré de m'inscrire au service d'aide psychologique de l'université, afin qu'un jour je puisse connaître le bonheur d'un mariage pour l'éternité avec un homme droit.

Tandis qu'il parlait, je restais immobile comme une souche.

Il m'a questionnée sur ma famille. Je n'ai pas répondu. Je les avais déjà trahis en ne réussissant pas à les aimer comme j'aurais dû ; le moins que je pouvais faire était de garder le silence.

« Le mariage est le dessein de Dieu », a conclu l'évêque avant de se lever.

L'entretien était terminé. Il m'a demandé de revenir le dimanche suivant. J'ai promis, sachant que je n'en ferais rien.

En regagnant mon appartement, mon corps pesait une tonne. Toute ma vie, on m'avait enseigné que le mariage relevait de la volonté de Dieu, que s'y refuser était une forme de péché. Je bravais l'autorité du Seigneur. Et pourtant, je n'en avais pas envie. J'avais envie de faire des enfants, de fonder ma propre famille, et malgré ce désir profond, je savais que ça n'arriverait jamais. Je n'en étais pas capable. Je ne pouvais supporter d'être auprès d'un homme sans me mépriser.

Je m'étais toujours moquée de ce mot, « putain ». Même à moi, il me semblait rugueux et démodé. Mais si je me moquais en silence de Shawn qui l'employait, j'avais fini par m'y identifier. Son côté désuet ne faisait que renforcer cette association d'idées, parce que cela signifiait que je n'entendais ce mot qu'en liaison avec ma propre personne.

Le jour où, à quinze ans, j'avais essayé de mettre du mascara et du gloss, Shawn avait raconté à papa que des rumeurs circulaient en ville à mon sujet, que j'avais déjà mauvaise réputation. Immédiatement, papa a cru que j'étais enceinte. Il n'aurait jamais dû me laisser jouer dans ces pièces de théâtre en ville, criait-il à ma mère. Elle me défendait : selon elle, j'étais digne de confiance, pudique. Shawn répliquait qu'aucune adolescente ne l'était, et qu'à ses yeux celles qui semblaient les plus pieuses étaient parfois les pires de toutes.

Assise sur mon lit, les genoux ramenés contre ma poitrine, je les écoutais hurler. Étais-je enceinte ? Je n'en étais pas sûre. Je réfléchissais à tous les échanges que j'avais eus avec un garçon, à chaque regard furtif, à chaque attouchement. J'allais devant le miroir soulever mon tee-shirt, puis je passais les doigts sur mon abdomen, l'examinais centimètre après centimètre en me disant : *Peut-être.*

Je n'avais jamais embrassé un garçon.

J'avais assisté à des naissances, mais on ne m'avait rien révélé des réalités de la conception. Tandis que mon père et mon frère vociféraient, l'ignorance me cantonnait dans le silence. Je ne pouvais me défendre, parce que je ne comprenais rien à leur accusation.

Quelques jours plus tard, quand il fut confirmé que je n'étais pas enceinte, j'ai développé une nouvelle conception du mot « putain », où il s'agissait davantage de nature que d'actes. Ce n'était pas tant que j'aie *fait* quelque chose de mal, mais plutôt que j'avais une mauvaise façon d'*exister*. Il y avait quelque chose d'impur dans l'essence même de mon être.

C'est étrange de conférer aux gens que vous aimez un tel pouvoir sur vous, avais-je écrit dans mon journal. Mais Shawn exerçait sur moi plus de pouvoir que je n'aurais pu l'imaginer. Il m'avait définie par rapport à moi-même, et il n'y a pas de plus grand pouvoir que cela.

Je me suis retrouvée devant le bureau de l'évêque par une froide nuit de février. Je ne savais pas ce qui m'avait amenée là.

Il était assis à sa table, calme et serein. Il m'a demandé ce qu'il pouvait faire pour moi, et je lui ai répondu que je ne savais pas. Personne n'était en mesure de me donner ce que je voulais, car ce que je voulais, c'était me recomposer.

« Je peux vous aider, m'a-t-il assuré, mais il faudra me confier ce qui vous tracasse. » Il avait une voix empreinte de gentillesse, et cette gentillesse était cruelle. J'aurais préféré qu'il vocifère. S'il vociférait, cela me mettrait en colère, et quand j'étais en colère, je me sentais forte. Et je n'étais pas sûre d'y arriver sans me sentir forte.

Je me suis raclé la gorge, puis j'ai parlé pendant une heure.

L'évêque et moi nous sommes vus chaque dimanche jusqu'au printemps. À mes yeux, c'était un patriarche ayant autorité sur moi, mais dès l'instant où je franchissais sa porte, il semblait renoncer à cette autorité. Je parlais et il écoutait, extrayant la honte de moi comme un guérisseur extrait l'infection d'une blessure.

À la fin du semestre, je lui ai annoncé que je rentrais chez moi pour l'été. J'étais à court d'argent, je n'avais plus de quoi payer mon loyer. Quand je le lui ai avoué, il a eu l'air las.

«Ne rentrez pas chez vous, Tara. L'Église paiera votre loyer.»

Je ne voulais pas de l'argent de l'Église. J'avais pris ma décision. L'évêque m'a toutefois fait promettre une chose: de ne plus travailler pour mon père.

Dès ma première journée dans l'Idaho, j'ai repris mon ancien job chez Stokes. Papa a ironisé: je ne gagnerais jamais assez d'argent pour retourner à l'université. Il avait raison, mais l'évêque avait promis que Dieu me fournirait un moyen, et j'y croyais. J'ai passé l'été à garnir des rayons et à raccompagner des vieilles dames à leur voiture.

J'évitais Shawn. C'était facile parce qu'il avait une nouvelle petite amie, Emily, et il était question de mariage. Il avait vingt-huit ans, Emily était en terminale au lycée. Elle avait un tempérament accommodant. Shawn jouait avec elle aux mêmes jeux qu'avec Sadie, sondant son ascendant sur elle. Elle ne manquait jamais de suivre ses ordres, frissonnant dès qu'il haussait le ton, s'excusant quand il criait sur elle. Je ne doutais pas que leur mariage deviendrait manipulateur et violent – bien que ces mots-là n'aient pas encore été les miens. Ils m'avaient été suggérés par l'évêque, et j'en étais encore à essayer d'y puiser du sens.

À la fin de l'été, je suis retournée à la Brigham Young University avec seulement deux mille dollars sur mon compte. Le soir de mon retour, j'ai noté dans mon journal : *Je reçois tant de factures que je n'imagine même pas comment je vais les payer. Mais Dieu soit m'aidera dans les épreuves qui me feront grandir, soit pourvoira aux moyens de ma réussite.* Certes, le ton de ces phrases semble noble, d'une belle élévation morale, mais j'y décèle un soupçon de fatalisme. Peut-être allais-je devoir quitter l'université. Cela me convenait. Il y avait des épiceries dans l'Utah. J'emballerais des articles d'épicerie, et un jour je serais gérante du magasin.

Un choc m'a tirée de cet état de résignation. Deux semaines après le début du semestre d'automne, je me suis réveillée une nuit avec une douleur fulgurante dans la mâchoire. Je n'avais jamais rien ressenti de tel, d'aussi aigu, tétanisant. J'avais envie de m'arracher la mâchoire, rien que pour être débarrassée de cette torture. Je me suis avancée vers un miroir en titubant. La source du mal était une dent, déjà ébréchée plusieurs années auparavant, qui s'était de nouveau fissurée, en profondeur. Je me suis rendue chez un dentiste, qui m'a annoncé que cette dent se cariait depuis des années. La remettre en état coûterait mille quatre cents dollars. Je n'avais pas les moyens de payer même la moitié de cette somme et de rester à la faculté.

J'ai appelé la maison. Mère a accepté de me prêter cet argent, mais papa assortissait ce prêt de conditions : je devrais travailler pour lui l'été suivant. Je n'ai même pas examiné la proposition. J'ai répliqué que j'en avais terminé avec la ferraille, fini pour la vie, et j'ai raccroché.

Je me suis efforcée d'ignorer la douleur et de me concentrer sur mes études, mais j'avais l'impression d'être obligée d'assister à un cours pendant qu'un loup me rongeait la mâchoire.

Depuis ce jour avec Charles, je n'avais plus jamais pris d'ibuprofène, mais je me suis mise à en avaler comme s'il s'agissait de Kiss Cool. Ce qui ne m'a guère aidée. La douleur provenait des nerfs, et elle était trop vive. Depuis le début de ces élancements, je n'avais plus dormi, et j'ai commencé à sauter des repas car il m'était impossible de mâcher. C'est alors que Robin en a parlé à l'évêque.

Le prélat m'a convoquée dans son bureau par un bel après-midi. Il m'a regardée posément, assis à sa table de travail.

« Qu'allons-nous faire pour votre dent ? » a-t-il demandé.

J'ai essayé de me détendre.

« Vous ne pouvez pas continuer l'année comme ça, a-t-il continué. Mais il y a une solution simple. Très simple, en fait. Combien gagne votre père ?

— Pas beaucoup, ai-je dit. Depuis que les garçons ont détruit tout l'équipement l'an dernier, il est couvert de dettes.

— Excellent. J'ai ici les documents pour une bourse. Je suis certain que vous êtes éligible. Et le mieux, dans tout ça, c'est que vous n'aurez pas à la rembourser. »

J'avais entendu parler des bourses du Gouvernement. Papa répétait qu'en accepter une, c'était être redevable aux Illuminati. «C'est comme ça qu'ils te piègent, répétait-il. Ils te versent des sommes d'argent gratuites, et ensuite, tu n'as pas le temps de le réaliser, qu'ils te possèdent.»

L'écho de ces paroles résonnait encore dans ma tête. J'avais entendu d'autres étudiants parler de leur bourse, et je me tenais à l'écart. Je repartirais de cet établissement avant de me laisser acheter.

«Je ne crois pas aux bourses du Gouvernement, ai-je répliqué.

— Pourquoi cela?»

Je lui ai répété le propos de mon père. Il a soupiré en levant les yeux au ciel.

«Combien coûtera de soigner cette dent?

— Mille quatre cents dollars. Je vais trouver cet argent.

— C'est l'Église qui paiera, m'a-t-il tranquillement déclaré. Je dispose de fonds discrétionnaires.

— Cet argent est sacré.»

L'évêque a levé les mains en l'air. Nous sommes restés là silencieux, puis il a ouvert son tiroir et en a sorti un chéquier. J'ai consulté l'en-tête. C'était celui de son compte personnel. Il a rempli le chèque, à mon ordre, pour un montant de mille cinq cents dollars.

«Je ne permettrai pas que vous quittiez l'établissement à cause de cela.»

Je tenais le chèque dans ma main. J'étais si tentée – la douleur dans ma mâchoire était tellement violente – que j'ai dû le garder une dizaine de secondes avant de le lui rendre.

J'avais un petit boulot chez le glacier du campus, où je grillais des hamburgers et servais des boules de glace. Entre deux paies, je m'en sortais en négligeant quelques factures en souffrance et en empruntant de l'argent à Robin. Ainsi, deux fois par mois, quand quelques centaines de dollars arrivaient sur mon compte, ils disparaissaient en quelques heures. Quand j'ai eu dix-neuf ans, fin septembre, j'étais complètement fauchée. J'avais renoncé à soigner ma dent, je savais que je n'aurais jamais ces mille quatre cents dollars. En plus, la douleur avait reflué – soit le nerf était mort, soit mon cerveau s'était adapté à ces élancements.

Pourtant, j'avais d'autres factures à payer, et j'ai donc décidé de vendre la seule chose que je possédais qui avait de la valeur – mon cheval, Bud. J'ai téléphoné à Shawn et lui ai demandé combien je pouvais espérer en tirer. Il m'a répondu qu'une bête croisée ne valait pas grand-chose, mais que je pouvais l'envoyer dans une vente aux enchères, comme les canassons de grand-père destinés à finir en aliments pour chiens. J'ai imaginé Bud dans un hachoir à viande.

« Essaie d'abord de trouver un acheteur », ai-je répondu.

Quelques semaines plus tard, il m'envoyait un chèque de quelques centaines de dollars. Quand je l'ai appelé, je lui ai demandé à qui il avait vendu Bud, il a marmonné une vague réponse à propos d'un type qui passait par là en venant de Tooele, une autre ville de l'Utah.

Ce semestre-là, j'ai été une étudiante dépourvue de curiosité. La curiosité est un luxe réservé aux gens qui jouissent d'une sécurité financière. Mon esprit était absorbé par des préoccupations plus immédiates, comme le solde exact de mon compte en banque, combien je devais et à qui, et ce que j'avais dans ma chambre susceptible d'être vendu dix ou vingt dollars. Je remettais mes devoirs et je révisais mes examens, mais je le faisais sous l'emprise de la terreur – celle de perdre ma bourse si ma moyenne baissait d'un simple dixième de point –, et non par intérêt réel pour les matières enseignées.

En décembre, après mon dernier chèque de salaire hebdomadaire du mois, il me restait soixante dollars sur mon compte – et mon loyer de cent dix dollars était dû le 7 janvier. Je devais rapidement gagner de l'argent. J'avais entendu dire qu'une clinique près de la galerie marchande payait les gens qui faisaient don de leur plasma sanguin. Une clinique, cela évoquait la Médecine officielle. J'ai réfléchi : tant qu'ils me retiraient des trucs du corps, sans me mettre quoi que ce soit dedans, j'irais très bien. L'infirmière a tenté de me piquer les veines pendant vingt minutes, avant de m'annoncer qu'elles étaient trop fines.

Avec mes trente derniers dollars, j'ai fait un plein d'essence et pris la route de la maison, pour Noël. Le matin de Noël, papa m'a offert un fusil – je ne l'ai pas sorti de son étui, alors j'ignore de quel type d'arme il s'agissait. J'ai demandé à Shawn s'il ne souhaitait pas me le racheter, mais papa l'a récupéré et m'a avertie qu'il le garderait en lieu sûr.

C'était donc terminé. Il ne me restait plus rien à vendre, plus d'amis d'enfance, plus de cadeaux de Noël. Il était temps d'arrêter l'université et de me trouver un boulot. Ce à quoi je me suis résignée. Le jour de Noël, j'ai contacté mon frère, Tony, qui habitait à Las Vegas et travaillait comme chauffeur de poids lourds longue distance. Il m'a proposé d'habiter chez lui quelques mois, et de travailler à l'In-N-Out Burger, une enseigne en face de chez lui.

J'ai raccroché, regrettant de ne pas avoir demandé à Tony s'il avait de quoi me prêter l'argent pour me rendre à Vegas, quand une voix bougonne m'a appelée :

« Salut, Sedide Pœur. Viens un peu ici une minute. »

La chambre de Shawn était dégoûtante. Des vêtements sales jonchaient le sol, et j'ai pu entrevoir la crosse d'un pistolet sous une pile de tee-shirts. Les rayonnages croulaient sous des boîtes de munitions et des livres de poche de Louis L'Amour, l'auteur de westerns. Il était assis sur le lit, les épaules voûtées, les jambes arquées. Il donnait l'impression d'être dans cette position depuis un moment, comme plongé dans la contemplation de sa porcherie. Il a laissé échapper un soupir, puis s'est levé et s'est approché de moi, en levant le bras droit. J'ai reculé machinalement. Il a simplement plongé la main dans sa poche. Il en a sorti son portefeuille, l'a ouvert et en a extrait un billet de cent dollars tout craquant.

« Joyeux Noël. Celui-là, tu le gâcheras pas comme je l'aurais gâché. »

J'ai pris ces cent dollars pour un signe de Dieu. Le signe que je devais rester à l'université. J'ai repris la route de la Brigham Young University et j'ai payé mon loyer. Ensuite, parce que je savais que je ne serais pas en mesure de le payer en février, j'ai pris un deuxième petit boulot de femme de ménage, qui m'obligeait à faire vingt minutes de route vers le nord trois jours par semaine pour aller récurer des demeures cossues à Draper.

L'évêque et moi continuions de nous rencontrer tous les dimanches. Robin l'avait averti que je n'avais pas acheté mes manuels du semestre.

« C'est ridicule ! Déposez cette demande de bourse. Vous êtes pauvre ! C'est pour cette raison que ces bourses existent ! »

Mon opposition n'avait rien de rationnel, elle était viscérale.

« Je gagne beaucoup d'argent, m'a-t-il confié. Je paie beaucoup d'impôts. Considérez que cette bourse, c'est mon argent. » Il avait imprimé les formulaires de demande, qu'il m'a remis. « Pensez-y. Vous devez apprendre à accepter de l'aide, même de la part du Gouvernement. »

J'ai pris les formulaires. Robin les a remplis. J'ai refusé de les envoyer.

«Réunis au moins les papiers, a-t-elle insisté. Et tu verras l'effet que ça fait.»

J'avais besoin des avis d'imposition de mes parents. Je n'étais même pas sûre qu'ils envoyaient une déclaration d'impôts. Mais si c'était le cas, s'il apprenait pourquoi je les voulais, papa ne m'en remettrait jamais de copie. J'ai échafaudé une dizaine de bonnes raisons justifiant ce besoin, sans en trouver une de crédible. Je me figurais les feuilles d'impôts rangées à l'intérieur du grand meuble de classement gris, dans la cuisine. Ensuite, j'ai décidé de les voler.

Je suis partie pour l'Idaho juste avant minuit, avec l'espoir d'arriver vers 3 heures du matin, dans une maison silencieuse. Quand j'ai atteint Buck's Peak, je me suis engagée dans l'allée au pas, en tressaillant chaque fois qu'un gravier claquait sous mes pneus. J'ai ouvert la portière lentement, sans faire de bruit, puis j'ai traversé la pelouse à pas de loup et me suis faufilée par la porte de derrière. Je me déplaçais silencieusement, une main tendue devant moi pour me diriger à tâtons vers le meuble de classement.

Je n'avais fait que quelques pas quand j'ai entendu un cliquetis métallique qui m'était familier.

«Ne tire pas! me suis-je écriée. C'est moi!

— Qui ça?»

J'ai actionné l'interrupteur et j'ai vu Shawn assis à l'autre bout de la pièce, pointant un pistolet sur moi. Il a abaissé le canon.

«J'ai cru que tu étais quelqu'un d'autre.

— Ça, c'est clair.»

Nous sommes restés face à face un moment, gênés, puis je suis allée me coucher.

Le lendemain matin, après le départ de papa pour la ferraille, j'ai raconté à ma mère l'un de mes faux prétextes à propos de la Brigham Young University qui avait besoin de ses feuilles d'impôts. Elle savait que je mentais – cela ne m'a pas échappé, parce que quand papa, revenu à l'improviste, lui a demandé à quoi servaient des photocopies de sa déclaration, elle lui a répondu que c'était pour ses dossiers.

J'ai emporté ces copies et suis retournée à la BYU. Jusqu'à mon départ, Shawn et moi n'avons pas échangé un mot. Il ne m'a pas demandé pourquoi je m'étais introduite en catimini dans ma propre maison à 3 heures du matin. Et je ne lui ai jamais demandé qui il attendait, éveillé au milieu de la nuit, armé d'un pistolet.

Les formulaires sont restés posés sur mon bureau huit jours avant que Robin ne vienne avec moi au bureau de poste et me voie les tendre au buraliste. Cela n'a pas été long, une semaine, peut-être deux. J'étais partie faire des ménages à Draper quand le courrier est arrivé, et Robin a laissé l'enveloppe sur mon lit avec un mot m'annonçant que j'étais désormais devenue une vraie coco – une communiste.

J'ai déchiré l'enveloppe et un chèque est tombé sur mon lit. Pour un montant de quatre mille dollars. Je me suis sentie cupide, et effrayée de ma propre cupidité. Il y avait un numéro de contact. Je l'ai composé.

«Il y a un problème, ai-je expliqué à la femme qui m'a répondu. Le chèque est de quatre mille dollars, mais je n'ai besoin que de mille quatre cents.»

Silence à l'autre bout de la ligne.

«Allô? Allô?

— Vous êtes en train de me dire que ce chèque représente un trop gros montant? a dit la femme. Que voulez-vous que je fasse?

— Si je le renvoie, pouvez-vous m'en poster un autre? Il ne me faut que mille quatre cents dollars. Pour une intervention dentaire.

— Écoutez, ma petite chérie. Vous avez reçu ce montant parce que c'est le montant auquel vous avez droit. Encaissez-le ou pas, c'est à vous de voir.»

On a soigné ma dent. J'ai acheté des manuels, payé mon loyer, et il me restait de l'argent. Quand l'évêque m'a suggéré de m'offrir quelque chose, j'ai répondu que j'en étais incapable, que je devais économiser cette somme. Il m'a soutenu que je pouvais me permettre d'en dépenser une partie.

«Souvenez-vous, a-t-il ajouté, rien ne vous interdit de demander le même montant l'an prochain.»

Je me suis acheté une nouvelle robe du dimanche.

J'avais pensé que cet argent serait utilisé pour me contrôler, mais en réalité il m'a fourni la possibilité de tenir ma parole: dès lors, quand j'affirmais que je ne travaillerais plus jamais pour mon père, j'y croyais.

Je me demande aujourd'hui si ce jour où j'avais décidé de voler la déclaration d'impôt de mes parents, je n'avais pas choisi, pour la première fois, mon véritable *foyer*. Cette nuit-là, j'étais entrée dans la maison de mon père en intruse. C'était un changement dans mon vocabulaire, une manière de renoncer à l'endroit d'où je venais.

Mes propres paroles confirmaient la chose. Quand d'autres étudiants me demandaient d'où j'étais, je répondais «Je suis de l'Idaho», une phrase qui, toutes les fois où j'ai dû la répéter, durant ces années, n'a jamais été facile à prononcer. Quand vous faites partie d'un endroit, quand vous grandissez sur ce sol, vous n'éprouvez jamais la nécessité de dire que vous êtes de là-bas. Avant d'en être partie, je n'avais jamais eu à formuler ces mots : «Je suis de l'Idaho.»

24

Un chevalier, mais errant

J'avais mille dollars sur mon compte en banque. Rien que d'y penser, cela faisait un drôle d'effet, alors de le dire. Mille dollars. En prime. Dont je n'avais pas un besoin immédiat. Il m'a fallu des semaines pour l'intégrer mais, ce faisant, je commençais à ressentir le plus puissant des avantages de l'argent : la possibilité de penser à autre chose qu'à l'argent.

Subitement, j'ai commencé à voir mes professeurs avec netteté. Tout se passait comme si, avant cette bourse, je les avais perçus à travers un verre flou. Mes manuels commençaient à avoir du sens, et je me suis surprise à aller au-delà des lectures requises.

C'est dans cet état que j'ai entendu pour la première fois ces termes : trouble bipolaire. J'étais en cours d'introduction à la psychologie quand le professeur a lu les symptômes à voix haute : dépression, manie, paranoïa, euphorie, illusions de grandeur et de persécution. J'écoutais avec un intérêt extrême.

C'est mon père, ai-je noté. *Il décrit papa.*

Quelques minutes avant la sonnerie, un étudiant a demandé quel rôle les désordres mentaux pourraient avoir joué dans les mouvements séparatistes.

«Je pense à ces affrontements bien connus comme ceux de Waco, au Texas, ou de Ruby Ridge, dans l'Idaho», a-t-il ajouté.

L'Idaho n'est pas réputé pour quantité de choses, et j'en ai conclu que j'aurais dû entendre parler de ce «Ruby Ridge». Le garçon venait d'expliquer qu'il s'agissait d'un conflit. J'ai creusé dans mes souvenirs. Ces mots avaient quelque chose de familier. Ensuite, des images ont resurgi, faibles et déformées, comme si l'émission était perturbée à la source. J'ai fermé les yeux et la scène s'est animée. J'étais dans notre maison, accroupie derrière les meubles en bouleau. Mère était agenouillée à côté de moi. J'entendais sa respiration lente et lasse. Elle passait sa langue sur ses lèvres, disait qu'elle avait soif. Puis avant que j'aie le temps de l'arrêter, elle se levait, tendait la main vers le robinet. J'ai senti le crépitement des coups de feu et je me suis entendue hurler. Il y a eu un cognement sourd, quelque chose de lourd venait de tomber au sol. J'ai écarté son bras et j'ai soulevé le bébé.

La sonnerie a retenti. L'amphithéâtre s'est vidé. Je me suis rendue en labo d'informatique. J'ai hésité un moment, les doigts au-dessus du clavier – saisie d'un mauvais pressentiment –, puis j'ai tapé «Ruby Ridge» dans la page du navigateur. D'après Wikipédia, Ruby Ridge était le site d'un affrontement meurtrier entre

Randy Weaver et plusieurs agences fédérales, dont l'US Marshals Service et le FBI.

Le nom de Randy Weaver ne m'était pas inconnu et, tout en lisant, je l'entendais franchir les lèvres de mon père. L'histoire, telle qu'elle avait subsisté dans mon imagination depuis treize ans, se rejouait dans ma tête : un jeune garçon abattu, puis son père, et ensuite sa mère. Le Gouvernement avait exécuté une famille entière, parents et enfants, pour couvrir ses propres agissements.

J'ai fait défiler la page, en sautant l'historique pour aller directement au premier affrontement. Des agents fédéraux avaient encerclé le bungalow des Weaver – leur mission se limitait à de la surveillance. Les Weaver n'avaient eu aucune conscience de leur présence, avant qu'un chien ne se mette à aboyer. Croyant que celui-ci avait repéré un animal sauvage, Sammy, le fils de Randy, âgé de quatorze ans, avait foncé dans les bois. Les agents avaient abattu le chien, et Sammy, qui était armé d'un fusil, avait ouvert le feu. La fusillade qui s'était ensuivie avait fait deux morts : un agent fédéral et Sammy, qui battait en retraite en direction du bungalow, quand il avait été abattu d'une balle dans le dos.

J'ai continué ma lecture. Le lendemain, Randy Weaver se faisait à son tour tirer dessus, également dans le dos, alors qu'il tentait de se rendre auprès du cadavre de son fils qui était dans l'appentis. Randy soulevait le loquet de la porte quand un sniper avait visé la colonne vertébrale, et l'avait manqué. Son épouse, Vicki, s'était alors approchée pour venir en aide à son mari et le sniper avait de nouveau ouvert le feu. La balle l'avait touchée en pleine tête ; elle était morte sur le coup, sa fillette de dix mois dans les bras. Pendant neuf jours, la famille était restée retranchée dans le bungalow avec le corps de la mère, jusqu'à ce que des négociateurs mettent un terme à l'affrontement, permettant l'arrestation de Randy Weaver.

J'ai relu cette dernière phrase plusieurs fois avant de la comprendre. Randy Weaver était en vie. Papa était-il au courant ?

J'ai poursuivi ma lecture. L'Amérique entière était scandalisée. Des articles étaient parus dans presque tous les principaux titres de presse, fustigeant le mépris et l'insensibilité du Gouvernement envers la vie humaine. Le département de la Justice avait ouvert une enquête, et le Sénat avait organisé des auditions. L'un et l'autre avaient recommandé des réformes sur les règles d'engagement de la police, en particulier concernant l'usage de la force et ses conséquences mortelles.

Les Weaver avaient intenté une action judiciaire pour décès imputable à une faute, à hauteur de deux cents millions de dollars, et avaient fini par conclure un accord lorsque le Gouvernement avait proposé aux trois filles de Vicki un million de dollars chacune. Randy Weaver avait bénéficié d'un dédommagement de cent mille dollars et toutes les charges, excepté deux d'entre elles, relatives à des comparutions au tribunal, avaient été abandonnées. Randy Weaver avait été interviewé par de grands médias et avait même coécrit un livre avec sa fille. À présent, il gagnait sa vie en prenant la parole dans des salons d'armes à feu.

S'il y avait eu dissimulation voire tentative d'étouffer l'affaire, c'était complètement raté. Il y avait eu une importante couverture médiatique, des enquêtes officielles. N'était-ce pas là la substance d'une démocratie ?

Il y avait une chose que je persistais à ne pas comprendre : d'abord et avant tout, pourquoi des agents fédéraux avaient-ils encerclé le refuge de Randy Weaver ? Pourquoi Randy avait-il été pris pour cible ? Je me souvenais de papa me répétant qu'il aurait aussi bien pu s'agir de nous. Il avait toujours affirmé qu'un jour le Gouvernement viendrait s'en prendre aux gens qui résistaient au lavage de cerveau, qui ne mettaient pas leurs enfants à l'école. Pendant treize ans, j'avais supposé que c'était pour cela que le Gouvernement s'en était pris à Randy : pour forcer ses enfants à fréquenter l'école.

Je suis revenue en haut de la page et j'ai de nouveau lu tout l'article, mais sans sauter le fond de l'histoire. Selon toutes les sources, y compris Randy Weaver lui-même, le conflit avait débuté quand ce dernier avait vendu deux fusils à canon scié à un agent sous couverture qu'il avait croisé à un rassemblement des Aryan Nations. J'ai relu cette phrase plus d'une fois – à de nombreuses reprises, en réalité. Ensuite, j'ai compris : le noyau de cette affaire, ce n'était pas la scolarité à domicile, mais le suprématisme blanc. À ce qu'il semblait, le Gouvernement n'avait jamais eu l'habitude de tuer les gens qui refusaient de soumettre leurs enfants à une instruction publique. Cela me paraissait si évident, à présent, j'avais du mal à comprendre pourquoi j'avais un jour pu croire autre chose.

Pendant un long moment, j'ai cru que papa avait menti. Ensuite, je me suis rappelé la peur sur son visage, l'âpreté de sa respiration, et j'avais la certitude qu'il était convaincu que nous étions en danger. Tandis que je cherchais une explication, des mots étranges me sont revenus, des mots que je venais de découvrir : *paranoïa, manie, illusion de grandeur et de persécution.* En fin de compte cette histoire avait du sens – celui de cette page Internet, et celui qui avait imprimé toute mon enfance. Papa avait dû lire des choses sur Ruby Ridge ou voir des reportages à la télévision, et d'une manière ou d'une autre son cerveau enfiévré s'en était imprégné. Cette histoire avait cessé d'être celle d'un autre pour devenir une histoire qui le concernait. Si le Gouvernement s'en prenait à Randy Weaver, il allait sûrement s'attaquer à Gene Westover, qui était depuis des années en première ligne sur le front de la guerre contre les Illuminati. Ne se contentant plus des récits relatant les actes de bravoure des autres, il s'était forgé son heaume et avait enfourché son destrier.

Le trouble bipolaire m'obsédait de plus en plus. Lorsqu'on nous a proposé de rédiger un travail de recherche en psychologie, j'ai choisi ce sujet, et en ai profité pour interroger tous les neuroscientifiques et tous les spécialistes en sciences cognitives de l'université. J'ai décrit les symptômes de papa, en les attribuant non pas à mon père mais à un oncle fictif. Une partie de ces symptômes coïncidaient parfaitement, d'autres non. Les professeurs m'ont indiqué que chaque cas était différent.

« Ce que vous décrivez ressemble davantage à de la schizophrénie, m'a répondu l'un d'entre eux. Votre oncle a-t-il déjà suivi un traitement ?

— Non. Il pense que les docteurs font partie d'une conspiration gouvernementale.

— Cela complique en effet le tableau. »

Avec toute la subtilité d'un bulldozer, j'ai rédigé mon devoir en me concentrant sur l'influence des parents bipolaires sur leurs enfants. C'était accusateur, brutal. J'y faisais remarquer que les enfants de parents bipolaires étaient exposés à un double facteur de risque : premièrement, parce qu'ils sont génétiquement prédisposés à des troubles de l'humeur, et deuxièmement, en raison d'un *environnement stressant et de pratiques parentales médiocres.*

En classe, j'avais appris l'effet des neurotransmetteurs sur la chimie cérébrale. Je comprenais que cette maladie n'était pas un choix, ce qui aurait pu me rendre compréhensive envers mon père. Il n'en était rien. Je ne ressentais que de la colère. Nous avions payé pour tout cela, estimais-je. Mère. Luke. Shawn. Nous avions été meurtris, tailladés, assommés, nos jambes avaient pris feu, nos crânes avaient été ouverts. Nous avions vécu en état d'alerte, dans une sorte de terreur permanente, nos cerveaux gorgés de cortisol parce que nous étions convaincus que ces événements risquaient de survenir à tout moment. Parce que papa avait toujours placé la foi avant la sécurité. Parce qu'il croyait avoir raison, et continuait de penser qu'il avait raison – après le premier accident de la route, après le deuxième, après la benne, l'incendie, la palette. C'est nous qui avions payé.

Le week-end suivant la semaine où j'avais remis ma dissertation, je me suis rendue à Buck's Peak. J'étais à la maison depuis moins d'une heure quand papa et moi nous nous sommes disputés. Il m'a réclamé de l'argent pour la bagnole. En réalité, il n'a fait que le mentionner, mais ça m'a rendue folle, hystérique. Pour la première fois de ma vie, j'ai crié sur mon père – pas au sujet de la voiture, mais à propos des Weaver. J'étais tellement submergée par la colère que je bredouillais, que mes mots sortaient comme des sanglots étouffés. Pourquoi tu es comme tu es ? Pourquoi tu nous as terrorisés comme ça ? Pourquoi t'es-tu si durement battu contre des monstres inventés de toutes pièces, alors que des monstres étaient là, sous notre toit ?

Papa en est resté abasourdi, la bouche béante. Ses mains pendaient mollement le long du corps, agitées de tressaillements, comme s'il voulait les lever, pour faire je ne sais quoi. Je ne l'avais plus vu l'air aussi désemparé depuis la nuit où il était accroupi à côté de l'épave de notre break, regardant le visage de mère enfler et se distendre, incapable de la toucher à cause des câbles électrifiés.

De honte ou de colère, je me suis enfuie. J'ai roulé sans m'arrêter, et je suis rentrée à la Brigham Young University. Mon père m'a appelée quelques heures plus tard. Je n'ai pas répondu. Lui crier dessus n'avait servi à rien, l'ignorer serait peut-être plus utile.

À la fin du semestre, je suis restée en Utah. C'était le premier été où je ne retournais pas à Buck's Peak. Je n'ai pas parlé à mon père, pas même au téléphone. Cette brouille n'était pas officielle, mais je ne me sentais le courage ni de le voir, ni d'entendre sa voix. Alors je me suis abstenue.

J'ai décidé d'expérimenter la normalité. Pendant dix-neuf ans, j'avais vécu selon la volonté de mon père. Maintenant, j'allais essayer autre chose.

J'ai déménagé dans un nouvel appartement à l'autre bout de la ville, où personne ne me connaissait. Je désirais prendre un nouveau départ. À l'église, mon nouvel évêque m'a accueillie avec une chaleureuse poignée de main, avant de la tendre au suivant. Son désintérêt me comblait. Si je pouvais juste faire semblant d'être normale pendant un petit moment, cela me ferait peut-être l'effet d'être vrai.

C'est à l'église que j'ai rencontré Nick. Il avait des lunettes carrées et des cheveux très bruns, qu'il coiffait en épis soignés avec du gel. Papa se serait moqué d'un homme qui utilisait du gel, et c'est peut-être pour cette raison que j'adorais. J'aimais aussi que Nick ne sache pas distinguer un alternateur d'un vilebrequin. Ce qu'il connaissait, en revanche, c'étaient des livres, des jeux vidéo et des marques de vêtements. Et des mots. Il possédait un vocabulaire étonnant.

Nick et moi avons d'emblée formé un couple. Il m'a prise par la main dès notre premier rendez-vous. Quand sa peau a touché la mienne, je m'apprêtais à combattre ce besoin primaire de le repousser, mais cela ne s'est jamais produit. C'était à la fois étrange et excitant, et rien en moi n'avait envie d'y mettre fin. J'aurais aimé me précipiter chez mon ancien évêque et lui dire que je n'étais plus un être brisé.

J'ai surestimé mes progrès. J'étais si concentrée sur ce qui fonctionnait que je ne remarquais plus ce qui ne marchait pas. Nous étions ensemble depuis quelques mois, et j'avais passé de nombreuses soirées avec sa famille, avant d'avoir prononcé un mot à propos de la mienne. Je l'ai fait sans y penser. Quand Nick s'est plaint d'une douleur à l'épaule, j'ai mentionné l'une des huiles essentielles de ma mère. Il était intrigué – il s'attendait à ce que j'évoque le sujet –, mais j'étais trop en colère contre moi-même de cette bévue. Je ne l'ai plus laissée se reproduire.

Vers la fin mai, j'ai commencé à me sentir mal. Pendant une semaine, j'ai à peine pu me traîner jusqu'à mon petit boulot du moment, un stage rémunéré dans un cabinet juridique. Je dormais du début de soirée jusque tard dans la matinée, puis je bâillais toute la journée. Ma gorge a fini par devenir douloureuse et ma voix s'est cassée, elle s'est de plus en plus éraillée, jusqu'à devenir un crépitement sourd, comme si mes cordes vocales s'étaient transformées en laine de verre.

Au début, Nick s'amusait que je refuse de voir un médecin, mais à mesure que la maladie s'envenimait, son amusement s'est mué en souci, puis en confusion. Je l'envoyais balader.

« Ce n'est pas si grave, disais-je. Si c'était grave, j'irais. »

Une autre semaine s'est écoulée. J'ai quitté mon stage et me suis mise à dormir toute la journée, en plus des nuits. Un matin, il s'est pointé à l'improviste.

« On va chez le médecin ! »

J'ai commencé par lui répliquer que je n'irais pas. Puis j'ai vu son expression. Il paraissait vouloir me poser une question, mais savait que c'était inutile. J'ai remarqué la ligne fine de ses lèvres, le plissement de ses yeux. C'est à cela que ressemble la méfiance, ai-je pensé.

Ayant le choix entre consulter un méchant médecin socialiste et admettre devant mon boy-friend que je prenais les toubibs pour de méchants socialistes, j'ai choisi de voir un médecin.

« Je vais y aller aujourd'hui, ai-je promis. Mais je préfère y aller seule.

— Très bien. »

Après son départ, j'ai dû faire face à un nouveau problème. Je ne savais pas comment aller chez un docteur. J'ai appelé une amie de ma classe qui, une heure plus tard, est venue me chercher. Non sans perplexité, j'ai remarqué que nous passions devant l'hôpital, situé à quelques rues de mon appartement. Elle m'a conduite dans un petit bâtiment au nord du campus, qu'elle appelait une « clinique ». J'ai feint la nonchalance, je m'efforçais de me comporter comme si j'avais l'habitude de tout cela mais, alors que nous traversions le parking, il m'a semblé que ma mère nous observait.

Je ne savais que raconter à la réceptionniste. Attribuant mon silence à mon mal de gorge, mon amie a expliqué mes symptômes. On nous a priées de patienter. Puis une infirmière m'a précédée dans une petite pièce blanche où elle m'a pesée, a pris ma tension, et effectué un prélèvement de la bouche. Les maux de gorge aussi sévères étaient généralement causés par la bactérie de l'angine ou par le virus de la mononucléose, m'a-t-elle expliqué. On le saurait d'ici quelques jours.

Quand les résultats sont arrivés, je me suis rendue seule à la clinique en voiture. Un médecin d'âge mûr, à moitié chauve, m'a communiqué les résultats.

« Félicitations ! Vous êtes positive à l'angine et à la mononucléose. La seule patiente que j'aie reçue depuis un mois qui ait attrapé les deux.

— Les deux ? Comment puis-je avoir les deux ?

— C'est beaucoup, beaucoup de malchance, a-t-il constaté. Pour l'angine, je peux vous donner de la pénicilline, mais pour la mononucléose, il n'y a pas grand-chose à tenter. Vous allez devoir attendre que ça passe. Enfin, une fois débarrassée de l'angine, vous devriez vous sentir mieux. »

Le praticien a demandé à l'infirmière d'apporter un peu de pénicilline.

«Nous devons vous mettre sous antibiotique tout de suite», a-t-il ajouté.

Tandis que je tenais les comprimés dans ma paume, je me suis rappelé cet après-midi où Charles m'avait donné de l'ibuprofène. J'ai pensé à mère, et aux nombreuses fois où elle m'avait expliqué que les antibiotiques empoisonnaient le corps, qu'ils étaient cause de stérilité et de malformations à la naissance. Que l'esprit du Seigneur ne pouvait résider dans des corps malsains, et qu'aucun corps n'est sain quand il délaisse Dieu et compte sur les hommes. À moins que ce ne soit papa qui ait prononcé cette dernière partie.

J'ai avalé les comprimés. Était-ce du désespoir, tant je me sentais mal? Je pense aujourd'hui que la raison était plus prosaïque : la curiosité. J'étais là, au cœur de la Médecine officielle, et j'avais envie de voir, enfin, de quoi j'avais eu peur depuis toujours. Mes yeux allaient-ils saigner? Ma langue allait-elle tomber? Quelque chose d'épouvantable allait forcément se produire. Et j'avais besoin de savoir quoi.

J'ai regagné mon appartement et j'ai téléphoné à ma mère. J'ai cru que me confesser allégerait ma culpabilité. Je lui ai confié que j'avais consulté un médecin, et que je souffrais d'une angine et d'une mononucléose.

«Je prends de la pénicilline. Je voulais juste que tu le saches.»

Elle s'est mise à parler avec un débit rapide mais je n'ai pas entendu grand-chose, j'étais trop fatiguée. Quand elle a semblé ralentir, je lui ai dit «je t'aime» et j'ai raccroché.

Deux jours plus tard, un paquet est arrivé, en express, de l'Idaho. Il contenait six bouteilles de teintures, deux flacons d'huiles essentielles et un sachet d'argile blanche. J'ai reconnu la formule – les huiles et les teintures servaient à fortifier le foie et les reins et l'argile serait un bain de pied pour drainer les toxines. Il y avait un mot de mère : *Ces herbes évacueront les antibiotiques de ton organisme. S'il te plaît utilise-les aussi longtemps que tu persisteras à prendre ces médicaments. Je t'aime.*

Je me suis enfoncée dans mon oreiller et me suis endormie presque instantanément. Mais, juste avant, j'ai éclaté d'un immense rire : elle n'avait pas envoyé de remèdes contre l'angine ou la mononucléose. Uniquement contre la pénicilline.

Le lendemain matin, la sonnerie du téléphone m'a réveillée. C'était Audrey :

« Il y a eu un accident ! »

Ses mots m'ont transportée dans un autre temps – quand j'avais répondu au téléphone et entendu ces mêmes paroles, en guise de salutations. J'ai pensé à ce jour et à ce que mère avait dit ensuite. J'espérais qu'Audrey s'inspirait d'un autre scénario.

« C'est papa. Si tu te dépêches et pars tout de suite, tu pourras lui dire au revoir. »

25

L'œuvre du soufre

Quand j'étais jeune, on m'a souvent raconté la même histoire, tant de fois depuis mon plus jeune âge que je suis incapable de me rappeler qui me l'avait relatée en premier. C'était au sujet de grand-père-en-bas-de-la-colline et de la manière dont il s'était fait cet enfoncement à la tempe droite.

Grand-père était alors un jeune homme, il avait passé un été caniculaire dans la montagne, sur la jument blanche qu'il montait pour son travail de cow-boy. C'était un cheval de grand gabarit, que l'âge avait calmé. À l'entendre, mère affirmait que cette jument était aussi stable que le roc et qu'en selle grand-père n'était pas trop sur ses gardes. Il lâchait les rênes quand ça le chantait, que ce soit pour retirer une teigne de sa botte ou soulever sa casquette rouge d'un geste large et s'essuyer la figure d'un revers de sa manche. La jument ne bougeait pas. Mais elle avait beau être tranquille, les serpents la terrorisaient.

« Elle a dû apercevoir quelque chose qui rampait dans les hautes herbes, expliquait mère quand elle racontait l'histoire, parce qu'elle l'a proprement éjecté de sa selle. »

Il y avait derrière lui une vieille herse. Grand-papa a atterri en plein dessus et l'une des dents de la herse lui a creusé le front.

Ce qui avait provoqué cet enfoncement du crâne de grand-père changeait au gré des récits. Dans certaines versions, c'était une herse ; dans d'autres, c'était un rocher. Ce que je soupçonne, c'est que personne n'en savait rien. Il n'y avait pas eu de témoins. Le choc lui avait fait perdre connaissance, et grand-père ne se souvenait plus de grand-chose lorsque grand-mère l'avait retrouvé sous leur véranda, baignant dans son sang.

Personne ne sait comment il était arrivé sous cette véranda.

Du haut du pâturage jusqu'à la maison, il y avait une distance d'un peu moins de deux kilomètres – un terrain rocailleux accidenté, aux pentes escarpées et inhospitalières, que grand-père n'aurait pu parcourir dans son état. Pourtant il était là. Grand-mère avait entendu un léger grattement à la porte, et quand elle avait ouvert, elle l'avait vu, gisant comme une masse, de la cervelle lui dégoulinant de la tête. Elle s'était précipitée pour le conduire en ville et on lui avait posé une plaque en métal.

Après le retour de grand-père à la maison, où il se rétablissait, grand-mère s'était lancée à la recherche de la jument blanche. Elle avait sillonné toute la montagne à pied et avait fini par la découvrir derrière le corral, attachée à la palissade par un nœud compliqué que seul Lott, son père, savait faire.

Parfois, quand j'étais chez grand-mère (où je dévorais les corn-flakes et le lait prohibés), je demandais à grand-père de me raconter comment il était ressorti de la montagne. Il me répondait chaque fois qu'il n'en savait rien. Ensuite, il prenait une profonde respiration – longue et lente, comme s'il s'imprégnait d'une certaine humeur, et non d'un récit – et me racontait tout l'épisode du début à la fin. Grand-père était un homme discret, presque mutique. On pouvait passer un après-midi entier à nettoyer les champs avec lui sans jamais entendre dix mots enchaînés. C'était juste « Yep », « Pas celui-là », ou « Je pense bien ».

Mais si vous lui demandiez comment il était descendu de la montagne le jour de son accident, il vous parlait dix bonnes minutes, même si tout ce dont il se souvenait, c'était qu'il était couché dans le champ, incapable d'ouvrir les yeux, sous un soleil brûlant qui séchait le sang sur son visage.

« Mais je vais te dire, ajoutait-il, en retirant son chapeau et en palpant du bout des doigts cet enfoncement qu'il avait au crâne. Pendant que j'étais par terre au milieu de ces herbes, j'ai entendu des choses. Des voix, et ça causait. J'en ai reconnu une, parce que c'était grand-papa Lott. Il disait à quelqu'un que le fils d'Albert avait des ennuis. C'était Lott qui disait ça, je le sais, aussi sûr que je sais que je suis ici. » Les yeux de grand-père se mettaient à briller avant qu'il n'ajoute : « La seule chose, c'est que Lott, il est mort depuis presque dix ans. »

Cette partie de l'histoire invitait au respect. Mère et grand-mère adoraient toutes les deux la raconter, mais je préférais la version de mère. Elle savait baisser le ton aux bons moments. « C'étaient des anges », affirmait-elle, une petite larme roulant jusqu'à se perdre au coin de son sourire. « Ton arrière-grand-papa Lott les avait envoyés, et ils avaient redescendu grand-père de la montagne. »

L'enfoncement était disgracieux, un cratère au front de cinq centimètres de diamètre. Enfant, quand je posais les yeux dessus, j'imaginais parfois un docteur en blouse blanche frappant sur une feuille de métal avec un marteau. Dans mon imagination, le docteur se servait des plaques de tôle ondulée que papa utilisait pour la toiture des granges à foin.

Mais c'était seulement occasionnel. D'ordinaire, je voyais autre chose. La preuve que mes ancêtres arpentaient cette montagne, aux aguets, en attente, avec les anges à leur disposition.

J'ignore pourquoi papa était seul dans la montagne ce jour-là.

Le broyeur de carcasses arrivait. J'imagine qu'il voulait récupérer ce dernier réservoir, mais je suis incapable d'imaginer ce qui lui a pris d'allumer sa torche à l'acétylène sans d'abord siphonner le carburant. J'ignore où il en était, combien de boulons il avait réussi à sectionner, avant qu'une étincelle du chalumeau ne pénètre dans le réservoir. Mais je sais que papa se trouvait tout près de la voiture, le corps calé contre le châssis, quand ce réservoir avait explosé.

Il portait une chemise à manches longues, des gants de cuir et un masque de soudure. Son visage et ses doigts avaient subi le gros de la déflagration. La chaleur de l'explosion avait fait fondre le masque comme si c'était une cuiller en plastique. La moitié inférieure de son visage s'était liquéfiée : le feu avait consumé le plastique, puis la peau, puis les muscles. Le même processus s'était répété avec les doigts – les gants de cuir n'étaient pas de taille face à l'enfer qui les avait enveloppés –, puis des langues de flammes lui avaient léché les épaules et la poitrine. Quand il s'était éloigné en rampant de l'épave en feu, j'imagine qu'il avait plus l'air d'un cadavre que d'un homme vivant.

Comment avait-il pu bouger, et plus encore se traîner sur quatre cents mètres à travers champs et en franchissant des fossés, cela me dépassait. Si un homme a jamais eu besoin d'anges, c'était bien cet homme-là. Mais il y était arrivé, contre toute logique, et – comme son père des années auparavant – il avait fini blotti contre la porte de son épouse, incapable de frapper.

Ma cousine Kylie travaillait pour ma mère ce jour-là, elle remplissait des flacons d'huiles essentielles. D'autres femmes travaillaient non loin, pesant des feuilles séchées ou passant des teintures. Kylie avait entendu un coup feutré à la porte du fond, comme si quelqu'un frappait contre avec le coude. Elle avait ouvert, mais ne conserve aucun souvenir de ce qu'il y avait derrière.

« J'ai tout refoulé, me confiera-t-elle plus tard. Je suis incapable de me rappeler ce que j'ai vu. Je me souviens seulement de ce que j'ai pensé, à savoir qu'il n'avait plus de peau. »

Elles avaient porté mon père sur le canapé. On lui avait versé du Rescue Remedy – le remède homéopathique pour les états de choc – sur la cavité qui avait été sa bouche. Elles lui avaient administré de la lobélie et de la scutellaire pour la douleur – ce même mélange que mère avait administré à Luke des années plus tôt. Il s'était étouffé. Il était incapable d'avaler le médicament. Il avait inhalé la boule de feu, ses entrailles étaient calcinées.

Mère a tenté de l'emmener à l'hôpital, mais entre deux râles, il avait chuchoté qu'il préférait mourir que d'aller voir un docteur. Son autorité était telle qu'elle avait cédé.

Elle avait délicatement retiré les peaux mortes et pommadé les plaies d'un baume – le même baume qu'elle avait appliqué sur la jambe de Luke des années auparavant – de la taille jusqu'au sommet du crâne, puis l'avait bandé. Elle lui avait donné des cubes de glace à sucer, pour l'hydrater, mais l'intérieur de sa bouche et de sa gorge était si vilainement brûlé qu'il n'absorbait aucun liquide, et sans lèvres, sans muscles, il ne pouvait garder les glaçons dans sa bouche. Le cube de glace glissait au fond de sa gorge et l'étouffait.

Ils avaient failli perdre papa plusieurs fois, cette première nuit. Sa respiration ralentissait, puis s'arrêtait, et ma mère – aidée de la merveilleuse petite troupe de femmes qui travaillaient pour elle – s'affairait en tous sens, ouvrant ses chakras et tapotant quelques points de pression, faisant tout son possible pour inciter ses poumons desséchés, fragilisés, à reprendre leur respiration sifflante.

C'est ce matin-là qu'Audrey m'a téléphoné[1]. Le cœur de notre père s'était arrêté à deux reprises durant la nuit, m'a-t-elle expliqué. Ce serait sans doute son cœur qui le tuerait, à supposer que ses poumons ne lâchent pas en premier. De toute manière, Audrey était certaine qu'à midi il serait mort.

J'ai appelé Nick. Je l'ai averti que je devais me rendre dans l'Idaho quelques jours, pour une histoire de famille, rien de grave. Il sentait que je lui taisais quelque chose – au son de sa voix, je le sentais blessé de ne pas être digne de ma confiance –, mais à l'instant où j'ai raccroché, ça m'est sorti de l'esprit.

J'étais debout, les clés dans une main, l'autre sur la poignée de la porte, et j'hésitais. L'angine. Et si je la

---

1. Il est possible que ma chronologie soit décalée d'un ou deux jours. Selon certaines personnes présentes, bien que mon père ait été horriblement brûlé, il ne semblait pas en réel danger avant le troisième jour, quand des croûtes ont commencé à se former, rendant la respiration difficile. La déshydratation envenimait la situation. Selon ce déroulement des événements, c'est alors qu'ils ont craint pour sa vie, et que ma sœur m'a appelée, mais je me suis méprise, supposant que l'explosion s'était produite la veille.

repassais à papa ? Je prenais de la pénicilline depuis presque trois jours. Le docteur m'avait dit qu'au bout de vingt-quatre heures je ne serais plus contagieuse, mais bon, c'était un médecin, et je ne me fiais pas à lui.

J'ai attendu une journée. J'ai pris plusieurs fois la dose prescrite d'antibiotique, puis j'ai appelé ma mère et lui ai demandé ce que je devais faire.

« Tu devrais revenir à la maison, m'a-t-elle répondu, et sa voix s'est brisée. Demain, je ne crois pas que l'angine comptera encore beaucoup. »

Je ne me rappelle pas les paysages de la route. Mes yeux percevaient à peine la marqueterie des champs de maïs et de pommes de terre, ou les collines sombres couvertes de pins. Au lieu de quoi, je revoyais mon père, l'allure qu'il avait la dernière fois que je l'avais vu, face à moi, avec une mine crispée. Je me souvenais de mon timbre de voix suraigu, virulent, quand je lui avais crié dessus.

Comme Kylie, je ne me rappelle plus ce que j'ai vu la première fois que j'ai posé les yeux sur lui. Je sais que lorsque ma mère avait retiré la gaze, ce matin-là, elle avait découvert que ses oreilles étaient elles aussi brûlées, leur peau si grumeleuse qu'elles avaient fusionné avec les tissus d'aspect sirupeux qui se situaient derrière. Quand j'ai franchi la porte donnant sur l'arrière, la première chose que j'ai vue, c'était ma mère qui empoignait un couteau à beurre, dont elle se servait pour écarter les oreilles de mon père de son crâne. Je me la représente encore agrippant ce couteau, les yeux fixés, concentrés. Mais là où devait se trouver mon père, il n'y a dans mon souvenir qu'une ouverture béante.

L'odeur qui régnait dans la pièce était prégnante – de chair calcinée et de camphre, de molène et de plantain. Je regardais mère et Audrey changer ses bandages restants. Elles commençaient par ses mains. Ses doigts étaient visqueux, recouverts d'une humeur claire qui devait être de la peau fondue ou du pus. Ses bras n'étaient pas brûlés, pas plus que ses épaules ou son dos, mais une épaisse bande de gaze lui barrait l'estomac et la poitrine. Quand elles la lui ont retirée, je me suis estimée heureuse de voir encore de vastes étendues de peau à vif, de vilain aspect. Il y avait quelques plaies en forme de cratère, là où les flammes avaient dû se concentrer. Ces plaies dégageaient des relents âcres, comme de la chair pourrissante, et elles étaient remplies de flaques blanchâtres.

Mais c'est son visage qui est venu hanter mes rêves cette nuit-là. Son front et son nez étaient intacts. La peau autour de ses yeux et jusqu'au milieu des joues était rose et saine. Mais au-dessous de son nez, il n'y avait plus rien de ce qui avait été. Rouge, mutilé, affaissé, le bas de sa figure évoquait un masque de tragédie qu'on aurait trop approché d'une bougie.

Papa n'avait rien avalé – ni nourriture ni eau – depuis près de trois jours. Mère avait appelé un hôpital dans l'Utah et les avait suppliés de lui prêter une potence de perfusion. « J'ai besoin de l'hydrater, expliquait-elle. S'il n'a pas d'eau, il va mourir. »

Le médecin lui avait proposé d'envoyer aussitôt un hélicoptère, mais ma mère avait refusé. « Alors je ne peux pas vous aider, a-t-il répliqué. Vous allez le tuer, et je refuse d'être mêlé à ça. »

Mère était rongée d'inquiétude. Dans un geste ultime, désespéré, elle lui a fait un lavement, introduisant la canule aussi loin qu'elle l'osait, pour tenter d'envoyer suffisamment de liquide par son rectum, afin de le maintenir en vie. Elle ignorait si cela fonctionnerait – s'il subsistait même un organe dans cette partie de son corps pour absorber cette eau – mais c'était le seul orifice qui n'avait pas été brûlé.

Cette nuit-là, j'ai dormi par terre dans le salon, afin de pouvoir être là, dans la pièce, quand nous le perdrions. Plusieurs fois, j'ai été réveillée par des halètements, des mouvements empressés et des murmures me signalant que cela s'était reproduit, qu'il avait cessé de respirer.

Une fois, une heure avant l'aube, j'ai été certaine que c'était la fin : il ne se relèverait plus d'entre les morts. J'ai posé ma main sur un petit paquet de bandages tandis qu'Audrey et ma mère s'agitaient autour de moi, en psalmodiant et en tapotant. La pièce n'était pas en paix, ou alors c'était peut-être simplement moi qui ne l'étais pas. Depuis des années, mon père et moi étions enfermés dans un conflit, l'affrontement perpétuel de deux volontés. Je croyais l'avoir accepté, accepté notre relation pour ce qu'elle était. Mais à cet instant, je me rendais compte à quel point j'avais espéré que ce conflit toucherait à sa fin, comptant sur ma foi profonde en un avenir où nous serions un père et une fille en paix l'un avec l'autre.

J'ai regardé sa poitrine, prié pour qu'il respire, en vain. Ensuite, trop de temps s'était écoulé. Je m'apprêtais à m'en aller, à laisser ma mère et ma sœur lui dire au revoir, quand il a toussé – une quinte sèche, sifflante, comme du papier de crêpe qu'on froisse. Et soudain, tel Lazare qui revient à la vie, sa poitrine a recommencé à se soulever, à s'abaisser, à se soulever.

J'ai annoncé à ma mère que je partais. «Papa va pouvoir survivre», ai-je assuré. Et s'il survit, ce n'est pas l'angine qui le tuera.

Ma mère a mis ses affaires en suspens. Les femmes qui travaillaient pour elle ont cessé de concocter des teintures et d'embouteiller des huiles mais, à la place, elles ont confectionné des bacs entiers de baume – une nouvelle recette, à base de camphre, de lobélie et de plantain, que mère avait élaborée spécifiquement pour mon père. Mère étalait sa préparation sur le haut du corps de papa, deux fois par jour. Je ne me souviens pas des autres traitements qu'elle employait, et je n'en sais pas assez sur le travail des énergies pour en dresser un compte rendu. Je sais qu'elles ont consommé plus de soixante-cinq litres de baume au cours des deux premières semaines, et que mère commandait de la gaze en gros.

Tyler est arrivé en avion de Purdue. Il a pris la relève de mère, changeant les bandages aux doigts de papa tous les matins, grattant les lambeaux de peau et de muscle qui s'étaient nécrosés durant la nuit. Cela ne lui faisait pas mal. Les nerfs étaient morts. « J'ai gratté tellement de couches, m'a confié Tyler, j'étais persuadé qu'un matin j'allais toucher l'os. »

Les doigts de notre père se sont peu à peu repliés, en se recroquevillant de façon peu naturelle, aux articulations. C'était à cause des tendons qui s'étaient mis à se ratatiner et à se contracter. Tyler a essayé d'étirer les tendons et d'empêcher la difformité de devenir permanente, mais papa ne supportait pas la douleur.

Je suis revenue à Buck's Peak quand j'ai eu la certitude que l'angine était terminée. Je m'asseyais à son chevet, je lui versais des cuillers à café d'eau dans la bouche avec un compte-gouttes médical et je le nourrissais de légumes en purée, comme si c'était un enfant en bas âge. Il parlait rarement. À cause de la douleur, il avait du mal à se concentrer, il réussissait à peine à terminer une phrase avant que son esprit ne renonce. Mère lui a proposé d'acheter des médicaments, les analgésiques les plus forts sur lesquels elle pourrait mettre la main, mais il refusait. C'était la douleur du Seigneur, disait-il. Et il l'éprouverait jusqu'au bout.

Lorsque j'étais partie, j'avais écumé tous les magasins de vidéo dans un rayon de cent cinquante kilomètres jusqu'à ce que je déniche le coffret complet de *The Honeymooners*. À mon retour je l'ai mis sous les yeux de papa. Pour me faire comprendre qu'il avait bien vu, il a cligné des yeux. Je lui ai demandé s'il voulait regarder un épisode. Il a encore cligné des yeux. J'ai inséré la première cassette dans le magnétoscope et me suis assise à côté de lui, scrutant son visage gauchi, écoutant ses geignements feutrés, pendant qu'à l'écran Alice Kramden se montrait plus futée que son mari.

26

En attendant le mouvement de l'eau[1]

Pendant deux mois, papa n'a pas quitté son lit, sauf si l'un de mes frères le portait. Il urinait dans une bouteille, et les lavements continuaient. Même après qu'il est clairement apparu qu'il survivrait, nous n'avions aucune idée de la vie qu'il mènerait. La seule chose à faire, c'était attendre. Très vite, nous avons eu l'impression que tout ce que nous faisions n'était qu'une forme d'attente – attente de le nourrir, attente de changer ses bandages. Attendre de voir jusqu'à quel point notre père renaîtrait.

Il m'était difficile d'imaginer un homme comme papa – fier, fort, physique – définitivement diminué. Je me demandais comment il s'adapterait si mère devait éternellement lui découper ses aliments, s'il serait en mesure de mener une existence heureuse sans être

---

1. Jean, 5:3 : « Sous ces portiques étaient couchés en grand nombre des malades, des aveugles, des boiteux, des paralytiques, qui attendaient le mouvement de l'eau. » (N.d.T.)

capable de se saisir d'un marteau. Tant de choses s'étaient déjà perdues.

Mais à ma tristesse, se mêlait aussi de l'espoir. Papa avait toujours été un homme fort – un homme qui connaissait la vérité sur tous les sujets et ne s'intéressait pas à ce que les autres disaient. Nous l'écoutions, lui, jamais l'inverse : quand il ne parlait pas, il exigeait le silence.

Depuis la déflagration, le sermonneur était devenu observateur. Parler lui était difficile, à cause de la douleur constante, mais aussi parce qu'il avait la gorge brûlée. Alors il regardait, il écoutait. Il restait allongé, durant des heures, des journées, les yeux en alerte, la bouche close.

En quelques semaines, mon père – qui, des années plus tôt, n'avait pas été en mesure de deviner mon âge à cinq ans près – n'ignorait plus rien de mes cours, de mon petit ami, de mon job d'été. Je ne lui avais rien dit à ce sujet, mais il avait écouté nos bavardages avec Audrey, quand nous changions ses bandages, et il avait tout retenu.

« J'aimerais en savoir plus sur ces cours, là, m'a-t-il soufflé un matin, vers la fin de l'été. Ça semble vraiment intéressant. »

Cela m'a fait l'effet d'un nouveau commencement.

Papa était encore cloué au lit quand Shawn et Emily ont annoncé leurs fiançailles. C'était l'heure du dîner, et la famille était réunie autour de la table de la cuisine quand Shawn a déclaré que, tout compte fait, il pensait épouser Emily. Il y a eu un silence ; les fourchettes ont raclé les assiettes. Lorsque mère a demandé s'il était sérieux, il a répondu que non, qu'avant de véritablement mettre cette idée à exécution, il pensait trouver quelqu'un de mieux. Emily, qui était assise juste à côté de lui, arborait un sourire contrit.

Cette nuit-là, je n'ai pas dormi. Je n'arrêtais pas de vérifier le verrou de ma porte. Le présent me paraissait vulnérable au passé, comme si ce dernier avait pu l'engloutir, comme si, en tournant les yeux, j'avais de nouveau quinze ans.

Le lendemain matin, Shawn nous a avertis qu'Emily et lui préparaient une virée à cheval d'une trentaine de kilomètres jusqu'au lac de Bloomington. Je nous ai surpris l'un et l'autre en disant que j'avais envie d'y aller, moi aussi. M'imaginant toutes ces heures en pleine nature avec Shawn, je me sentais anxieuse, mais j'ai repoussé l'anxiété. Il y avait une chose que je me devais de faire.

À cheval, quatre-vingts kilomètres font l'effet de huit cents, en particulier si votre corps est plus habitué à un fauteuil qu'à une selle. À notre arrivée au lac, Shawn et Emily se sont laissé lestement glisser de leur monture et ont commencé à dresser le camp. Moi, j'étais juste capable de défaire la sangle de la selle d'Apollo et de me laisser choir sur un arbre mort. J'ai regardé Emily installer la tente que nous devions partager. C'était une grande jeune femme incroyablement fine, avec de longs cheveux raides si blonds qu'ils étaient presque argentés.

Nous avons allumé un feu de camp et chanté des chansons. Nous avons joué aux cartes. Ensuite, nous avons rejoint nos tentes. J'étais allongée dans le noir à côté d'Emily, j'écoutais les criquets. J'essayais de trouver une façon d'entamer la conversation – comment lui déconseiller d'épouser mon frère – quand elle a pris la parole :

« J'ai envie de te parler de Shawn. Je sais qu'il a eu des problèmes.

— C'est vrai.

— C'est un homme d'une grande spiritualité, a-t-elle continué. Dieu lui a donné une vocation particulière. Aider les gens. Il m'a raconté comment il avait aidé Sadie. Et en quoi il t'avait aidée.

— Il ne m'a pas aidée. » J'avais envie d'en dire plus, d'expliquer à Emily ce que l'évêque m'avait expliqué. Mais c'étaient ses mots à lui, pas les miens. Je n'avais pas de mots à moi. J'avais parcouru quatre-vingts kilomètres pour lui parler, et j'étais muette.

« Le diable lui impose plus encore de tentations qu'à d'autres hommes, poursuivit-elle. À cause de ses dons, parce qu'il est une menace pour Satan. C'est pour ça qu'il a des problèmes. À cause de sa droiture si vertueuse. »

Elle s'est redressée. Je distinguais les contours de sa longue queue-de-cheval, dans l'obscurité.

« Il m'a avertie qu'il allait me faire du mal, a-t-elle ajouté. Je sais que c'est à cause de Satan. Mais parfois j'ai peur de lui, de ce qu'il va faire, ça m'effraie. »

Je lui ai répondu qu'elle ne devrait pas épouser quelqu'un qui l'effraie, que personne ne le devrait.

Mais ces paroles ont franchi mes lèvres mort-nées. Je croyais en ces mots-là, mais je ne les comprenais pas assez bien pour les rendre vivants.

J'ai fixé l'obscurité, j'y cherchais son visage, je m'efforçais de comprendre quel pouvoir mon frère exerçait sur elle. Il détenait ce même pouvoir sur moi, je le savais. Il en conservait encore une part. Je n'étais ni sous sa coupe, ni affranchie.

«C'est un homme d'une grande spiritualité», a-t-elle répété. Puis, elle s'est glissée dans son sac de couchage, et j'ai compris que la conversation était terminée.

Je suis retournée à la Brigham Young University quelques jours avant le semestre d'automne, et suis allée directement en voiture à l'appartement de Nick. Nous nous étions à peine parlé. Chaque fois que je lui téléphonais, je faisais semblant d'être appelée quelque part pour changer un bandage ou confectionner un baume. Nick savait que mon père était brûlé, mais il ignorait la gravité de son état. J'avais tu davantage d'informations que je ne lui en avais communiqué – je n'avais jamais précisé qu'il y avait eu une explosion, ni que lorsque je rendais «visite» à mon père, ce n'était pas dans un hôpital, mais dans notre salon. Je n'avais pas parlé à Nick de ses arrêts cardiaques. Je n'avais pas décrit les mains noueuses, les lavements, les kilos de tissus liquéfiés que nous avions retirés de son corps.

J'ai frappé et Nick m'a ouvert la porte. Il a paru surpris de me voir.

«Comment va ton père?» a-t-il demandé une fois assis près de moi sur le canapé.

Avec le recul, ce fut probablement le moment le plus important de notre amitié, le moment où j'aurais pu décider de faire une chose, la plus judicieuse, avant d'opter pour une autre. C'était la première fois que je le revoyais depuis l'explosion. J'aurais pu tout lui avouer : que ma famille ne croyait pas en la médecine moderne ; que nous traitions les brûlures à domicile avec des baumes et de l'homéopathie ; que c'était terrifiant, pire que terrifiant ; que jamais je n'oublierais l'odeur de la chair calcinée. J'aurais pu lui confier tout cela, j'aurais pu me soulager de ce poids, laisser la relation s'en charger et se renforcer. Au lieu de quoi, j'ai gardé ce fardeau pour moi, et mon amitié avec Nick, déjà anémique, sous-alimentée et sous-utilisée, a continué de dépérir, jusqu'à devenir obsolète.

Je croyais parvenir à réparer les dégâts – maintenant que j'étais de retour, ç'allait être ma vie, et peu importait que Nick ne comprenne rien à Buck's Peak. Mais la montagne refusait de renoncer à moi, elle s'agrippait. Les cratères noirs sur la poitrine de mon père se matérialisaient souvent sur les tableaux noirs, et je voyais la cavité affaissée de sa bouche dans les pages de mes manuels. Ce monde de souvenirs était en un sens plus vivant que le monde réel où je vivais, et je basculais de l'un à l'autre. Nick me prenait la main et, soudain, j'étais là avec lui, surprise de sentir sa peau contre la mienne. Mais quand je regardais nos doigts joints, quelque chose se déplaçait, et ce n'était plus la main de Nick. Elle était sanglante et griffue, et ce n'était plus une main.

Quand je dormais, je m'abandonnais complètement à la montagne. Je rêvais de Luke, de ses yeux partant en arrière. Je rêvais de papa, du râle qui sortait de ses poumons. Je rêvais de Shawn, du moment où mon poignet avait craqué, sur le parking. Je rêvais de moi, boitant à son côté, et de mon rire, ce caquètement strident, horrible. Dans mes rêves, j'avais de longs cheveux argentés.

Le mariage était en septembre.

Je suis arrivée à l'église pleine d'une énergie anxieuse, comme si j'avais été envoyée depuis un futur désastreux pour participer à ce moment, quand mes actes avaient encore du poids et mes pensées des conséquences. Je ne savais pas ce qu'on m'envoyait faire, je me tordais les mains, je me mordais les joues, dans l'attente du moment crucial. Cinq minutes avant la cérémonie, j'ai vomi dans les toilettes pour femmes.

Quand Emily a dit «oui», toute vitalité m'a abandonnée. Je suis redevenue un esprit, qui partait à la dérive, jusqu'à la BYU. Je gardais les yeux rivés sur les Rocheuses depuis la fenêtre de ma chambre et, soudain, j'ai été frappée par leur apparence si peu réelle. Comme des tableaux.

Une semaine après le mariage, j'ai rompu avec Nick – de façon dure et cynique, j'ai honte de l'admettre. Je ne lui avais jamais parlé de ma vie d'avant, je n'avais jamais évoqué le monde qui avait envahi et anéanti celui que nous partagions lui et moi. J'aurais pu expliquer. J'aurais pu dire : « Cet endroit exerce une emprise sur moi, que je ne briserai peut-être jamais. » C'eût été aller au cœur des choses. À la place, je me suis enfoncée dans le temps. Il était trop tard pour me confier à Nick, pour l'emmener là où j'allais. Je lui ai donc dit au revoir.

27

Si j'étais une femme

J'étais allée à la Brigham Young University étudier la musique, pour qu'un jour je puisse diriger une chorale d'église. Mais ce semestre-là – l'automne de ma troisième année –, je ne me suis inscrite à aucun cours de musique. Je n'aurais su expliquer pourquoi j'avais abandonné la théorie musicale avancée au profit de la géographie et de la politique comparée, ni pourquoi j'avais renoncé à déchiffrer une partition pour choisir l'Histoire des Juifs. Mais quand j'avais repéré ces cours dans la brochure de l'université, et lu leur intitulé à voix haute, j'avais eu la sensation qu'il s'agissait de quelque chose d'infini, et je voulais goûter à cette infinité.

Pendant quatre mois, j'ai suivi des cours de géographie, d'histoire et de politique. J'ai tout appris de Margaret Thatcher, du 38e parallèle et de la Révolution culturelle, j'ai appris les politiques parlementaires et les systèmes électoraux dans le monde. J'ai appris ce qu'étaient la diaspora juive et l'étrange histoire des *Protocoles des Sages de Sion*. À la fin du semestre, le monde me paraissait immense, et il m'était difficile de m'imaginer retournant à la montagne, à une cuisine, ou même à un piano dans la pièce qui jouxtait la cuisine.

Cela a provoqué une sorte de crise en moi. Mon amour de la musique et mon désir de l'étudier avaient été compatibles avec mon idée de ce qu'est une femme. Mon amour de l'histoire, de la politique et des affaires du monde ne l'était pas. Et pourtant, ces matières m'attiraient.

Quelques jours avant les examens de fin de semestre, je suis restée une heure avec mon ami Josh, nous étions tous les deux assis dans une salle de classe déserte. Lui passait en revue ses dossiers de candidature pour la faculté de droit pendant que je choisissais mes cours du prochain semestre.

« Si tu étais une femme, lui ai-je demandé, tu étudierais quand même le droit ? »

Josh n'a pas relevé les yeux.

« Si j'étais une femme, a-t-il dit, je n'aurais pas envie d'études de droit.

— Depuis que je te connais, tu n'as jamais parlé d'autre chose que de la faculté de droit. C'est ton rêve, n'est-ce pas ?

— En effet. Mais si j'étais une femme, ce ne serait plus mon rêve. Les femmes sont construites différemment. Elles ne possèdent pas cette ambition. Leur ambition, ce sont les enfants. »

Il m'a souri comme si je savais de quoi il voulait parler. Comme je savais, j'ai souri. Pendant quelques secondes, nous étions d'accord.

« Mais si tu étais une femme, ai-je insisté, et si, d'une manière ou d'une autre, tu ressentais exactement ce que tu ressens maintenant ? »

Les yeux de Josh se sont fixés sur le mur un moment. Il réfléchissait vraiment. Il a fini par me répondre :

« Je saurais que quelque chose ne va pas chez moi. »

Je me demandais si quelque chose clochait chez moi depuis le début du semestre, quand j'avais assisté à mon premier cours sur les affaires planétaires. Je m'étais demandé comment je pouvais être une femme tout en étant attirée par des choses si peu féminines.

Je savais que quelqu'un devait avoir la réponse ; j'ai donc décidé de poser la question à l'un de mes enseignants. J'ai choisi le professeur Kerry, de mon cours d'histoire hébraïque, parce qu'il était posé et s'exprimait d'une voix douce. C'était un homme de petite taille aux yeux sombres et à l'expression pleine de sérieux. Il donnait son cours emmitouflé dans une épaisse veste de laine, même par temps chaud. J'ai frappé à la porte de son bureau en espérant qu'il ne répondrait pas, et je me suis retrouvée assise devant lui. Je ne savais pas quelle était ma question, et le professeur Kerry ne m'a pas interrogée. Au lieu de quoi, il m'a posé des questions générales – au sujet de mes notes, des cours que je suivais. Il m'a demandé pourquoi j'avais retenu l'histoire hébraïque et, sans réfléchir, j'ai bredouillé que j'avais appris l'existence de l'Holocauste seulement quelques semestres plus tôt et que je souhaitais connaître le reste de cette histoire.

«Quand avez-vous appris l'existence de l'Holocauste ?

— À la BYU.

— Ils ne vous l'ont pas enseigné au lycée ?

— Sans doute. Sauf que moi, je n'y étais pas.

— Où étiez-vous ? »

Je lui ai expliqué du mieux que je le pouvais que mes
parents ne croyaient pas dans l'instruction publique,
qu'ils nous gardaient à la maison. Quand j'eus terminé,
il a croisé les doigts, comme s'il réfléchissait à un épi-
neux problème.

«Je pense que vous devriez exiger davantage de
vous-même. Et voir ce qui se produit.

— Davantage de moi-même ? Comment cela ? »

Il s'est subitement penché vers moi, comme s'il
venait d'avoir une idée.

«Avez-vous entendu parler de Cambridge ? » Non,
je n'en avais pas entendu parler. «C'est une université,
en Angleterre, a-t-il continué. L'une des meilleures
du monde. J'organise là-bas un programme d'études
à l'étranger pour mes étudiants. C'est très sélectif et
extrêmement exigeant. Vous pourriez ne pas être
acceptée, mais si vous l'êtes, cela vous donnerait éventuellement une idée de vos aptitudes. »

Je suis rentrée à pied à mon appartement en me
demandant ce que je pouvais retirer de cette conversation. Je m'attendais à recevoir un conseil d'ordre
moral qui réconcilierait ma vocation de femme et
mère avec un appel vers autre chose. Mais il avait mis
cela de côté et semblé me dire : «Découvrez d'abord

401

de quoi vous êtes capable, puis vous déciderez de qui vous êtes. »

J'ai déposé une candidature à ce programme.

Emily était enceinte. La grossesse ne se déroulait pas bien. Elle avait failli déclencher une fausse couche au cours des trois premiers mois, et maintenant qu'elle approchait des vingt semaines, elle commençait à avoir des contractions. Mère, qui était sage-femme, lui avait administré du millepertuis et d'autres remèdes. Les contractions avaient diminué, mais elles persistaient.

À mon arrivée à Buck's Peak pour Noël, je m'attendais à trouver Emily alitée. Nullement. Elle était debout, au comptoir de la cuisine, occupée à filtrer des plantes médicinales, avec une demi-douzaine d'autres femmes. Elle parlait rarement et souriait encore plus rarement, elle s'affairait juste dans la maison en transportant des bacs de viorne obier et d'agripaume. Elle était si silencieuse qu'au bout de quelques minutes, j'avais oublié qu'elle était là.

Six mois s'étaient écoulés depuis l'explosion et, alors que papa était de nouveau sur pied, il semblait clair qu'il ne serait plus jamais l'homme qu'il avait été. Il pouvait à peine traverser une pièce sans en être essoufflé, tant ses poumons étaient endommagés. La peau du bas de son visage s'était reconstituée, mais elle était fine et cireuse, comme si quelqu'un l'avait passée au papier de verre et frottée au point de la rendre transparente. Les cicatrices avaient épaissi ses oreilles. Il avait des lèvres fines et la bouche tombante, ce qui lui donnait l'apparence hagarde d'un homme bien plus âgé. Mais, plus que son visage, c'était sa main droite qui attirait les regards : chaque doigt était figé dans une position, certains recroquevillés, d'autres repliés, ou entortillés comme pour former une griffe noueuse. Il était capable de tenir une cuiller en la calant entre son index, courbé vers le haut, et son annulaire, incurvé vers le bas, mais il avait du mal à manger. Pourtant, je me demandais si des greffes de peau auraient pu accomplir ce que mère avait réussi avec son camphre et son baume à la lobélie. C'était un miracle, répétait tout le monde. C'était donc le nouveau nom qu'on avait donné à cette recette : le Baume Miracle.

Lors de mon premier soir au pied de la montagne, durant le dîner, papa a décrit l'explosion comme l'effet de la miséricorde du Seigneur. «C'était une bénédiction, disait-il. Un miracle. Dieu m'a épargné et m'a transmis une grande vocation. Pour attester de Son pouvoir. Pour montrer aux gens qu'il y a d'autres voies en dehors de la Médecine officielle.»

Je l'ai regardé essayer de coincer son couteau assez fermement pour couper son rôti, et échouer.

«Je n'ai jamais couru aucun danger, affirmait-il. Je vais vous le prouver. Dès que je pourrai traverser la cour sans m'évanouir, j'attraperai un chalumeau et découperai un autre réservoir.»

Le lendemain matin, en émergeant pour le petit déjeuner, j'ai vu un groupe de femmes réunies autour de mon père. La voix feutrée et les yeux brillants, elles écoutaient papa évoquer ses visitations célestes, quand il était entre la vie et la mort. Il avait été secouru par les anges, tels les prophètes d'antan. Dans le regard que ces femmes posaient sur lui, il y avait quelque chose comme de l'adoration.

Toute la matinée, je les ai observées et j'ai pris conscience du changement que le miracle de mon père avait opéré en elles. Auparavant, les employées de ma mère avaient toujours approché papa l'air de rien, avec des questions terre à terre sur leur travail. Désormais, elles s'exprimaient avec douceur, avec admiration. Elles rivalisaient pour s'attirer l'estime de ma mère, ou de mon père, et il arrivait que des psychodrames éclatent entre elles. Ce changement pouvait se résumer ainsi : avant, elles étaient des employées ; maintenant, elles étaient des disciples.

L'histoire des brûlures de papa était devenue une sorte de mythe fondateur : elle était répétée sans relâche, aux nouveaux venus, mais aussi aux anciens. En fait, il était rare de passer un après-midi sans entendre un récit du miracle et, à l'occasion, ceux-ci se révélaient peu fidèles. J'entendais mère raconter à une assemblée de visages fervents que soixante-cinq pour cent de la partie supérieure du corps de papa avaient été brûlés au troisième degré. Ce n'était pas ce dont je me souvenais. Dans ma mémoire, le gros des lésions était superficiel – ses bras, son dos et ses épaules avaient à peine été touchés. Seuls le bas de son visage et ses mains avaient été atteints au troisième degré. Mais je gardais cela pour moi.

Pour la première fois, mes parents semblaient parler d'une seule et même voix. Mère ne tempérait plus les déclarations de papa après son départ de la pièce, elle ne formulait plus sa propre opinion. Le miracle l'avait transformée – transformée pour ne faire plus qu'un avec lui. Je me souvenais d'elle en jeune sage-femme, si prudente, si humble face aux vies qu'elle tenait entre ses mains. À présent, il ne subsistait guère de cette humilité. Le Seigneur Lui-même guidait ses mains, et aucun malheur ne surviendrait plus, excepté par la volonté de Dieu.

Quelques semaines après Noël, l'université de Cambridge a écrit au professeur Kerry, l'informant du rejet de ma candidature.

«La concurrence était très rude», a expliqué le professeur quand je me suis rendue à son bureau.

Je l'ai remercié en me levant pour repartir.

«Un instant, a-t-il continué. Cambridge m'a suggéré de leur écrire si j'estimais qu'il y avait eu des injustices.»

Comme je ne comprenais pas, il s'est expliqué :

«Je ne pouvais pousser qu'une seule étudiante. Ils vous ont proposé une place, si vous la voulez.»

Il me semblait tout simplement impossible d'être autorisée à y aller. Ensuite, j'ai songé que, sans acte de naissance en bonne et due forme, il était peu probable que j'obtienne un passeport. Une personne comme moi n'avait pas sa place à Cambridge. C'était comme si l'univers le comprenait et tentait d'empêcher le blasphème de mon départ là-bas.

J'ai déposé une demande moi-même. Devant mon acte de naissance différé, la réceptionniste s'est esclaffée. «Neuf ans ! Neuf ans, ce n'est plus différé. Vous avez d'autres papiers d'identité ?

— Oui. Mais ils présentent des dates de naissance différentes. Et puis, sur l'un des documents, le nom est différent.

— Une date et un nom différents ? s'est-elle exclamée en souriant. Non, cela n'ira pas. Il est impossible que vous obteniez un passeport.»

J'ai rendu plusieurs autres visites à cette fonctionnaire, j'étais de plus en plus désespérée, jusqu'à ce qu'une solution soit enfin trouvée. Ma tante Debbie s'est rendue au tribunal et a fait une déposition sous serment, confirmant que j'étais bien celle que je disais être. On m'a délivré un passeport.

En février, Emily a accouché. Son bébé pesait cinq cent soixante-dix grammes.

Quand Emily avait commencé à avoir des contractions, à Noël, mère avait déclaré que la grossesse se déroulerait selon la volonté de Dieu. Il semblait que Sa volonté était que la jeune mère accouche à domicile, après une gestation de vingt-six semaines.

Cette nuit-là, il y avait du blizzard – une de ces tempêtes de montagne si puissantes qu'elles vident les routes et ferment les villes. Le travail était déjà bien avancé quand mère s'est rendu compte qu'il fallait envoyer Emily à l'hôpital. Le bébé, qu'ils ont baptisé Peter, est apparu quelques minutes plus tard, sortant si aisément que mère disait l'avoir «attrapé» plus qu'accouché. Il était immobile, et avait la couleur de la cendre. Shawn le croyait mort. Puis mère a senti un infime battement de cœur – en réalité, elle a vu le cœur battre sous la peau fine. Mon père s'est rué vers le van et s'est mis à déblayer la neige et la glace. Shawn a porté Emily, l'a couchée sur la banquette arrière, et mère a placé le bébé contre la poitrine d'Emily et l'a couvert, créant ainsi une couveuse de fortune. «Soins Kangourou», a-t-elle appelé ça par la suite.

Mon père a pris le volant, la tempête faisait rage. Dans l'Idaho, nous appelions ça un *white-out*, un voile blanc : quand le vent balaie les chutes de neige avec une telle violence qu'il blanchit la route, la recouvre comme d'un voile, rendant non seulement l'asphalte invisible, mais aussi les champs ou les rivières alentour. Dérapant dans la neige fraîche ou fondue, le van a finalement atteint la ville. Mais l'hôpital était mal équipé pour prodiguer des soins à une si faible vie. Les médecins ont proposé de le transférer à l'hôpital McKay-Dee d'Ogden dès que possible, il ne restait guère de temps. Comme ils ne pouvaient le transporter en hélicoptère, à cause du blizzard, ils ont décidé de l'acheminer en ambulance – en fait, ils ont affrété deux ambulances, au cas où l'une d'elles serait vaincue par la tempête.

De nombreux mois s'écouleraient, et son cœur et ses poumons subiraient d'innombrables opérations, avant que Shawn et Emily ne ramènent à la maison une petite brindille de chair qui, disait-on, était mon neveu. À ce stade, il était hors de danger, mais selon les médecins, ses poumons risquaient de ne jamais achever leur croissance. Il se pouvait qu'il reste toujours frêle.

Papa affirmait que Dieu avait orchestré cette naissance tout comme Il avait orchestré l'explosion. Mère abondait en son sens, ajoutant que Dieu avait placé un voile devant ses yeux pour qu'elle ne puisse arrêter les contractions.

« Peter était censé venir au monde de cette manière, ajoutait-elle. Il est un don de Dieu, et Dieu dispense Ses dons de la manière qu'Il choisit. »

28

Pygmalion

La première fois que j'ai vu King's College, à Cambridge, si je n'ai pas cru que je rêvais, c'est seulement parce que mon imagination n'avait jamais rien produit d'aussi grandiose. Mon regard s'est d'abord posé sur un beffroi aux pierres sculptées. Puis on m'a conduite à ce beffroi, et nous sommes passés dessous avant d'entrer dans l'enceinte de la faculté. Il y avait là une étendue de gazon parfaitement tondue et, de l'autre côté de ce gazon, un bâtiment ivoire dont j'ai vaguement reconnu le style gréco-romain. Mais c'était la chapelle gothique, longue d'une centaine de mètres et haute de plus d'une trentaine, semblable à une montagne de pierre, qui dominait l'ensemble.

On m'a menée au-delà de cette chapelle, puis dans une autre cour, et nous avons emprunté un escalier en colimaçon. Une porte s'est ouverte, et on m'a annoncé que c'était ma chambre. On m'a laissée m'installer à mon aise. L'homme aimable qui venait de me guider ne pouvait imaginer combien tout cela relevait de l'impossible pour moi.

Le lendemain matin, le petit déjeuner était servi dans une grande salle. J'avais l'impression de prendre un repas dans une église, le plafond était immense et voûté, et je me suis sentie observée, comme si cette salle savait que j'étais là et que je n'aurais pas dû y être. J'ai choisi une longue table pleine d'autres étudiants de la Brigham Young University. Les filles parlaient des tenues qu'elles s'étaient achetées. Marianne était allée faire les boutiques, dès qu'elle avait appris qu'elle était reçue dans ce programme d'échange.

«Pour l'Europe, il faut franchement de plus belles pièces», soutenait-elle.

Heather était d'accord. Comme sa grand-mère lui avait payé son billet d'avion, elle avait consacré cet argent-là à sa nouvelle garde-robe. «La manière de s'habiller des gens d'ici, affirmait-elle, est plus raffinée. On ne peut pas juste se permettre un jean.»

J'ai eu envie de me précipiter dans ma chambre pour me changer, de retirer le sweat-shirt que j'avais sur le dos et la paire de Keds que j'avais aux pieds, mais je n'avais rien d'autre. Je ne possédais rien de comparable à ce que portaient Marianne et Heather – des cardigans de couleur vive rehaussés de foulards délicats. Je n'avais pas acheté de nouveaux vêtements pour Cambridge, parce que j'avais déjà dû contracter un prêt juste pour les frais de scolarité. Qui plus est, si j'avais eu les tenues de Marianne et Heather, je n'aurais même pas su les porter.

Le professeur Kerry a fait une apparition pour annoncer que nous étions conviés à une visite de la chapelle. Nous serions même autorisés à monter sur le toit. Cela a provoqué une bousculade généralisée, nous avons rapporté nos plateaux et suivi le professeur hors du réfectoire. Je suis restée en retrait, en queue du groupe, et nous avons traversé la cour.

À mon entrée dans la chapelle, j'en ai eu le souffle coupé. La salle – si l'on peut l'appeler ainsi – était si vaste qu'elle semblait pouvoir contenir un océan entier. On nous a conduits par une petite porte en bois, puis nous avons gravi un étroit escalier dont les marches paraissaient infinies. Tout en haut, l'escalier débouchait sur un toit en forte pente, un V inversé cerné de parapets en pierre. Le vent soufflait en rafales, des nuages ventrus filaient dans le ciel. La vue était spectaculaire, la ville paraissait minuscule, écrasée par l'édifice. Je me suis laissée aller à monter en haut de la pente, j'ai marché le long du faîte, puis me suis abandonnée au vent en contemplant le dédale de rues tortueuses et de cours intérieures dallées.

« Vous n'avez pas peur de tomber », a fait une voix. Je me suis retournée. C'était le professeur Kerry. Il m'avait suivie et se tenait en équilibre instable sur ses jambes.

« Nous pouvons descendre », ai-je proposé. Je suis redescendue en vitesse jusqu'au chemin de ronde, le long du contrefort. Là encore, le professeur m'a suivie, mais sa démarche était étrange. Au lieu de progresser droit devant lui, il a effectué une rotation et avancé de côté, comme en crabe. Le vent continuait ses assauts. Pour les derniers pas, je lui ai offert mon bras, et il s'y est appuyé.

« Je l'entendais comme une simple observation, a-t-il expliqué. Vous vous tenez droite, les mains dans les poches. » Il a eu un geste vers les autres étudiants. « Vous voyez comme ils se tiennent voûtés ? Comme ils se cramponnent au mur ? »

Il avait raison. Quelques-uns s'étaient aventurés sur le faîte, prudemment, en s'avançant gauchement, avec des pas de côté, comme le professeur Kerry avant eux, en oscillant sous le vent. Tous les autres se tenaient fermement au parapet de pierre, genoux pliés, le dos voûté, comme se demandant s'ils devaient marcher ou ramper.

J'ai levé la main pour m'agripper au mur.

« Vous n'êtes pas obligée de faire ça, m'a-t-il dit. Ce n'est pas une critique. »

Il a marqué un silence, comme s'il ne savait pas s'il devait en dire plus.

« Subitement, tout le monde a changé, a-t-il fait. Ils étaient tous détendus, jusqu'à ce que nous arrivions à cette hauteur. Maintenant, on les sent mal à l'aise, à cran. Vous, vous semblez avoir fait le trajet inverse. C'est la première fois que je vous vois en accord avec vous-même. Il y a quelque chose dans votre manière de bouger : comme si vous étiez sur ce toit depuis toujours. »

Une bourrasque a balayé le parapet, et le professeur a vacillé et s'est retenu au mur. J'ai grimpé sur la corniche, pour lui permettre de se plaquer au contre-fort. Il m'a dévisagée, en attente d'une explication.

« J'ai construit les toitures de pas mal de hangars à foin, ai-je expliqué.

— Et vos jambes sont donc plus solides ? C'est pour cela que vous êtes capable de vous tenir debout par ce vent ? »

J'ai pris le temps de réfléchir avant de répondre :

« Je suis capable de rester debout, parce que je n'essaie pas de me tenir debout, ai-je expliqué. Le vent, c'est juste du vent. Si vous êtes capable de résister à ces rafales au sol, vous pouvez leur résister en l'air. Il n'y a pas de différence. À part la différence que vous vous créez dans votre tête. »

Il m'a fixée d'un regard vide. Il ne comprenait pas.

« Je me tiens debout, c'est tout. Vous essayez tous de compenser, de vous baisser parce que les hauteurs vous font peur. Mais s'accroupir et marcher en crabe n'est pas naturel. Vous vous rendez vulnérables. Si vous parveniez à surmonter votre peur panique, ce vent ne serait rien.

— Comme il n'est rien pour vous », a-t-il conclu.

Je voulais acquérir l'esprit d'un chercheur, mais apparemment le professeur Kerry voyait en moi celui d'un couvreur. Si les autres étudiants étaient à leur place en bibliothèque, la mienne était sur une grue.

La première semaine s'est écoulée dans un brouillard, les cours s'enchaînant. La deuxième semaine, chaque étudiant s'est vu assigner un superviseur

pour le guider dans ses recherches. Mon superviseur, ai-je appris, était l'éminent professeur Jonathan Steinberg, ancien maître de conférences d'un
collège de Cambridge, connu pour ses écrits sur
l'Holocauste.

Ma première entrevue avec le professeur Steinberg a eu lieu quelques jours plus tard. J'ai attendu
à la loge du concierge jusqu'à ce qu'un homme fluet
fasse son apparition et, exhibant un trousseau de
grosses clés, déverrouille une porte en bois logée
dans la pierre. Je l'ai suivi en haut d'un escalier en
colimaçon puis dans le beffroi proprement dit, où
une pièce bien éclairée était meublée simplement :
deux chaises et une table.

En m'asseyant, j'entendais le sang battre dans mes
oreilles. Le professeur Steinberg avait dans les soixante-
dix ans, mais je ne l'aurais pas qualifié de vieil homme.
Il était agile, et ses yeux scrutaient la pièce avec une
énergie pénétrante. Son élocution était à la fois fluide
et cadencée.

« Je suis le professeur Steinberg, a-t-il dit.
Qu'aimeriez-vous lire ? »

J'ai bredouillé quelque chose au sujet de l'historio-
graphie. J'avais décidé d'étudier non pas l'histoire,
mais les historiens. Je suppose que mon intérêt venait
du sentiment que j'avais éprouvé face à mon ignorance
au sujet de l'Holocauste et du mouvement des droits
civiques – depuis que j'avais compris que ce qu'un
individu sait du passé se limite, et se limitera toujours,
à ce que lui en disent les autres. Je savais ce que c'était

que d'avoir une idée fausse rectifiée – une idée fausse d'une telle ampleur qu'en changer change le monde. J'avais maintenant besoin de comprendre comment les grands gardiens de l'histoire avaient pris la mesure de leur ignorance et de leur partialité. Je croyais que si je parvenais à accepter l'idée que ce qu'ils avaient écrit n'était pas absolu, mais le résultat d'un enchaînement subjectif de conversations et de révisions successives, je réussirais à admettre que l'histoire sur laquelle s'accordent la plupart des gens n'était pas l'histoire qu'on m'avait enseignée. Papa pouvait se tromper, et les grands historiens Carlyle, Macaulay et Trevelyan pouvaient avoir tort, mais sur les cendres de leurs querelles, j'avais de quoi ériger un monde dans lequel vivre. En sachant que la terre n'avait rien de ferme, j'espérais pouvoir me tenir dessus.

Je doutais de réussir à communiquer tout ceci. Quand j'eus fini de parler, le professeur Steinberg m'a observée un long moment.

« Parlez-moi de votre éducation, a-t-il repris. Où avez-vous été scolarisée ? »

Immédiatement, la pièce s'est vidée de son air.

« J'ai grandi dans l'Idaho.

— Et vous avez fréquenté une école là-bas ? »

Rétrospectivement, j'ai pensé que quelqu'un avait pu renseigner le professeur Steinberg à mon sujet – peut-être le professeur Kerry. Ou alors il a perçu que j'évitais sa question, ce qui éveillait sa curiosité. Quelle qu'ait été la raison, il ne s'est estimé satisfait que lorsque j'ai admis n'avoir jamais été à l'école.

«Mais c'est merveilleux ! s'est-il exclamé, avec un sourire. C'est comme si je venais d'entrer dans le *Pygmalion* de George Bernard Shaw.»

Pendant deux mois, j'ai eu des entrevues hebdomadaires avec le professeur Steinberg. Il ne m'assignait jamais de lectures. Nous ne lisions que ce que je souhaitais lire, qu'il s'agisse d'un livre ou d'une page.

Aucun de mes professeurs de la Brigham Young University n'avait examiné mon écriture comme l'a fait le professeur Steinberg. Aucune virgule, aucune phrase, aucun adjectif ni aucun verbe n'étaient indignes de son intérêt. Il n'opérait aucune distinction entre grammaire et contenu, entre forme et substance. Une phrase mal tournée était une idée mal conçue et, de son point de vue, la logique grammaticale requérait tout autant d'attention. «Dites-moi, me demandait-il, pourquoi avez-vous placé la virgule ici ? Quelle relation espérez-vous établir entre ces phrases ?» Quand je lui donnais mon explication, il répondait parfois «très juste», et d'autres fois il me reprenait avec de longs éclaircissements sur la syntaxe.

Après un mois de ces entretiens avec le professeur Steinberg, j'ai rédigé une dissertation où je comparais Edmund Burke à Publius, le nom d'emprunt sous lequel James Madison, Alexander Hamilton et John Jay avaient rédigé *The Federalist Papers*. Pendant deux semaines, j'en ai à peine dormi : dès que j'avais les yeux ouverts, je lisais ou réfléchissais à ces textes.

Au contact de mon père, j'avais appris que les livres devaient être soit adorés, soit bannis. Les livres qui venaient de Dieu – des ouvrages écrits par les prophètes mormons ou par les Pères fondateurs – ne devaient pas tant être étudiés que révérés, comme un objet parfait en soi. On m'avait appris à lire les écrits d'hommes tels que Madison comme un moule dans lequel je devais verser le plâtre de mon propre esprit, afin de le remodeler suivant les contours de leur modèle. Je les lisais pour apprendre quoi penser, pas pour penser par moi-même. Les livres qui ne venaient pas de Dieu étaient proscrits ; ils constituaient un danger, puissant et irrésistible, du fait même de leur ingéniosité.

Pour rédiger mon devoir, il me fallait lire les livres autrement, sans céder à la peur ou à l'adoration. Burke ayant défendu la monarchie britannique, papa aurait dit de lui qu'il était un agent de la tyrannie. Il n'aurait pas voulu de ce livre sous son toit. Me sentant assez en confiance pour lire ces mots, j'éprouvais un frisson. Je ressentais un frisson similaire en lisant Madison, Hamilton et Jay, surtout lorsque je rejetais leurs conclusions au profit de celles de Burke, ou quand il me semblait que leurs idées ne divergeaient pas vraiment sur le fond, et ne différaient que sur la forme. Cette méthode de lecture recelait de merveilleuses présuppositions : les livres n'étaient pas des pièges, et je n'étais pas faible.

J'ai achevé ma dissertation et je l'ai envoyée au professeur Steinberg. Deux jours plus tard, à mon arrivée pour notre entretien suivant, je me sentais vulnérable.

Il m'a observée. Je m'attendais à l'entendre me dire que ce texte était un désastre, le produit d'un esprit ignorant, que cela visait trop haut, que je tirais trop de conclusions à partir de trop peu de matière.

«J'enseigne à Cambridge depuis trente ans, a-t-il déclaré. Et c'est l'une des meilleures dissertations qu'il m'ait été donné de lire.»

Je m'étais préparée à des insultes, mais pas à cela.

Le professeur Steinberg m'en a sans doute dit davantage, mais je n'ai rien entendu. Mon esprit était pris d'un besoin irrépressible de s'évader de cette pièce. En cet instant, j'avais quitté le beffroi de Cambridge. J'avais dix-sept ans, j'étais dans une jeep rouge, et un garçon que j'aimais venait de me toucher la main. J'avais détalé.

Je pouvais tolérer n'importe quelle forme de cruauté mieux que la gentillesse. Les louanges étaient pour moi un poison. Elles m'étouffaient. Je souhaitais que ce professeur me hurle dessus, j'en avais si profondément envie qu'en être privée m'a provoqué comme un vertige. La laideur en moi devait être exprimée. Si elle ne l'était pas par la voix de cet homme, il fallait que je l'exprime par la mienne.

Je ne me souviens pas d'être sortie du beffroi, ou de la manière dont j'ai passé l'après-midi. Ce soir-là, il y avait un dîner en tenue de soirée. Le réfectoire était éclairé à la lumière des chandeliers, c'était à la fois beau et pratique pour moi : je ne portais aucune tenue formelle, juste une chemise noire et un pantalon noir, et je pensais que sous cet éclairage tamisé, personne ne le remarquerait. Mon amie Laura est arrivée en retard. Elle a expliqué que ses parents lui avaient rendu visite et l'avaient emmenée en France. Elle venait à peine de rentrer. Elle avait choisi une robe d'un violet intense, dont le plissé était impeccable. L'ourlet flottait plusieurs centimètres au-dessus du genou et, sur le moment, je jugeai la robe digne d'une putain, jusqu'à ce qu'elle m'apprenne que son père l'avait achetée pour elle, à Paris. Le cadeau d'un père ne pouvait être digne d'une putain. Le cadeau d'un père était le signe indéfectible qu'une femme n'était pas une putain. Jusqu'à la fin du repas, j'ai lutté avec cette dissonance – une robe de putain, offerte à une fille aimée.

Lors de ma rencontre suivante avec le professeur Steinberg, celui-ci m'a annoncé que lorsque je déposerais une demande d'inscription en maîtrise, il veillerait à ce que je sois acceptée dans l'institution de mon choix.

« Vous êtes-vous déjà rendue à Harvard ? Ou alors peut-être préférez-vous Cambridge ? »

Je m'imaginais à Cambridge, étudiante en maîtrise vêtue d'une longue robe noire flottant autour de moi tandis que je suivais à grands pas de très anciens couloirs. Ensuite, je me retrouvais pliée en deux dans une salle de bains, un bras maintenu dans le dos, la tête au fond de la cuvette des toilettes. J'essayais de me concentrer sur l'étudiante, mais j'en étais incapable. J'étais incapable de me représenter la jeune fille en robe noire virevoltante sans voir cette autre fille.

Savante ou putain, les deux ne pouvaient être réelles. L'une des deux était un mensonge.

« Je ne peux pas y aller, ai-je dit. Je ne peux pas payer les frais de scolarité.

— Laissez-moi me soucier des frais. »

Fin août, lors de notre dernière soirée à Cambridge, un dernier dîner était organisé dans la grande salle à manger. Les tables étaient dressées, avec plus de couteaux, de fourchettes et de verres à pied que je n'en avais jamais vu. À la lueur des bougies, les tableaux aux murs prenaient des allures fantomatiques. Je me sentais comme mise à nu par tant d'élégance, et pourtant, elle me rendait invisible. Je fixais des yeux les autres étudiantes quand elles passaient devant moi, j'observais leurs robes en soie, leurs cils soulignés de mascara. Toute cette beauté m'obsédait.

Au dîner, j'ai écouté les joyeux bavardages de mes amis, impatiente néanmoins de retrouver l'isolement de ma chambre. Le professeur Steinberg était placé à la table des enseignants. Chaque fois que je lui jetais un coup d'œil, je sentais ce vieil instinct à l'œuvre en moi, mes muscles tendus, prête à prendre la fuite.

J'ai quitté la salle au moment où on servait le dessert. J'étais soulagée d'échapper à tout ce raffinement et toute cette beauté – d'être autorisée à être dénuée de charme et à ne pas offrir un contraste trop frappant. Me voyant sortir, le professeur Kerry m'a suivie.

Il faisait noir. La pelouse était noire. Et le ciel plus noir encore. Des piliers de lumière crayeuse montaient du sol et illuminaient la chapelle, qui rayonnait sur le fond de ciel nocturne, telle une lune.

« Vous avez fait une certaine impression sur le professeur Steinberg, m'a dit le professeur Kerry, en réglant son pas sur le mien. J'espère seulement que lui aussi vous a fait impression. »

Je ne comprenais pas.

« Venez par ici », m'a-t-il proposé, en se dirigeant vers la chapelle. J'ai quelque chose à vous dire.

Je l'ai suivi, remarquant le silence de mes pas, consciente que mes Keds ne claquaient pas élégamment sur la pierre comme le faisaient les talons des autres filles.

« Je vous ai observée. Vous agissez comme quelqu'un qui tient le rôle d'une autre. Et comme si vous pensiez que votre vie en dépend. »

Ne sachant que répondre, je n'ai rien répondu.

« Il ne vous est jamais venu à l'esprit, a-t-il continué, que vous pourriez avoir autant le droit d'être ici que n'importe qui ? »

Il attendait une explication.

« Je préférerais servir le dîner, ai-je répliqué, plutôt que de le manger. »

Il a souri.

« Vous devriez vous fier au professeur Steinberg. S'il affirme que vous êtes une érudite – "De l'or pur", l'ai-je entendu s'exclamer… C'est donc que c'est le cas.

— Cet endroit est magique. Tout brille ici.

— Vous devez arrêter de penser sur ce mode, m'a-t-il conseillé en haussant le ton. Quelle que soit celle que vous deviendrez, peu importe en quoi vous vous transformerez, vous serez toujours celle que vous étiez. C'était là, en vous, depuis toujours. Pas dans Cambridge. En vous. Vous êtes de l'or. Et retourner à la BYU, ou même sur cette montagne d'où vous venez, ne changera pas qui vous êtes. Cela peut modifier le regard des autres sur vous, cela peut même transformer la vision que vous avez de vous-même – même l'or peut paraître terne, sous certains éclairages – mais c'est là qu'est l'illusion. Et elle a toujours été là. »

J'avais envie de le croire, de le prendre au mot et de me refondre, mais je n'avais jamais eu cette sorte de foi-là. Quelle que soit la profondeur où j'enterrais mes souvenirs, j'avais beau fermer très fort les yeux pour ne plus les voir, quand je pensais à mon être, ce qui me venait à l'esprit c'était cette fille, dans la salle de bains, sur le parking.

Je ne pouvais parler au professeur Kerry de cette fille. Je ne pouvais lui dire que la raison qui m'empêchait de retourner à Cambridge, c'était que me trouver ici exacerbait chacun des moments violents et dégradants de ma vie. À la BYU, je pouvais presque oublier, laisser ce qui avait été se fondre dans ce qui était. Mais ici, le contraste était trop grand, le monde devant mes yeux trop fantastique. Les souvenirs devenaient plus réels – plus crédibles – que ces flèches de pierre.

Je me trouvais d'autres raisons qui m'empêchaient d'être à ma place à Cambridge, des raisons liées à la classe sociale, au statut social : parce que j'étais pauvre, parce que j'avais grandi pauvre. Parce que j'étais capable de me tenir debout, droite malgré le vent, sur le toit de la chapelle. Voilà la personne qui n'avait pas sa place à Cambridge : la couvreuse, pas la putain. *Je peux aller à l'école*, avais-je écrit cet après-midi-là dans mon journal intime. *Et je peux m'acheter de nouveaux vêtements. Mais je reste Tara Westover. J'ai accepté des boulots qu'aucun étudiant de Cambridge n'accepterait. Habillez-nous de toutes les tenues que vous voudrez, nous ne sommes pas pareils.* Des vêtements ne pourraient remédier à ce qui n'allait pas chez moi. Quelque chose était pourri à l'intérieur, et la puanteur était trop forte, le noyau trop rance, pour se laisser recouvrir par de simples vêtements.

Je ne savais pas trop si le professeur Kerry se doutait de tout cela. Il avait toutefois compris que j'étais obsédée par les vêtements, symboles de mon impossibilité, et incapacité, à trouver ma place ici. C'était la dernière chose qu'il avait suggérée avant de s'éloigner, me laissant clouée, stupéfaite, à côté de cette chapelle majestueuse.

« Le facteur déterminant le plus puissant de celle que vous êtes réside en vous, m'a-t-il assuré. Selon le professeur Steinberg, c'est comme Pygmalion. Pensez à cette histoire, Tara. » Il a gardé le silence un moment, avant de conclure d'une voix perçante : « Ce n'était qu'une jeune cockney, une Londonienne des quartiers populaires dans une jolie robe. Jusqu'à ce qu'elle croie en elle. Ensuite, peu importait la robe qu'elle mettait. »

29

L'accès au diplôme

Le programme d'échange s'est terminé et je suis retournée à la Brigham Young University. Le campus n'avait pas changé, et il aurait été facile d'oublier Cambridge et de me réinstaller dans la vie que j'avais là-bas. Mais le professeur Steinberg était décidé à ce que je n'oublie pas. Il m'a envoyé un formulaire de candidature pour la Gates Cambridge Scholarship qui, m'expliquait-il, était un peu comme la bourse Rhodes, mais pour Cambridge au lieu d'Oxford. Cela me procurerait un financement complet de mes études à Cambridge, couvrant les frais de scolarité, le logement et la nourriture. À mes yeux, cela restait comiquement hors de portée pour quelqu'un comme moi, mais il insistait, affirmant le contraire. J'ai donc déposé une demande.

Peu après, j'ai remarqué une autre différence, un autre petit décalage. Je passais une soirée avec mon ami Mark, qui étudiait les langues anciennes. Comme moi, et comme presque tout le monde à la BYU, Mark était mormon.

«Penses-tu que les gens doivent étudier l'histoire de l'Église ? m'a-t-il demandé.

— Oui.

— Et si cela les rend malheureux ? »

Je croyais savoir ce qu'il entendait par là, mais je souhaitais qu'il me l'explique.

«Beaucoup de femmes ont du mal avec leur foi après avoir appris l'existence de la polygamie, m'a-t-il dit. Ma mère a eu du mal. Je ne pense pas qu'elle ait jamais compris.

— Je n'ai jamais compris non plus », ai-je avoué.

Il y a eu un silence tendu. Il attendait que je prononce ma réplique rituelle – que je priais pour avoir la foi. Et j'avais bel et bien prié pour la foi, à maintes et maintes reprises.

Peut-être pensions-nous tous les deux à notre histoire, ou peut-être étais-je la seule. Je songeais à Joseph Smith, qui avait eu jusqu'à quarante épouses. Brigham Young avait eu cinquante-cinq épouses et cinquante-six enfants. L'Église avait mis fin à la pratique de la polygamie en 1890, mais elle n'avait jamais abjuré cette doctrine. Enfant, on m'avait enseigné – mon père, mais aussi l'école du dimanche – qu'en temps et en heure l'Église rétablirait la polygamie et que, dans l'au-delà, je serais une épouse au pluriel. Le nombre de mes sœurs épouses dépendrait de la vertu de mon mari : plus il vivait noblement, plus il lui serait donné d'épouses.

Cette idée m'avait toujours taraudée. Petite fille, je m'étais souvent imaginée au ciel, habillée d'une robe blanche, me tenant dans une brume nacrée, face à mon époux. Mais quand la caméra zoomait, élargissant le cadre, il y avait dix femmes derrière nous, toutes vêtues de la même robe blanche. Dans mon imagination, j'étais la première femme, mais je savais qu'il n'existait aucune garantie de cela. Je pouvais être cachée quelque part dans le long cortège de ces épouses. En effet, aussi loin que remontent mes souvenirs, cette image avait été au cœur de mon idée du paradis : mon mari, et ses épouses. Il y avait pourtant une tromperie dans cette arithmétique : sachant que dans le divin calcul du ciel, un homme suffisait à équilibrer l'équation face à d'innombrables femmes.

Je me rappelais mon arrière-arrière-grand-mère. J'avais entendu son nom pour la première fois à douze ans, l'année où, dans le mormonisme, on cesse d'être une enfant pour devenir une femme. Douze ans, c'était l'âge où les leçons de l'école du dimanche commençaient à inclure des mots comme *pureté* et *chasteté*. C'était aussi l'âge où l'on m'avait demandé, dans le cadre d'un devoir d'église, de me renseigner au sujet d'un de mes ancêtres. J'avais interrogé ma mère sur l'ancêtre que je devrais choisir, et elle m'avait répondu sans réfléchir « Anna Mathea ». J'avais prononcé ce nom à voix haute. Il flottait au bout de ma langue comme le début d'un conte de fées. Mère m'expliquait que je devais honorer Anna Mathea parce qu'elle m'avait transmis un don : sa voix.

« C'est sa voix qui a conduit notre famille vers l'Église, m'avait-elle appris. Elle a entendu des missionnaires mormons prêcher dans les rues de Norvège. Elle a prié, et Dieu l'a bénie de la foi, et convaincue que Joseph Smith était Son prophète. Lorsqu'elle en a parlé à son père, il ne l'a pas autorisée à recevoir le baptême, parce qu'il avait entendu des histoires au sujet des mormons. Elle a donc chanté pour lui. Elle lui a chanté un psaume mormon intitulé "O My Father". Quand elle a fini de chanter, son père avait les larmes aux yeux. Il lui a dit que toute religion avec une musique aussi belle devait être l'œuvre de Dieu. Ils ont été baptisés ensemble. »

Après qu'Anna Mathea eut converti ses parents, la famille avait senti l'appel de Dieu à venir en Amérique pour y rencontrer le prophète Joseph. Au bout de deux ans, leurs maigres économies ne leur avaient pas permis d'emmener tous les leurs. Anna Mathea avait dû rester.

Le voyage avait été long et pénible, et, à leur arrivée en Idaho, dans une colonie mormone du nom de Worm Creek, la mère d'Anna était mourante. Comme elle désirait revoir sa fille une dernière fois, le père d'Anna lui avait écrit, la suppliant de prendre le peu d'argent qu'elle avait et de venir les rejoindre en Amérique. En Norvège, Anna était tombée amoureuse et devait se marier, mais elle avait quitté son fiancé et traversé l'océan. Sa mère était morte avant qu'elle n'ait atteint les côtes américaines.

La famille vivait désormais dans la misère. Il n'y avait plus d'argent pour qu'Anna retourne auprès de son fiancé. Anna étant une charge financière pour son père, un évêque l'avait convaincue d'épouser un riche fermier, en qualité de deuxième épouse. La première épouse, stérile, ne décolérait plus depuis qu'elle avait appris qu'Anna était enceinte. Et cette dernière, craignant pour la vie de son bébé, était retournée auprès de son père, où elle avait donné naissance à des jumeaux. Malheureusement, seul l'un des deux enfants survivrait à la rudesse de l'hiver à la Frontière – la limite des terres de l'Amérique coloniale.

Mark attendait toujours. Puis, de guerre lasse, il a fini par marmonner les mots que j'étais censée prononcer, mots qu'il ne comprenait pas tout à fait, même s'il savait que la polygamie était un principe de Dieu.

J'ai acquiescé. J'ai prononcé les mots, m'armant de courage, prête à subir une vague d'humiliation – pour cette image de moi, au milieu des nombreuses épouses qui se tenaient derrière un homme solitaire et sans visage –, mais cette vague n'est jamais venue. J'ai fouillé dans mon esprit et j'y ai découvert une conviction nouvelle : jamais je ne serais la femme d'un mariage pluriel. Une voix m'en a informée d'un ton irrévocable. Cette déclaration m'a fait trembler. Et si Dieu me l'ordonnait ? Tu refuserais de le faire, a répondu la voix. Et je savais que c'était vrai.

Je repensais à Anna Mathea, et me demandais quel était ce monde où, en obéissant à un prophète, on pouvait quitter son amoureux, traverser un océan, s'engager dans un mariage sans amour comme deuxième épouse, puis enterrer son premier enfant, pour avoir ensuite une arrière-petite-fille qui, des générations plus tard, franchirait le même océan en impie. J'étais l'héritière d'Anna Mathea : elle m'avait donné sa voix. Ne m'avait-elle pas donné sa foi aussi ?

J'ai été admise sur la liste finale des candidats à la bourse Gates. Il y aurait un entretien en février, à Annapolis. Je n'avais aucune idée de comment m'y préparer. Robin m'a conduite en voiture à Park City, où il y avait un *outlet*, une grande surface de la chaîne Ann Taylor qui vendait des fins de série à prix cassé, et elle m'a aidée à choisir un tailleur-pantalon marine et des mocassins assortis. Je ne possédais pas de sac à main, elle m'a prêté le sien.

Deux semaines avant l'entretien, mes parents sont venus à la Brigham Young University. Ils ne m'avaient encore jamais rendu visite, mais comme j'étais sur leur route pour l'Arizona, ils se sont arrêtés pour dîner. Je les ai emmenés dans un restaurant indien en face de mon appartement.

La serveuse a dévisagé mon père un peu trop longtemps, puis son regard est tombé sur ses mains, et je l'ai vue écarquiller les yeux. Papa a commandé la moitié de la carte. Lorsque je lui ai précisé que trois plats principaux suffiraient, il m'a adressé un clin d'œil en m'affirmant que l'argent n'était pas un problème. Il semblait que la nouvelle de sa guérison miraculeuse se soit répandue, attirant de plus en plus de clients. Les produits de ma mère étaient vendus par presque toutes les sages-femmes et guérisseurs des États des montagnes de l'Ouest.

Nous attendions les plats, et papa m'a interrogée sur mes cours. J'ai répondu que j'étudiais le français. «C'est une langue de socialistes», a-t-il aussitôt décrété, avant de se lancer dans une leçon de vingt minutes sur l'histoire du XXe siècle. Il m'a expliqué qu'en Europe, des banquiers juifs avaient signé des accords secrets pour déclencher la Seconde Guerre mondiale, et qu'ils s'étaient associés avec des Juifs d'Amérique pour la commanditer. Ils avaient manigancé l'Holocauste, affirmait-il, afin de profiter financièrement du désordre mondial. Ils avaient envoyé leur propre peuple dans les chambres à gaz, pour de l'argent.

Ces idées m'étaient familières, mais il m'a fallu un moment pour me remémorer où je les avais entendues – à l'occasion d'un cours du professeur Kerry sur *Les Protocoles des Sages de Sion*. Les *Protocoles*, publiés en 1903, censés être le compte rendu d'une rencontre secrète de Juifs puissants planifiant la domination mondiale. La fausseté de ce document avait été établie. Il avait été fabriqué de toutes pièces, mais il ne s'en était pas moins répandu, alimentant l'antisémitisme au cours des décennies précédant la Seconde Guerre mondiale. Dans *Mein Kampf*, Adolf Hitler défendait l'authenticité des *Protocoles*, affirmant qu'ils révélaient la vraie nature du peuple juif.

Papa parlait fort, trop pour ce petit restaurant. Sa voix aurait mieux correspondu à la montagne. Les clients des tables voisines s'étaient interrompus dans leurs conversations et restaient silencieux, écoutant la nôtre. Je regrettais d'avoir choisi un établissement si proche de mon appartement.

Papa est passé de la Seconde Guerre mondiale aux Nations unies, à l'Union européenne, et à la destruction imminente du monde. Il s'exprimait comme si les trois étaient synonymes. Le curry est arrivé et je me suis concentrée sur mon assiette. Lassée de ce sermon, mère a prié papa de parler d'autre chose.

« Mais c'est presque la fin du monde ! a-t-il protesté, en haussant le ton.

— Bien sûr que c'est la fin du monde. Mais on n'a pas besoin d'en discuter en dînant. »

J'ai posé ma fourchette et les ai observés. De toutes les déclarations de cette dernière demi-heure, pour une raison qui m'échappe, c'était celle-là qui m'avait choquée. Le fait même qu'ils existent ne m'avait jamais choquée auparavant. Tous leurs actes avaient toujours eu du sens à mes yeux, ils adhéraient à une logique que je comprenais. Peut-être cela tenait-il au cadre : Buck's Peak était à eux et il les camouflait, de sorte que lorsque je les voyais là-bas, entourés des reliques voyantes et évidentes de mon enfance, le décor semblait les absorber. Du moins, il en absorbait le bruit. Mais ici, si près de l'université, ils me semblaient irréels au point d'en devenir presque mythiques.

Papa m'a regardée, il attendait mon avis, mais je me sentais étrangère à moi-même. Je ne savais pas qui être. Sur la montagne, je prenais sans réfléchir la voix de leur fille et disciple. Mais ici, j'étais manifestement incapable de trouver celle qui, à l'ombre de Buck's Peak, me venait facilement.

Nous avons rejoint mon appartement à pied, et je leur ai montré ma chambre. Mère a fermé la porte, révélant une affiche de Martin Luther King que j'avais punaisée là, quatre ans plus tôt, lorsque j'avais appris l'existence du mouvement des droits civiques.

« C'est Martin Luther King ? s'est écrié papa. Tu ne sais pas qu'il avait des liens avec le communisme ? » Il a mâchonné les tissus cireux de ce qui avait été ses lèvres auparavant.

Ils sont partis peu après pour rouler de nuit. Je les ai regardés s'en aller, puis j'ai sorti mon journal. *Il est surprenant que j'aie pu croire à tout cela sans la moindre suspicion. Le monde entier avait tort ; seul papa avait raison.*

J'ai repensé à ce que Stefanie, l'épouse de Tyler, m'avait confié au téléphone quelques jours plus tôt : il lui avait fallu des années pour convaincre Tyler de la laisser protéger les défenses immunitaires de leurs enfants, parce qu'au fond de lui il croyait toujours que les vaccins étaient une conspiration de la Médecine officielle. Alors que la voix de papa continuait de résonner à mes oreilles, je ricanais en songeant à mon frère. *C'est un scientifique ! Comment peut-il ne pas voir clair dans leur paranoïa ?* Puis j'ai relu ce que je venais d'écrire, et le sarcasme a laissé place à un sentiment d'ironie. *Il n'empêche, je pourrais éventuellement me moquer de Tyler si j'étais plus crédible : je viens de me souvenir qu'à ce jour je ne suis toujours pas vaccinée.*

Mon entretien pour la bourse Gates a eu lieu à St. John's College, à Annapolis. Le campus était intimidant, avec ses pelouses impeccables et son architecture coloniale parfaite. J'étais assise dans le couloir, nerveuse, et j'attendais d'être appelée pour l'entrevue. Je me sentais raide dans ce tailleur-pantalon et agrippais maladroitement le sac à main de Robin. Mais, en fin de compte, le professeur Steinberg avait rédigé une lettre de recommandation si forte que je n'avais plus grand-chose à faire.

J'ai reçu confirmation le lendemain : j'avais remporté la bourse.

Les coups de téléphone ont commencé – du journal étudiant de la Brigham Young University et des médias locaux. Je suis passée à la télévision. Un matin au réveil, j'ai découvert ma photo sur la page d'accueil du site de la BYU. J'étais le troisième étudiant de l'établissement à avoir remporté une bourse Gates, et l'université tirait pleinement avantage de la couverture médiatique. On m'a questionnée sur mon expérience au lycée, et on m'a demandé quels professeurs du primaire m'avaient préparée à une telle réussite. J'esquivais, j'éludais, je mentais quand il le fallait. Je n'ai avoué à aucun journaliste que je n'étais jamais allée à l'école.

J'ignorais pourquoi je ne leur disais pas. Je ne pouvais tout simplement pas supporter l'idée de gens me flanquant des tapes dans le dos, en me racontant combien j'étais impressionnante. Je n'avais pas envie d'être Horatio Alger, chantre des bons sentiments de la réussite dans un hommage larmoyant au rêve américain. J'avais envie que ma vie ait un sens. Et, à mes yeux, rien dans cette histoire n'en avait un.

Un mois avant mon diplôme, je me suis rendue à Buck's Peak. Papa avait lu les articles au sujet de ma bourse, et il s'est contenté de cette remarque : « Tu n'as pas mentionné l'école à domicile. J'aurais cru que tu te montrerais plus reconnaissante du fait que ta mère et moi t'ayons retirée de leurs écoles, vu comme ça a marché. Tu devrais raconter aux gens ce qui a permis tout ça : l'école à domicile. »

Je n'ai rien répondu. Papa a pris cela comme une forme d'excuse.

Il désapprouvait que j'aille à Cambridge. « Nos ancêtres ont risqué leur vie pour traverser l'océan, pour échapper à ces pays socialistes. Et toi, qu'est-ce que tu fais ? Tu tournes casaque et tu repars là-bas ? »

Là encore, je n'ai pas commenté.

« J'attends impatiemment ta remise de diplôme, a-t-il continué. Le Seigneur m'a inspiré quelques réprimandes de choix pour tes espèces de professeurs.

— Tu ne feras rien.

— Si le Seigneur m'y invite, je me lèverai et je parlerai.

— Tu ne feras rien, ai-je répété.

— Je n'irai nulle part où l'esprit du Seigneur n'est pas le bienvenu. »

Telle était notre conversation. J'espérais que les choses se calmeraient, mais papa était si meurtri que je n'aie pas mentionné l'école à domicile dans mes interviews que cette nouvelle blessure suppurait.

Le soir précédant la remise des diplômes, il y avait un dîner où je devais recevoir le prix de «l'étudiante d'exception de premier cycle», décerné par le département d'Histoire. J'ai attendu mes parents à l'entrée. En vain. J'ai téléphoné à ma mère, pensant qu'ils étaient en retard. Elle m'a répondu qu'ils ne venaient pas. Je suis allée au dîner et on m'a remis une plaque. Ma table était la seule de la salle avec des chaises vides. Le lendemain, il y avait un déjeuner pour les diplômés avec mention. Là encore, il y avait deux sièges vides. J'ai expliqué que mes parents avaient des ennuis de voiture.

J'ai téléphoné à ma mère, après le déjeuner.

«Ton père ne viendra pas, à moins que tu ne lui demandes pardon, m'a-t-elle annoncé. Et je ne viendrai pas non plus.»

Je me suis excusée.

«Il pourra dire tout ce qu'il veut. Mais, s'il vous plaît, venez!»

Ils ont manqué l'essentiel de la cérémonie. Je ne sais pas s'ils m'ont véritablement vue recevoir mon diplôme. Ce dont je me souviens, c'est d'avoir attendu avec mes amis avant que l'orchestre ne commence, et regardé les pères prendre des photos, les mères arranger leur coiffure. Je me souviens que mes amis portaient des guirlandes de fleurs hawaïennes et des bijoux qu'on venait de leur offrir.

Après la cérémonie, je suis restée seule sur la pelouse, j'observais les autres étudiants avec leur famille. Lorsque j'ai aperçu mes parents, mère m'a étreinte. Mon amie Laura a pris deux photos. Sur la première, mère et moi sourions de façon empruntée ; sur la seconde, je semble écrasée par mes deux parents qui m'encadrent.

Ce soir-là, j'ai quitté les montagnes de l'Ouest. J'avais bouclé mon bagage avant la cérémonie de remise des diplômes. Mon appartement était vide, mes sacs près de la porte. Laura s'était proposé de m'emmener en voiture à l'aéroport, toutefois mes parents ont demandé s'ils pouvaient m'y conduire.

Je m'attendais à ce qu'ils me déposent sur le trottoir, mais papa a insisté pour m'accompagner à l'intérieur. Ils ont attendu que j'enregistre mes bagages, puis m'ont suivie jusqu'à la zone de contrôle. C'était comme si papa voulait me laisser la possibilité, jusqu'à la dernière seconde, de changer d'avis. Nous avons marché en silence jusqu'aux portiques de sécurité. Quand nous sommes arrivés, je les ai tous les deux embrassés et leur ai dit au revoir. J'ai retiré mes chaussures, sorti mon ordinateur portable, mon appareil photo, puis j'ai franchi le portique magnétique, j'ai rassemblé mes affaires dans mon sac et me suis dirigée vers le terminal.

C'est à ce moment-là seulement que j'ai lancé un coup d'œil derrière moi. Et j'ai vu papa, toujours derrière les portiques, les mains dans les poches, les épaules voûtées, la bouche pendante, qui me regardait m'éloigner. Je lui ai fait signe de la main et il s'est avancé, comme pour me suivre. J'ai aussitôt repensé à ce moment, des années auparavant, quand les câbles électriques étaient tombés sur le break, avec mère à l'intérieur, et papa debout près d'elle, mis à nu.

Il conservait encore cette posture quand j'ai tourné à l'angle. Cette image de mon père restera toujours gravée en moi : l'expression de son visage, mélange d'amour, de peur, de perte. Je savais pourquoi il avait peur, il l'avait laissé entrevoir, lors de ma dernière nuit à Buck's Peak, cette même nuit où il avait déclaré qu'il n'assisterait pas à ma remise de diplôme.

« Si tu es en Amérique, m'avait-il chuchoté, nous pouvons venir te chercher. Où que tu sois. J'ai quatre mille litres de fuel enterrés dans le champ. Je peux venir te chercher quand ce sera la Fin du Monde, te ramener à la maison, tê mettre en sécurité. Mais si tu traverses l'océan… »

III

30

La main du Tout-Puissant

Un portail de pierre barrait l'entrée de Trinity College. Une petite porte en bois était taillée dans la pierre. Je suis entrée. Un concierge en redingote noire et chapeau melon m'a fait visiter le collège, en me conduisant dans Great Court, la plus vaste cour de Cambridge. Nous avons franchi un passage de pierre et nous avons débouché dans une galerie couverte dont la pierre avait la couleur du blé mûr.

«C'est le cloître nord, m'a expliqué le concierge. C'est ici que Newton a frappé du pied pour mesurer l'écho, calculant la vitesse du son pour la première fois.»

Nous sommes ensuite retournés dans Great Court. Ma chambre était juste en face, en haut de trois volées de marches. Après le départ du concierge, je suis restée là, entre mes deux valises, semblables à deux serre-livres, et je regardais fixement par ma petite fenêtre le mythique portail de pierre et ses créneaux d'un autre monde. Cambridge était tel que dans mon souvenir :

ancien, magnifique. J'étais différente. Je n'étais plus une visiteuse, plus une invitée. J'étais membre de l'université. Mon nom était peint sur la porte. D'après les papiers officiels, ma place était ici.

Pour mon premier cours, je me suis habillée en sombre, espérant ne pas sortir du lot, et pourtant, même ainsi, je ne pensais pas ressembler aux autres étudiants. Je ne m'exprimais certainement pas comme eux, et pas seulement parce qu'ils étaient anglais. Leur élocution avait une cadence mélodieuse qui m'évoquait plus le chant que la parole. À mes oreilles, leurs mots paraissaient raffinés, éduqués. Moi, j'avais tendance à marmonner, et, quand j'étais nerveuse, à bégayer.

J'ai choisi un siège autour de la grande table carrée et j'ai écouté les deux étudiants les plus proches discuter du sujet du cours, qui traitait des deux concepts de liberté du philosophe Isaiah Berlin. L'étudiant assis à côté de moi disait avoir étudié Isaiah Berlin à Oxford ; l'autre expliquait avoir déjà entendu l'exposé de l'enseignant sur le philosophe quand il était en premier cycle à Cambridge. Je n'avais jamais entendu parler d'Isaiah Berlin.

L'enseignant a commencé sa présentation. Il parlait calmement, mais abordait le contenu avec rapidité, comme s'il partait du principe que tout cela nous était déjà familier. Cette impression m'a été confirmée par l'attitude des autres étudiants qui, pour la plupart, ne prenaient pas de notes. Moi, je griffonnais chaque mot.

« Bien. Quels sont les deux concepts de liberté d'Isaiah Berlin ? » a demandé le professeur. Presque tout le monde a levé la main. Il a donné la parole à l'étudiant qui venait d'Oxford.

« La liberté négative, a-t-il expliqué, c'est la liberté vis-à-vis des obstacles ou contraintes extérieurs. Un individu est libre au sens où il n'est pas physiquement empêché d'agir. »

Sur le moment, cela m'a rappelé Richard, qui semblait toujours capable de réciter de mémoire, et avec exactitude, tout ce qu'il avait lu.

« Très bien, a repris l'enseignant. Et le second concept ?

— La liberté positive, est intervenu un autre étudiant, c'est la liberté par rapport aux contraintes intérieures. »

J'ai soigneusement consigné cette définition dans mes notes. Mais je ne la comprenais pas.

L'enseignant a tenté de clarifier, en ajoutant que la liberté positive, c'est être son propre maître – c'est le pouvoir de soi-même sur soi-même. Accéder à la liberté positive, a-t-il expliqué, c'est prendre le contrôle de son propre esprit ; être libéré des peurs et des croyances irrationnelles, des addictions, superstitions et de toute autre forme de coercition de soi.

Je ne comprenais pas ce que signifiait cette coercition de soi. J'ai regardé autour de moi dans la salle. Personne ne semblait aussi perdu que moi. J'étais l'une des rares à prendre des notes. J'avais envie de demander des explications, mais quelque chose m'en a empêchée – la certitude que cela reviendrait à hurler à la pièce entière que je n'avais pas ma place ici.

Après le cours, je suis retournée dans ma chambre, et me suis plongée dans la contemplation du portail de pierre avec ses créneaux médiévaux. J'ai réfléchi à la liberté positive, et à ce que pouvait signifier cette contrainte de soi-même, jusqu'à ce que mon crâne vibre d'une douleur sourde.

J'ai téléphoné à la maison. Quand mère a entendu mon «Allô, maman» larmoyant, sa voix a trahi son excitation. Je lui ai dit que je n'aurais pas dû venir à Cambridge, que je ne comprenais rien. Elle m'a répondu qu'elle avait procédé à son test musculaire et découvert que l'un de mes chakras était déséquilibré. Elle pouvait l'ajuster, m'assurait-elle. Je lui ai rappelé que j'étais à huit mille kilomètres de distance.

«Cela n'a aucune importance. Je vais ajuster ce chakra sur Audrey et te l'expédier.

— Tu vas faire quoi?

— Te l'expédier. Pour l'énergie active, la distance n'est rien. D'ici, je peux t'envoyer la bonne énergie là où tu es.

— L'énergie se déplace à quelle vitesse? ai-je demandé. À la vitesse du son, ou plutôt celle d'un vol commercial? C'est un vol direct, ou doit-elle faire escale à Minneapolis?»

Elle a éclaté de rire en raccrochant.

J'étudiais comme tous les matins dans la bibliothèque, près d'une petite fenêtre, quand Drew, un ami de la BYU, m'a envoyé une chanson par e-mail.

C'était un classique, d'amis à lui, mais je n'en avais jamais entendu parler. Du chanteur non plus. J'ai passé le morceau dans mes écouteurs. Il m'a aussitôt fascinée. Je l'ai écouté sans arrêt, tout en contemplant le cloître nord.

Émancipez-vous de l'esclavage mental
Personne d'autre que nous ne peut libérer nos esprits.

J'ai écrit ces vers partout sur mes cahiers, dans la marge des dissertations que je rédigeais. Je ne cessais de m'interroger à leur sujet, alors que j'aurais dû poursuivre mes lectures. Sur Internet, j'ai appris que Bob Marley souffrait d'un cancer au pied. Que Marley était un rastafari, et que les rastafaris croient en un « corps entier », et c'était pour cela qu'il avait refusé la chirurgie qui devait lui amputer le pied. Quatre ans plus tard, à trente-six ans, il mourait.

Émancipez-vous de l'esclavage mental. Marley avait écrit ce vers un an avant sa mort, alors qu'un mélanome opérable avait généré, à ce stade, des métastases aux poumons, au foie, à l'estomac et au cerveau. J'imaginais un chirurgien cupide aux dents acérées et aux longs doigts squelettiques pressant Marley de se faire amputer. Je me suis dérobée devant cette image effrayante du médecin et de sa médecine corrompue, et j'ai compris, pour la première fois, que même si j'avais renoncé au monde de mon père, je n'avais pas vraiment trouvé le courage de vivre dans celui-ci.

J'ai tourné les pages de mon cahier, jusqu'à mes notes sur la liberté négative et positive. Dans un coin de papier encore vierge, j'ai griffonné ce vers : *Personne d'autre que nous ne peut libérer nos esprits*. Ensuite, j'ai décroché le téléphone et j'ai composé le numéro.

« J'ai besoin de faire mes vaccins », ai-je annoncé à l'infirmière.

Les mercredis après-midi, j'assistais à un séminaire où j'ai remarqué deux jeunes femmes, Katrina et Sophie, qui s'asseyaient presque toujours l'une à côté de l'autre. Je ne leur avais encore jamais parlé jusqu'à un après-midi, quelques semaines avant Noël, quand elles m'ont demandé si j'avais envie de prendre un café. Je n'avais encore jamais « pris de café » – je n'avais même jamais goûté au café, car c'était interdit par l'Église –, mais je les ai suivies de l'autre côté de la rue, dans un café. La caissière était impatiente, j'ai donc choisi au hasard. Elle m'a tendu une tasse taille poupée avec à l'intérieur l'équivalent d'une cuiller à soupe d'un liquide couleur de boue, et j'ai posé un œil envieux sur les mugs que Katrina et Sophie ont emportés à notre table. Elles s'interrogeaient sur les notions du cours ; je me demandais si j'allais ou non boire mon café.

Elles maniaient des expressions complexes avec aisance. Dont « la seconde vague » – que j'avais déjà entendue, sans savoir ce que ça signifiait – ou « la masculinité hégémonique ». Ma langue ne parvenait pas à s'y faire. Quant à mon esprit, n'en parlons pas. J'avais bu plusieurs gorgées de ce liquide âcre et granuleux, avant de comprendre qu'elles parlaient du féminisme. Je les ai dévisagées comme si elles étaient derrière une vitre. Je n'avais jamais entendu personne employer ce terme «féminisme» autrement que comme une réprimande. À la BYU, la phrase «tu t'exprimes comme une féministe» signalait la fin de la discussion. Ce qui indiquait aussi que j'avais le dessous.

J'ai quitté le café et suis allée en bibliothèque. Après cinq minutes de recherches en ligne et quelques allers-retours vers les rayonnages, j'étais assise à ma place habituelle avec une grosse pile d'ouvrages écrits par ce que je savais désormais être des auteurs de la deuxième vague féministe – Betty Friedan, Germaine Greer, Simone de Beauvoir. Je n'ai lu que quelques pages de chaque volume avant de les refermer brutalement – je n'avais jamais vu le mot «vagin» imprimé, je ne l'avais jamais prononcé à haute voix.

Je suis retournée sur Internet, puis aux rayonnages, et j'ai échangé les livres des auteurs de la deuxième vague contre ceux qui les avaient précédés – Mary Wollstonecraft et John Stuart Mill. J'ai lu tout l'après-midi et jusque dans la soirée, élaborant ainsi, pour la première fois, un vocabulaire propre au malaise que j'avais ressenti depuis l'enfance.

Depuis le moment où j'avais compris que mon frère Richard était un garçon et moi une fille, j'avais eu envie de troquer son avenir contre le mien. Son avenir, c'était la paternité; le mien, la maternité. Les deux paraissaient similaires, mais ne l'étaient pas. Être l'un supposait d'être celui qui décide. Qui préside. Qui rappelle la famille à l'ordre. Être l'autre, c'était être de celles qu'on rappelle.

Je savais que mon aspiration était contre nature. Ce savoir, comme une bonne part des connaissances acquises par moi-même, m'était venu à travers la voix de gens que je fréquentais, de gens que j'aimais. Durant toutes ces années, cette voix m'avait accompagnée, elle chuchotait à mon oreille, me questionnait, s'inquiétait. Elle me répétait que j'avais tort. Que mes rêves étaient des perversions. Cette voix possédait quantité de timbres. Parfois, c'était celle de mon père ; le plus souvent, c'était la mienne.

J'ai emporté les livres dans ma chambre et continué de lire jusque tard dans la nuit. J'ai aimé les pages passionnées de Mary Wollstonecraft, mais c'est en lisant une simple phrase de John Stuart Mill que le monde a basculé : « Il est un sujet sur lequel on ne saura rien de définitif. » Le sujet auquel pensait Mill concernait la nature des femmes. Il affirmait qu'on avait tellement cherché à amadouer les femmes, à les convaincre, à les bousculer et à les rabaisser durant des siècles, qu'il était désormais impossible de définir leurs aptitudes ou leurs aspirations naturelles.

Le sang m'est presque monté à la tête ; l'adrénaline me permettait d'éprouver une sensation de possibilité, de limite repoussée. *Sur la nature des femmes, on ne peut rien savoir de définitif.* Jamais je n'avais connu un tel confort dans un vide, dans l'absence obscure de connaissance. Et cette absence semblait me souffler : qui que tu sois, tu es une femme.

En décembre, après avoir remis ma dernière dissertation, j'ai pris le train pour Londres et j'ai embarqué à bord d'un avion. Mère, Audrey et Emily sont venues me chercher à l'aéroport de Salt Lake City et, ensemble, nous avons filé sur l'Interstate. Il était presque minuit quand la montagne est apparue. Je discernais à peine sa silhouette majestueuse dans le ciel d'encre.

Quand je suis entrée dans la cuisine, j'ai remarqué un trou béant au milieu du mur, qui conduisait à une nouvelle extension que construisait papa. Mère m'a précédée de l'autre côté de cette ouverture et a allumé la lumière.

« Incroyable, n'est-ce pas ? » a-t-elle dit.

« Incroyable », c'était le mot.

La pièce était à proprement parler monumentale, de la taille d'une chapelle d'église, coiffée d'un plafond voûté qui s'élevait à plus de cinq mètres au-dessus du sol. Elle était si vaste qu'il m'a fallu un moment pour remarquer la décoration. Les murs étaient en placoplâtre nu, qui contrastait de façon spectaculaire avec les lambris et le plafond voûté. Les canapés en daim cramoisi dialoguaient chaleureusement avec la causeuse au tissu maculé de taches que mon père avait arrachée à la décharge, des années auparavant. D'épais tapis aux motifs compliqués recouvraient la moitié du sol, l'autre moitié étant en ciment brut. Il y avait plusieurs pianos – un seul paraissait être en état – et une télévision aussi grande qu'une table de salle à manger. La pièce était parfaitement assortie à mon père : hors du commun, merveilleusement incongrue.

Papa avait toujours dit qu'il voulait construire une pièce de la taille d'un paquebot, mais je n'aurais jamais cru qu'il aurait un jour assez d'argent. Lorsque j'ai interrogé mère du regard, en quête d'explications, c'est lui qui m'a répondu. Les affaires rencontraient un succès retentissant. Les huiles essentielles étaient à la mode, et celles de mère étaient les meilleures du marché. «Nos huiles sont si bonnes, a-t-il ajouté, que nous avons commencé à grignoter les bénéfices des grandes entreprises de production. Tout le monde connaît les Westover, dans l'Idaho.» Il m'a raconté qu'un de ces producteurs, inquiet du succès des huiles de ma mère, avait proposé de racheter son affaire pour la somme ahurissante de trois millions de dollars. Mes parents n'y avaient même pas songé. Guérir était leur vocation. Ils ne se laisseraient jamais tenter par de l'argent. Papa m'a expliqué qu'ils réinvestissaient le gros de leurs bénéfices en les consacrant à Dieu, sous la forme d'approvisionnements – vivres, carburant, peut-être même un véritable abri anti-bombe. J'ai réprimé un sourire. À ce que je voyais, papa était bien parti pour devenir le cinglé le plus en fonds de tous les États des montagnes de l'Ouest.

Richard a fait son apparition dans l'escalier. Il achevait son premier cycle de chimie à l'université d'État d'Idaho. Il était rentré à la maison pour Noël, et avait amené sa femme avec lui, Kami, et leur fils âgé d'environ un mois, Donovan. La première fois que j'avais rencontré Kami, un an plus tôt, juste avant le mariage, j'avais été frappée de constater combien elle était normale. Tout comme Stefanie, l'épouse de Tyler, Kami était une étrangère : elle était mormone, mais elle était « dans la norme », ainsi que l'aurait qualifiée papa. Elle a remercié ma mère pour ses conseils en phytothérapie, et ignoré leurs espoirs de la voir renoncer aux médecins. Donovan était né à l'hôpital.

Je me demandais comment Richard réussissait à naviguer dans ces eaux agitées, entre son épouse si normale et ses parents si anormaux. Ce soir-là, je l'ai observé attentivement, et il m'a semblé qu'il tentait de vivre dans ces deux mondes à la fois, de rester l'adepte fidèle de deux credo. Quand mon père condamnait les médecins, ces suppôts de Satan, Richard se tournait vers Kami et laissait échapper un petit rire, comme si papa plaisantait. Mais quand mon père haussait les sourcils, mon frère changeait d'expression, faisant mine d'y réfléchir sérieusement et d'être d'accord. Il paraissait vivre dans un état de perpétuel transit, passant d'un monde à un autre, ne sachant plus s'il était le fils de son père ou l'époux de sa femme.

Mère était submergée par les commandes pour les fêtes, j'ai donc passé mes journées à Buck's Peak comme lorsque j'étais enfant – dans la cuisine, à préparer des remèdes homéopathiques. Je versais de l'eau distillée et y ajoutais les gouttes de la formule de base, puis je passais le petit flacon par l'anneau formé par mon pouce et mon index, en comptant jusqu'à cinquante ou cent, avant de passer au suivant. Papa est entré chercher un verre d'eau. En me voyant, il a souri.

«Qui aurait cru qu'il faudrait t'envoyer à Cambridge pour t'avoir dans la cuisine, à la place qui te revient ?» a-t-il ironisé.

Les après-midi, Shawn et moi enfourchions les chevaux et luttions pour nous frayer un passage en haut de la montagne, nos montures sautant par-dessus les congères qui leur arrivaient au poitrail. La montagne était belle, tonifiante ; l'air sentait le cuir et le pin. Shawn m'a parlé des chevaux, de leur dressage, et des poulains qu'il attendait pour le printemps. Je me suis souvenue qu'il était toujours au meilleur de lui-même quand il était avec ses chevaux.

Je me trouvais à la maison depuis une semaine quand une vague de froid intense s'est abattue sur la montagne. La température a plongé, chuté à zéro, avant de descendre encore. Nous avons mis les chevaux à l'abri, sachant que s'ils transpiraient, leur sueur se transformerait en glace. L'eau de l'abreuvoir a gelé. Nous avons cassé la glace, mais elle se reformait très vite, alors nous apportions des seaux à chaque bête.

Cette nuit-là, tout le monde est resté à l'intérieur. Mère mélangeait des huiles dans la cuisine. Papa était dans l'annexe, que j'appelais déjà la Chapelle, en plaisantant. Il était allongé sur le sofa cramoisi, une bible posée sur le ventre, tandis que Kami et Richard jouaient des cantiques au piano. J'étais installée dans la causeuse avec mon ordinateur portable sur les genoux, près de papa, et j'écoutais la musique. Je venais d'entamer la rédaction d'un message à Drew quand quelque chose a heurté la porte de derrière. Le battant s'est ouvert d'un coup, et Emily a déboulé dans la pièce.

Elle s'étreignait le haut du corps de ses bras frêles et elle tremblait, le souffle court. Elle ne portait pas de manteau, ni de chaussures, rien qu'un jean que j'avais laissé en partant, et un de mes tee-shirts. Mère l'a aidée à s'asseoir sur le sofa, et l'a enveloppée dans la première couverture qu'elle a trouvée. Emily s'est mise à hurler, et pendant de longues minutes ma mère a été incapable de lui faire dire ce qui s'était passé. Est-ce que tout le monde allait bien ? Où était Peter ? Il était fragile, il faisait encore la moitié de la taille qu'il aurait dû atteindre, et il portait en permanence de petits tubes à oxygène parce que ses poumons ne s'étaient jamais pleinement développés. Ses minuscules poumons s'étaient-ils comprimés, sa respiration s'était-elle arrêtée ?

Entrecoupée de sanglots étouffés et de claquements de dents, Emily a fini par parler. D'après ce que j'ai pu comprendre, elle était allée chez Stokes faire des courses, et elle était rentrée à la maison avec les mauvais biscuits pour Peter. Shawn avait explosé : « Comment peut-il grandir si tu es incapable de lui acheter les bons produits ! » avait-il crié. Puis il l'avait soulevée et jetée hors de leur caravane, dans la neige. Elle avait tambouriné contre la porte, en le suppliant de la laisser entrer, puis elle avait grimpé la colline jusque chez nous. En l'écoutant nous raconter son histoire, j'ai remarqué ses pieds nus. Ils étaient si rouges qu'ils semblaient avoir été brûlés.

Mes parents s'étaient assis de part et d'autre d'Emily, lui tapotaient l'épaule et prenaient ses mains dans les leurs. Richard allait et venait dans la pièce, quelques pas derrière eux. Il paraissait contrarié, inquiet, comme si quelqu'un refrénait son besoin d'éclater, d'agir.

Kami était toujours au piano. L'air perdu, elle fixait le trio blotti dans le canapé. Elle n'avait rien saisi au récit d'Emily. Elle ne comprenait pas pourquoi Richard arpentait la pièce, ni pourquoi il s'arrêtait au bout de quelques secondes pour lancer un coup d'œil à papa, dans l'attente d'un mot ou un geste – un quelconque signal de ce qu'il fallait faire.

J'ai regardé Kami et senti ma poitrine se serrer. Je lui en voulais d'être témoin de tout ceci. Je ne pouvais pas m'empêcher de m'imaginer à la place d'Emily, ce qui était facile – et, je me suis retrouvée sur un parking, lâchant mon ricanement aigu, afin de convaincre le monde entier que mon poignet n'était pas sur le point de se briser net. Avant de réaliser ce que je faisais, j'ai traversé la pièce. J'ai attrapé mon frère par le bras et l'ai tiré vers le piano. Les sanglots d'Emily masquant mes chuchotements, j'ai expliqué à Kami que la scène à laquelle nous assistions était privée, et que le lendemain, Emily risquait d'être gênée de tout cela. Pour elle, ai-je ajouté, nous devrions tous nous retirer dans nos chambres et nous en remettre à papa.

Kami s'est levée. Elle avait décidé de se fier à moi. Richard a hésité, il a eu un long regard vers papa, puis il a suivi sa femme hors de la pièce.

Je leur ai emboîté le pas, avant de faire demi-tour et de m'asseoir à la table de la cuisine. J'ai surveillé la pendule. Cinq minutes se sont écoulées, puis dix. Allez, Shawn, ai-je pensé. Viens, maintenant.

Je m'étais convaincue que s'il arrivait dans les cinq minutes à venir, ce serait pour s'assurer qu'Emily était bien à la maison – qu'elle n'avait pas glissé sur la glace et ne s'était pas cassé la jambe, qu'elle ne mourait pas gelée dans un champ. Mais il n'est pas venu.

Vingt minutes plus tard, une fois qu'Emily a cessé de trembler, papa a décroché le téléphone. « Viens chercher ta femme ! » a-t-il vociféré dans le combiné. Mère berçait la tête d'Emily contre son épaule. Papa est retourné au sofa et a repris ses tapotements sur le bras de sa belle-fille. En les regardant tous les trois blottis ainsi, j'avais l'impression que tout cela s'était déjà produit auparavant, et que chacun avait bien répété son rôle. Même le mien.

Il faudrait de longues années avant que je ne comprenne ce qui s'était passé cette nuit-là, et quel avait été mon rôle. J'avais ouvert la bouche alors que j'aurais dû garder le silence, et je l'avais fermée quand j'aurais dû parler haut et fort. Ce qu'il fallait, c'était une révolution, un renversement des rôles anciens et invariables que nous avions joués depuis mon enfance. Ce qu'il fallait – ce qu'il fallait, pour Emily –, c'était une femme émancipée de tout faux-semblant, une femme qui puisse montrer qu'elle était un homme. Qui puisse exprimer une opinion. Passer à l'action au mépris de toute déférence. Ce qu'il fallait, c'était un père.

Les portes-fenêtres que mon père avait installées se sont ouvertes en grinçant. Shawn est entré d'un pas traînant, chaussé de lourdes bottes et vêtu d'un épais manteau d'hiver. Peter a émergé des replis de laine épaisse, où Shawn l'avait protégé du froid, et il a tendu les mains vers Emily. Elle s'est agrippée à lui. Papa s'est levé. Il a fait signe à Shawn de venir prendre la place à côté de sa femme. Je me suis levée et j'ai rejoint ma chambre, m'arrêtant pour lancer un long et dernier regard à mon père, qui s'apprêtait à prononcer un interminable sermon.

«C'était très sévère», m'a assuré mère, vingt minutes plus tard, quand elle a fait son apparition à ma porte en me demandant si je pourrais prêter à Emily une paire de chaussures et un manteau. Je suis allée les chercher et, de la cuisine, j'ai regardé Emily disparaître, blottie sous le bras de mon frère.

31

La tragédie, puis la farce

La veille de mon retour en Angleterre, j'ai roulé onze kilomètres le long de la montagne, puis j'ai tourné sur une étroite voie en terre avant de m'arrêter devant une maison bleu poudre. Je me suis garée devant un camping-car presque aussi grand que la maison proprement dite. J'ai frappé. Ma sœur est venue m'ouvrir.

Elle se tenait sur le seuil en pyjama de flanelle, un bambin sur la hanche et deux fillettes agrippées à sa jambe. Son fils, qui devait avoir six ans, se tenait en retrait derrière elle. Audrey s'est écartée pour me laisser passer, mais ses mouvements étaient raides, et elle évitait de me regarder directement. Depuis qu'elle s'était mariée, nous avions passé peu de temps ensemble.

Je suis entrée dans la maison, m'arrêtant brusquement dans le hall quand j'ai aperçu un trou de près d'un mètre dans le lino, qui plongeait vers le sous-sol. J'ai franchi ce trou pour accéder à la cuisine, qui était pleine des senteurs des huiles de notre mère – bouleau, eucalyptus, ravintsara.

La conversation était lente, entrecoupée. Audrey ne m'a posé aucune question sur l'Angleterre ou Cambridge. Elle n'avait aucune idée de ce qu'était ma vie, alors nous avons parlé de la sienne – du système scolaire public corrompu, et de l'école qu'elle faisait elle-même à la maison. Comme moi, Audrey n'avait jamais fréquenté l'école publique. À dix-sept ans, elle avait consenti un vague effort pour obtenir son diplôme d'études secondaires en candidate libre, le GED. Elle avait même reçu l'aide de notre cousine Missy, venue de Salt Lake City pour lui donner des cours. Missy avait travaillé avec Audrey un été entier, à la fin duquel elle avait déclaré que le niveau d'instruction de ma sœur oscillait entre la dernière année du primaire et la première du collège secondaire, et qu'il était exclu de présenter le GED. Tout en me mordillant la lèvre, j'ai observé sa fille, qui m'avait apporté un dessin, et me suis demandé quelle éducation la petite pouvait espérer recevoir d'une mère qui n'en avait aucune.

Nous avons préparé le petit déjeuner des enfants, puis nous avons joué avec eux dans la neige. Nous avons cuisiné, regardé des séries policières et confectionné des bracelets de perles. Tout se déroulait comme si j'avais traversé un miroir, comme si je vivais une des journées que j'aurais passées si j'étais restée dans la montagne. Mais je n'étais pas restée. Ma vie avait divergé de celle de ma sœur, et il me semblait que nous n'avions plus rien en commun. Les heures ont défilé. C'était la fin de l'après-midi, et elle me paraissait toujours aussi distante, elle refusait toujours de croiser mon regard.

J'avais apporté un petit service à thé en porcelaine pour ses enfants, et quand ils se sont mis à se chamailler pour la théière, j'ai rassemblé toutes les pièces. La plus grande de ses filles m'a rappelé qu'elle avait maintenant cinq ans, et a précisé qu'elle était trop vieille pour qu'on lui retire un jouet. «Si tu te comportes comme une enfant, ai-je répliqué, je te traiterai comme une enfant.»

Je ne sais pourquoi j'ai dit ça, j'imagine que j'avais Shawn à l'esprit. J'ai regretté ces mots à l'instant même où ils me sont venus, je me suis détestée de les avoir prononcés. Quand je me suis tournée pour remettre le service à thé à ma sœur, afin qu'elle puisse rendre la justice comme bon lui semblait, j'ai vu son expression, et j'ai failli tout lâcher. Sa bouche grande ouverte dessinait un cercle parfait.

«Shawn avait l'habitude de dire ça», a-t-elle déclaré, ses yeux plantés dans les miens.

Ce moment allait demeurer en moi. Je m'en souviendrais le lendemain, à Salt Lake City, en embarquant, et il me resterait en tête jusqu'à mon atterrissage à Londres. Le choc était tel que je ne parvenais pas à m'en défaire. Il ne m'était jamais venu à l'esprit que ma sœur avait pu vivre ma vie avant moi.

Ce trimestre, je me suis présentée à l'université comme de la résine devant un sculpteur. Je croyais pouvoir me refaire, remodeler mon esprit. Je m'obligeais à me lier d'amitié avec d'autres étudiants, en me présentant maladroitement à eux, sans relâche, avec insistance, jusqu'à me créer un petit cercle d'amis. Ensuite, j'ai entrepris d'abattre les barrières qui me séparaient d'eux. Pour la première fois, j'ai goûté du vin rouge, et mes nouveaux amis ont ri à ma grimace. Je me suis défaite de mes chemisiers à col montant et je me suis mise à porter des vêtements plus à la mode – ajustés, souvent sans manches, avec un col moins strict. Sur les photos de cette période, je suis frappée par la symétrie : je ressemble à toutes les autres.

En avril, j'ai commencé à progresser. J'ai rédigé une dissertation sur le concept de souveraineté de l'individu chez John Stuart Mill, et mon superviseur, le professeur David Runciman, m'a affirmé que si mon mémoire était de la même qualité, je pourrais être acceptée en doctorat à Cambridge. J'étais stupéfaite : moi, qui m'étais introduite en douce, en usurpatrice, dans ces lieux majestueux, il se pourrait maintenant que j'y entre par la grande porte. J'ai commencé à travailler sur mon mémoire, en choisissant à nouveau John Stuart Mill pour sujet.

Un après-midi, vers la fin du trimestre, alors que je déjeunais à la cafétéria de la bibliothèque, j'ai reconnu un groupe d'étudiants de mon programme d'échange. Ils étaient assis ensemble à une petite table. Quand j'ai demandé si je pouvais me joindre à eux, un grand Italien qui s'appelait Nic m'a fait un signe de tête. D'après leur conversation, j'ai compris qu'il avait invité les autres à venir lui rendre visite à Rome pendant les vacances de printemps. «Tu peux venir, toi aussi», a-t-il proposé.

Nous avons remis nos dernières dissertations du trimestre avant de prendre l'avion. Pour notre première soirée romaine, nous sommes montés au sommet d'une des sept collines et avons contemplé la ville. Des coupoles byzantines flottaient au-dessus de la cité comme des ballons en ascension. À la nuit tombante, les rues étaient baignées d'une lumière dorée. Ce n'était pas les couleurs d'une ville moderne, faite d'acier, de verre et de béton. C'était les couleurs du couchant. Rien ne paraissait réel. Lorsque Nic m'a demandé ce que je pensais de sa ville natale, c'est tout ce que j'ai pu dire : elle ne semblait pas réelle.

Le lendemain matin, au petit déjeuner, tout le monde a parlé de sa famille. Le père de l'un était diplomate, celui de l'autre était doyen à Oxford. On m'a questionnée sur mes parents. J'ai dit que mon père possédait une décharge.

Ensuite, Nic nous a emmenés au conservatoire où il avait étudié le violon. Situé au cœur de Rome, l'endroit était richement meublé, avec un large escalier et des couloirs qui résonnaient. J'ai essayé d'imaginer ce que cela faisait d'étudier dans un endroit pareil, de traverser ces dallages de marbre, tous les matins et, jour après jour, de joindre l'apprentissage à la beauté. Mais mon imagination m'a trahie. Je ne pouvais qu'imaginer l'école telle que je la découvrais maintenant, comme une sorte de musée, une relique de la vie de quelqu'un d'autre.

Pendant deux jours, nous avons exploré Rome – cette ville est à la fois un organisme vivant et un fossile. Des édifices blanchis de l'Antiquité gisent comme des ossements séchés, enchâssés entre des câbles vibrants et un trafic trépidant, les artères de la vie moderne. Nous avons visité le Panthéon, le Forum romain, la chapelle Sixtine. Mon instinct m'incitait à vouer un culte à cette ville, à la vénérer. C'est ce que j'ai ressenti pour elle : elle aurait dû se trouver derrière une vitrine, pour être adorée à distance, ne jamais être touchée, ne jamais être altérée. Mes compagnons y évoluaient différemment, conscients de son importance, mais jamais subjugués. La fontaine de Trevi ne les laissait pas muets, ils n'étaient pas réduits au silence par le Colisée. Au lieu de quoi, alors que nous passions d'une relique à une autre, ils débattaient de philosophie – Hobbes et Descartes, saint Thomas d'Aquin et Machiavel. Leur relation avec ces endroits grandioses formait une sorte de symbiose : ils avaient donné vie à l'architecture ancienne en la choisissant pour décor à leur discours, en refusant de procéder au culte en son autel, comme s'il s'agissait d'un objet mort.

Le troisième soir, il y a eu un orage. J'étais sur le balcon de Nic et je regardais des éclairs zébrer le ciel, chassés par des claquements de tonnerre. Ressentir une telle puissance de la terre et du ciel, c'était comme d'être à Buck's Peak.

Le lendemain matin, le ciel était limpide. Nous sommes partis pique-niquer avec du vin et des gâteaux dans le parc de la Villa Borghèse. Le soleil était chaud, les pâtisseries parfumées d'ambroisie. Jamais je ne m'étais sentie plus présente. Quelqu'un a dit quelque chose au sujet de Hobbes et, sans réfléchir, j'ai récité une phrase de John Stuart Mill. Cela me semblait une chose naturelle, d'amener cette voix d'autrefois dans un moment déjà si plein de passé, même si cette voix se mêlait à la mienne. Il y a eu un silence, le temps pour chacun de vérifier qui venait de s'exprimer, quand quelqu'un a demandé de quel texte provenait cette phrase, et la conversation s'est poursuivie.

Pendant le reste de la semaine, j'ai vécu Rome comme eux : comme un lieu d'histoire, mais aussi comme un endroit de vie, de nourriture et de trafic, de conflit et de tonnerre. La ville n'était plus un musée, elle était aussi vivante que Buck's Peak. Piazza del Popolo. Les thermes de Caracalla. Le Castel Sant'Angelo. Tout devenait aussi réel à mes yeux que la Princesse, le wagon rouge, la Cisaille. Le monde qu'ils représentaient, de philosophie, de sciences, de littérature – une civilisation entière –, possédait une vie qui était distincte de celle que j'avais connue. À la Galleria Nazionale d'Arte Antica, je suis restée devant la *Judith décapitant Holopherne* de Caravage et n'ai pas une seule fois songé à des poulets.

J'ignore ce qui a causé cette transformation, pourquoi j'ai soudain été capable d'engager le dialogue avec de grands penseurs du passé, au lieu de les vénérer au point de rester muette. Mais quelque chose dans cette ville, avec son marbre blanc et son asphalte noir, incrusté d'Histoire et incendié de feux de circulation, m'a démontré que j'étais capable d'admirer le passé sans qu'il me réduise au silence.

À mon arrivée à Cambridge, je respirais encore les poussières des vieilles pierres. J'ai gravi précipitamment les marches, impatiente de consulter mes e-mails, certaine de trouver un message de Drew. Quand j'ai ouvert mon ordinateur portable, j'ai constaté qu'il y en avait un. Mais quelqu'un d'autre m'avait aussi écrit : ma sœur.

J'ai ouvert le message d'Audrey. Il était rédigé en un seul long paragraphe, avec une maigre ponctuation et beaucoup de fautes d'orthographe, auxquelles je me suis attachée, comme pour rendre le texte muet. Mais les mots n'étaient pas chuchotés : ils hurlaient sur l'écran.

Ma sœur me confiait qu'elle aurait dû arrêter Shawn depuis de nombreuses années, avant qu'il ait pu m'infliger ce qu'il lui avait fait subir. Elle me disait que lorsqu'elle était jeune, elle avait eu envie d'en parler à notre mère, de lui demander de l'aide. Elle avait pensé qu'elle ne la croirait pas. Elle avait raison. Avant son mariage, elle avait eu des cauchemars et des visions, et elle en avait parlé à mère. Cette dernière lui avait affirmé que ces souvenirs étaient faux, impossibles. **J'aurais dû t'aider**, écrivait-elle. **Mais quand ma propre mère ne m'a pas crue, j'ai cessé de me croire moi-même**[1].

---

1. Ici, le caractère choisi indique que l'e-mail auquel je me réfère n'est pas cité mot pour mot, mais le sens en a été préservé.

C'était une erreur qu'elle allait rectifier. Je crois que Dieu me tiendra pour responsable, si je n'empêche pas Shawn de faire du mal à quelqu'un d'autre, écrivait-elle. Elle allait se confronter à lui, et à nos parents, et elle me demandait de me ranger à son côté. Je ferai cela avec ou sans toi. Mais sans toi, je serai probablement perdante.

Je suis restée assise un long moment dans l'obscurité. Je lui en voulais de m'écrire. J'avais la sensation qu'elle venait de m'arracher à un monde, à une vie, où j'étais heureuse, et qu'elle me ramenait en arrière, dans une autre.

J'ai tapé une réponse. Je lui ai écrit qu'elle avait raison, que nous devions arrêter Shawn, bien sûr, mais je la priais de ne rien faire avant que je sois de retour dans l'Idaho. Je ne sais pourquoi je lui ai demandé de patienter, ni quel bienfait je croyais que le temps dispenserait. Je ne sais pas ce que j'ai pensé qu'il se produirait quand nous parlerions à nos parents mais, d'instinct, je comprenais ce qui était en jeu. Dans la mesure où nous ne l'avions encore jamais fait, il nous était possible de croire qu'ils nous aideraient. Leur parler, c'était risquer l'impensable : c'était risquer d'apprendre qu'ils savaient déjà.

Audrey n'a pas attendu, pas même une journée. Le lendemain matin, elle a montré mon e-mail à mère. Je ne puis m'imaginer cette conversation dans ses détails, mais je sais que pour Audrey ce devait être un immense soulagement d'étaler mes mots devant notre mère, d'être finalement capable de dire : je ne suis pas folle. C'est aussi arrivé à Tara.

Pendant toute cette journée, mère y a réfléchi. Ensuite, elle a décidé qu'il lui fallait entendre ces mots de ma bouche. C'était la fin de l'après-midi dans l'Idaho, près de minuit en Angleterre quand, ne sachant pas trop comment passer un appel téléphonique international, elle m'a parlé en ligne. Si les mots à l'écran étaient petits, confinés à une minuscule boîte de dialogue dans le coin de l'écran, ils m'ont fait l'effet d'avaler la pièce. Lorsqu'elle m'a indiqué qu'elle avait lu ma lettre, je m'apprêtais à subir sa fureur.

Il est douloureux de faire face à la réalité, écrivait-elle. De réaliser qu'il s'est passé quelque chose d'horrible, et d'avoir refusé de le voir[1].

J'ai dû relire ces lignes un certain nombre de fois avant de les comprendre. Avant de me rendre compte qu'elle n'était pas en colère, qu'elle ne m'en voulait pas, ni ne tentait de me convaincre que j'avais imaginé tout cela. Elle me croyait.

Ne t'accuse pas, ai-je répondu. Après l'accident, ton esprit n'a plus jamais été le même.

Peut-être, a-t-elle admis. Mais je pense parfois que nous choisissons nos maladies, parce qu'en un sens elles nous profitent.

Je lui ai demandé pourquoi elle n'avait jamais empêché Shawn de me faire du mal.

Shawn répétait toujours que c'était toi qui provoquais ces bagarres, et j'imagine que j'avais envie d'y

---

1. Ici, le caractère choisi indique que l'e-mail auquel je me réfère n'est pas cité mot pour mot, mais le sens en a été préservé.

croire, parce que c'était plus facile. Parce que tu étais forte et rationnelle, et tout le monde pouvait voir que Shawn n'était rien de tout ça.

Cela n'avait pas de sens. Si je lui avais semblé rationnelle, pourquoi mère avait-elle cru Shawn quand il lui avait raconté que c'était moi qui provoquais des bagarres ? Qu'il fallait me dompter, me discipliner.

Je suis une mère. Les mères protègent. Et Shawn était si diminué.

J'avais envie de lui rappeler qu'elle était aussi ma mère, mais je me suis abstenue. Je ne pense pas que papa croira un mot de tout cela, ai-je écrit.

Il y croira. Mais pour lui, c'est dur. Cela lui rappelle les dégâts que son trouble bipolaire a causés à notre famille.

Je n'avais jamais entendu mère reconnaître que papa pouvait être mentalement atteint. Des années auparavant, je lui avais fait part de ce que j'avais appris dans mon cours de psychologie au sujet du trouble bipolaire et de la schizophrénie, mais elle avait pris cela à la légère. À présent, l'entendre me dire tout cela était libérateur. La maladie me donnait une cible à attaquer, en dehors de mon père, aussi quand mère m'a demandé pourquoi je n'étais pas venue l'aborder plus tôt à ce sujet, pourquoi je n'avais pas demandé d'aide, j'ai répondu avec sincérité :

Parce que tu étais tellement sous la coupe de papa. Tu n'avais aucun pouvoir dans la maison. C'était papa qui dirigeait les choses, et il n'allait pas nous aider.

Je suis plus forte maintenant. Je n'ai plus peur.

Quand j'ai lu ça, j'ai imaginé ma mère en jeune femme, à la fois brillante et énergique, mais aussi angoissée et obéissante. Puis, cette image s'est modifiée, son corps mincissait, s'allongeait, ses cheveux flottaient, longs et argentés.

Emily se fait maltraiter, ai-je écrit.

C'est vrai. Comme je l'ai été.

Elle, c'est toi, ai-je répliqué.

Elle, c'est moi. Mais maintenant nous sommes averties. Nous pouvons réécrire l'histoire.

Je l'ai questionnée sur un souvenir. C'était quelques semaines avant mon départ pour la Brigham Young University. Shawn avait eu une mauvaise nuit. Il avait fait pleurer notre mère, puis il s'était affalé dans le canapé et avait allumé la télé. J'avais trouvé mère en sanglots à la cuisine, et elle m'avait priée de ne pas partir à la BYU. «Tu es la seule qui soit assez forte pour savoir le prendre, m'avait-elle dit. Moi, je ne peux pas, et ton père ne peut pas. Il faut que ce soit toi.»

J'ai tapé ma question lentement : Est-ce que tu te souviens de m'avoir demandé de ne pas aller à l'université, parce que j'étais la seule à savoir m'y prendre avec Shawn ?

Oui, je m'en souviens.

Il y a eu un temps d'attente, puis d'autres mots sont apparus – des mots dont je ne soupçonnais pas mon besoin de les entendre. Dès que je les ai vus, je me suis rendu compte que j'avais passé toute mon existence à les attendre.

Tu étais mon enfant. J'aurais dû te protéger.

À l'instant où j'ai lu ces lignes, j'ai vécu une vie entière, une existence qui n'était pas celle que j'avais vécue. Je suis devenue une autre personne, qui se souvenait d'une autre enfance. Sur le moment, je n'ai pas compris la magie de ces mots, et je ne la comprends pas davantage aujourd'hui. Je sais seulement ceci : lorsque ma mère m'a avoué qu'elle n'avait pas été la mère qu'elle aurait souhaité être pour moi, elle est devenue ma mère pour la première fois.

Je t'aime, ai-je alors écrit. Et j'ai refermé mon ordinateur.

Mère et moi n'avons évoqué cette conversation qu'une seule fois, au téléphone, une semaine plus tard. «On s'en est occupé, m'a-t-elle expliqué. J'ai parlé à ton père de ce que vous m'avez dit, ta sœur et toi. Shawn va se faire aider.»

Je me suis sorti le problème de la tête. Ma mère avait pris fait et cause pour nous. Elle était forte. Elle avait bâti une affaire d'huiles essentielles, de nombreuses personnes travaillaient pour elle, et cela éclipsait l'activité de mon père, et toutes les autres entreprises de la ville. Cette femme docile détenait un pouvoir qu'aucun d'entre nous n'imaginait. Quant à papa, il avait changé. Il s'était adouci, il était plus enclin à rire. Le futur pouvait être différent du passé. Même le passé pouvait être différent du passé, puisque mes souvenirs pouvaient changer : je ne me souvenais plus de mère écoutant de la cuisine Shawn me plaquer au sol, m'appuyant sur la trachée. Je ne me souvenais désormais plus d'elle détournant le regard.

Ma vie à Cambridge en a été transformée – ou plutôt, je me suis transformée en quelqu'un qui croyait avoir sa place à Cambridge. La honte que j'avais longtemps ressentie au sujet de ma famille s'est envolée presque du jour au lendemain. Pour la première fois de mon existence, j'ai parlé ouvertement de l'endroit d'où je venais. J'ai admis devant mes amis que je n'étais jamais allée à l'école. J'ai décrit Buck's Peak, avec toutes ses ferrailles, ses granges, ses corrals. Je leur ai même parlé du cellier à légumes rempli de vivres, creusé dans le champ de blé, et de l'essence enterrée près de la vieille grange.

Je leur ai avoué que j'avais été pauvre, que j'avais été ignorante, et en leur racontant cela, je n'ai pas ressenti la moindre honte. C'est alors seulement que j'ai compris d'où m'était venue cette honte : ça n'avait rien à voir avec le fait de n'avoir pas fréquenté un conservatoire tout en marbre, ni de ne pas avoir un père diplomate. Ce n'était pas à cause de papa, qui avait à moitié perdu la tête, ni de maman qui le suivait en tout. Ce sentiment d'indignité me venait d'un père qui m'avait poussée vers les lames de la Cisaille, au lieu de m'en écarter. Il me venait des moments où j'étais par terre, avec ma mère dans la pièce voisine, qui fermait les yeux et les oreilles, et choisissait, en cet instant, de ne pas être ma mère.

Je me suis façonné une nouvelle histoire de moi-même. Je suis devenue une convive appréciée dans les dîners, grâce à mes récits de chasse et de chevaux, de ferraille et de lutte contre des incendies de montagne.

À mes anecdotes au sujet de ma mère si brillante, sage-femme et entrepreneuse ; de mon père excentrique, chiffonnier ferrailleur et fanatique religieux. J'estimais être enfin honnête par rapport à ma vie passée. Ce n'était pas tout à fait la vérité, mais c'était vrai au sens large du terme – par rapport à ce qui serait, à l'avenir, maintenant que tout avait changé pour le mieux. Maintenant que mère avait trouvé la force qui était en elle.

Le passé était devenu un fantôme inconsistant qui ne me touchait plus. Seul le futur avait du poids.

32

Partager la demeure d'une femme querelleuse[1]

La fois suivante, à mon retour à Buck's Peak, c'était l'automne et grand-mère-en-bas-de-la-colline était mourante. Depuis neuf ans, elle s'était battue contre son cancer de la moelle ; à présent, son combat touchait à sa fin. Je venais d'apprendre que j'avais obtenu une place pour entamer un doctorat, à Cambridge, quand ma mère m'a écrit. «Grand-mère est de nouveau hospitalisée, m'annonçait-elle. Viens vite. Je pense que ce sera la dernière fois.»

Quand j'ai atterri à Salt Lake City, grand-mère flottait entre conscience et inconscience. Drew est venu me chercher à l'aéroport. Nous étions plus que des amis, à présent, et il m'a proposé de me conduire dans l'Idaho, à l'hôpital, en ville.

Je n'étais plus retournée là-bas depuis le soir où j'avais conduit Shawn, des années auparavant, et, en entrant

---

1. Proverbes, 21:9 : «Mieux vaut habiter à l'angle d'un toit, que de partager la demeure d'une femme querelleuse.» *(N.d.T.)*

dans le hall blanc, aseptisé, il m'était difficile de ne pas repenser à lui. Nous avons trouvé la chambre de grand-mère. Grand-père était assis à son chevet, il tenait sa main tachetée. Elle avait les yeux ouverts et elle me regardait. « C'est ma petite Tara, qui vient depuis tout là-bas en Angleterre. » Puis ses yeux se sont fermés. Grand-père a délicatement refermé sa main autour de la sienne. Elle s'était endormie. Une infirmière nous a expliqué qu'elle allait sans doute dormir plusieurs heures.

Drew m'a alors proposé de me conduire à Buck's Peak. J'ai accepté. Cependant, quand la montagne a été en vue, je me suis demandé si je n'avais pas commis une erreur. Drew connaissait mes histoires, mais l'amener ici présentait un risque : ce n'était pas qu'une histoire, et aucun des protagonistes n'aurait envie d'y jouer le rôle que je leur avais assigné.

La maison était en plein chaos. Il y avait des femmes partout, qui prenaient des commandes par téléphone, qui mélangeaient des huiles ou extrayaient des teintures. Il y avait une nouvelle annexe du côté sud, où d'autres femmes plus jeunes remplissaient les flacons et emballaient les commandes pour les expédier. J'ai laissé Drew au salon et suis allée dans la salle de bains – la seule pièce qui conservait le même aspect que dans mon souvenir. Quand j'en suis ressortie, je suis tombée sur une vieille femme maigre aux cheveux filasse et portant de grandes lunettes carrées.

« Ces toilettes sont réservées à la direction ! m'a-t-elle lancé. Les remplisseuses de flacons doivent utiliser les toilettes de l'annexe.

— Je ne travaille pas ici», ai-je répliqué.

Elle m'a toisée du regard : bien sûr que je travaillais ici, tout le monde travaillait ici.

«Ces toilettes sont réservées à la direction, a-t-elle répété, en se redressant de toute sa hauteur. Vous n'êtes pas autorisée à quitter l'annexe.»

Elle s'est éloignée avant que j'aie pu ajouter quelque chose.

Je n'avais toujours pas vu mes parents. Je me suis de nouveau frayé un passage en traversant la maison et j'ai retrouvé Drew installé dans le canapé, qui écoutait une femme lui expliquer que l'aspirine pouvait être une cause de stérilité. Je l'ai pris par la main et l'ai entraîné à ma suite au milieu de tous ces inconnus.

«C'est réel, cet endroit ?» a-t-il dit.

J'ai trouvé maman dans la pièce sans fenêtre du sous-sol. J'ai eu l'impression qu'elle s'y cachait. Je l'ai présentée à Drew et elle a souri chaleureusement.

«Où est papa ?» Je l'imaginais malade et alité, car depuis l'explosion, il était sujet à des maladies pulmonaires.

«Je suis sûre qu'il doit être au milieu de la mêlée», a-t-elle répondu, en levant les yeux au plafond, où résonnait le martèlement des pas.

Mère nous a accompagnés à l'étage. Au moment où elle est apparue sur le palier, elle a été assaillie par ses employées et ses clients. Tout le monde voulait son avis – à propos de leurs brûlures, de leurs palpitations cardiaques, au sujet de leurs enfants en bas âge et en sous-poids. Elle a écarté tout le monde d'un revers de main et a poursuivi son chemin. En la regardant aller et venir ainsi dans sa propre maison, j'ai eu l'impression de voir une célébrité dans un restaurant plein à craquer, redoutant qu'on la reconnaisse.

Le bureau de mon père était de la taille d'une voiture. Il trônait au centre de ce chaos. Il avait calé le téléphone entre sa joue et le creux de l'épaule, pour qu'il ne glisse pas de ses mains lisses et cireuses. «Les médecins ne peuvent rien pour leur diabète! s'est-il exclamé d'une voix trop forte. Mais le Seigneur, Lui, le peut!»

J'ai jeté un coup d'œil à Drew. Il souriait. Papa a raccroché et s'est tourné vers nous. Il a salué Drew d'un grand sourire. La pagaille généralisée le remplissait d'énergie. Lorsque Drew lui a confié qu'il était impressionné par cette activité, papa a semblé grandir de vingt centimètres. «Nous avons eu la bénédiction de pouvoir accomplir l'œuvre du Seigneur», a-t-il répondu.

Le téléphone a de nouveau sonné. Trois employés, au moins, étaient chargés de répondre, mais papa a bondi sur le combiné comme s'il attendait un appel important. Je ne l'avais jamais vu si plein de vie.

«Le pouvoir de Dieu sur Terre! a-t-il braillé dans le micro. Voilà ce que sont ces huiles: la pharmacie de Dieu!»

Le vacarme qui régnait entre ces murs avait de quoi désorienter, j'ai donc emmené Drew dans la montagne. Nous avons flâné dans les champs de blé sauvage et, de là, nous nous sommes enfoncés dans les pins qui ceinturaient les pentes, au bas de Buck's Peak. Les couleurs d'automne étaient réconfortantes et nous sommes restés des heures à contempler la vallée tranquille en contrebas. Ce n'est qu'en fin d'après-midi que nous sommes redescendus vers la maison. Puis Drew est reparti pour Salt Lake City.

Je suis entrée dans la Chapelle par les portes-fenêtres et j'ai été surprise par le silence. La maison était vide, tous les téléphones étaient débranchés, tous les postes de travail abandonnés. Mère était assise, seule, au centre de la pièce.

« L'hôpital a appelé, a-t-elle annoncé. Grand-mère est partie. »

Mon père a brusquement perdu toute son appétence pour l'entreprise. Il traînait au lit de plus en plus tard et, quand il se levait, c'était pour lancer des insultes ou des accusations. Il hurlait sur Shawn au sujet de la ferraille et sermonnait maman sur sa gestion des employés. Il a sèchement rabroué Audrey quand elle a essayé de lui préparer à déjeuner, et il m'a aboyé dessus parce que je tapais trop bruyamment sur mon clavier. C'était comme s'il avait envie de se battre, de se punir pour la mort de cette vieille femme. Ou peut-être était-ce pour la punir d'avoir vécu, du conflit qui les avait opposés, qui avait pris fin avec sa mort.

Puis la maison s'est peu à peu remplie de nouveau. Les téléphones ont été reconnectés, et des femmes sont revenues pour répondre. Le bureau de papa est resté vide. Il passait ses journées au lit, à contempler le stuc du plafond. Je lui apportais son dîner, comme lorsque j'étais enfant, en me demandant, comme c'était déjà le cas à l'époque, s'il savait que j'étais là.

Mère s'affairait dans la maison avec la vitalité de dix personnes. Elle mélangeait des teintures et des huiles essentielles, dirigeait ses employées tout en prenant des dispositions pour l'enterrement et en cuisinant pour tous les membres de la famille venus partager leurs souvenirs de grand-mère. Le plus souvent, je la trouvais en tablier, penchée sur un rôti avec un téléphone dans chaque main – d'un côté un client, et de l'autre un oncle ou un ami appelant pour présenter ses condoléances. Au milieu de tout cela, mon père restait dans sa chambre.

Papa a pris la parole aux funérailles. Son discours était un sermon de vingt minutes sur les promesses de Dieu à Abraham. Il a mentionné deux fois ma grand-mère. À des oreilles étrangères, il a dû paraître fort peu affecté par la perte de sa mère, mais après le repas, il paraissait tout aussi contrarié par les assiettes, que mère avait lavées en vitesse, et ensuite par ses petits-enfants, qui jouaient bruyamment tandis qu'elle se précipitait pour les faire taire.

Ce soir-là, alors que la maison était vide et silencieuse, j'ai écouté mes parents se disputer dans la cuisine.

« Le moins que tu aurais pu faire, c'était de remplir ces cartes de remerciements. C'était ta mère, après tout.

— C'est le travail d'une bonne épouse, a rectifié papa. Je n'ai jamais entendu parler d'un homme qui rédigeait ces cartes. »

Il avait dit très exactement ce qu'il ne fallait pas. Depuis dix ans, mère était la principale source de revenus, tout en continuant de préparer des repas, de nettoyer la maison, de faire la lessive, et je ne l'avais jamais entendue exprimer le moindre reproche. Jusqu'à cet instant.

« Alors tu pourrais au moins faire le travail du mari », a-t-elle lancé, en haussant le ton.

Ils n'ont pas tardé à hurler. Papa essayait de la maîtriser, de la soumettre grâce à un accès de colère, comme il l'avait toujours fait, mais cela ne l'a rendue que plus récalcitrante. Ensuite, elle a jeté les cartes sur la table avec ces mots : « Remplis-les ou ne les remplis pas. Mais si tu ne le fais pas, personne ne s'en chargera à ta place. » Là-dessus, elle a descendu l'escalier au pas de charge. Papa l'a suivie, et pendant une heure leurs cris n'ont pas cessé, audibles à travers le sol. Je n'avais jamais entendu mes parents s'emporter de la sorte – du moins, pas ma mère. Je ne l'avais jamais vue refuser d'obéir.

Le lendemain matin, j'ai trouvé papa dans la cuisine, versant de la farine dans une substance pareille à de la colle qui, supposais-je, devait être de la pâte à crêpe. Quand il m'a vue, il a lâché le paquet de farine et s'est assis à la table. « Tu es une femme, s'pas ? m'a-t-il fait. Bon, ça, ici, c'est une cuisine. » Nous nous sommes dévisagés et j'ai pu mesurer l'abîme qui nous séparait, à quel point ces mots, si naturels à ses oreilles, écorchaient les miennes.

Cela ne ressemblait pas du tout à mère de laisser papa se préparer tout seul son petit déjeuner.

Redoutant qu'elle soit malade, je suis descendue pour vérifier son état. J'avais à peine posé le pied sur le palier que j'ai entendu de profonds sanglots provenant de la salle de bains, étouffés par le ronronnement régulier d'un sèche-cheveux. Je suis restée devant la porte, et j'ai écouté plus d'une minute, paralysée. Préférerait-elle que je m'en aille, en faisant mine de ne rien avoir entendu? J'ai attendu qu'elle reprenne son souffle, mais ses sanglots ont redoublé.

J'ai frappé.

«C'est moi», ai-je dit.

La porte s'est entrebâillée, puis ouverte en grand, et j'ai vu ma mère, la peau humide après une douche, enveloppée dans une serviette trop petite pour la couvrir. Je ne l'avais jamais vue ainsi et j'ai instinctivement fermé les yeux. Le monde a viré au noir. J'ai entendu un cognement sourd, le craquement du plastique, et j'ai rouvert les yeux. Mère avait lâché le sèche-cheveux et celui-ci vrombissait depuis qu'il avait heurté le béton. Je l'ai regardée, et elle m'a attirée à elle et tenue contre elle. L'humidité de son corps a imprégné mes vêtements, et j'ai senti les gouttelettes couler de ses cheveux sur mon épaule.

33

La sorcellerie de la physique

Je ne suis pas restée longtemps à Buck's Peak – sans doute une semaine. Le jour où j'ai quitté la montagne, Audrey m'a demandé de ne pas m'en aller. Je n'ai aucun souvenir de cette conversation, mais je me rappelle en avoir fait mention dans mon journal. Je l'ai rapportée le premier soir de mon retour à Cambridge, assise sur un pont de pierre, les yeux levés vers la chapelle de King's College. Je me souviens de la rivière, qui était calme ; je me souviens de la lente dérive des feuilles d'automne reposant sur sa surface vitreuse. Je me souviens du frottement de mon crayon sur le papier, qui reprenait en détail, sur huit pleines pages, ce que ma sœur avait dit précisément. Mais le souvenir de ses paroles s'est effacé, comme si j'avais écrit afin d'oublier.

Audrey m'avait priée de rester. Shawn était trop fort, disait-elle, trop persuasif pour qu'elle l'affronte seule. Je lui ai affirmé qu'elle n'était pas seule, elle avait mère. Audrey soutenait que je ne comprenais pas.

Personne ne nous avait crues, en fin de compte. Si nous demandions de l'aide à papa, elle était sûre qu'il nous traiterait toutes les deux de menteuses. Je lui ai répliqué que nos parents avaient changé, que nous devions leur faire confiance. Ensuite, j'avais pris mon avion et étais partie à huit mille kilomètres de là.

Si je me sentais coupable de consigner les peurs de ma sœur à une distance aussi protectrice, entourée de bibliothèques grandioses et de chapelles anciennes, je n'en donnais qu'une seule indication, à la dernière ligne que j'ai écrite ce soir-là : *Cambridge est moins beau ce soir.*

Admis en maîtrise dans un programme d'études moyen-orientales, Drew m'avait rejointe à Cambridge. Je lui ai parlé de ma conversation avec ma sœur. Il était le premier petit ami à qui je parlais vraiment de ma famille – lui confiant la vérité et pas seulement des anecdotes amusantes. Bien sûr, tout cela, c'est du passé, ai-je dit. Ma famille est différente à présent. Mais il faut que tu saches. Afin de pouvoir me surveiller. Au cas où je ferais une folie.

Le premier trimestre s'est écoulé dans un tourbillon de dîners et de soirées, ponctués de veilles tardives en bibliothèque. Pour obtenir un doctorat, je devais produire une recherche universitaire originale. En d'autres termes, après cinq ans passés à lire des textes d'histoire, je devais à présent en écrire un.

Mais écrire quoi ? Au cours de mes lectures pour mon mémoire de maîtrise, j'avais été surprise d'exhumer des échos de la théologie mormone chez les grands philosophes du XIXᵉ siècle. J'en ai parlé à David Runciman, mon superviseur. «Ce sera votre sujet de thèse, a-t-il dit. Vous pouvez accomplir une chose qui n'a jamais été faite : examiner le mormonisme non plus comme un mouvement religieux, mais aussi comme un mouvement intellectuel.»

J'ai commencé par relire les lettres de Joseph Smith et Brigham Young. Enfant, j'avais lu ces lettres comme un acte de dévotion ; à présent, je les lisais avec des yeux différents – ni un regard de critique, ni celui d'une disciple. Je me suis penchée sur la polygamie, non en tant que doctrine mais en tant que politique sociale. Je l'ai comparée à ses propres objectifs, ainsi qu'à d'autres mouvements et théories de la même période. Cela me semblait être un acte radical.

Mes amis à Cambridge étaient devenus une sorte de famille, et j'éprouvais auprès d'eux un sentiment d'appartenance que, depuis de nombreuses années maintenant, je ne ressentais plus à Buck's Peak. Parfois, j'avais l'impression d'être une damnée d'avoir de tels sentiments. Aucune sœur de sang ne devrait aimer un étranger plus qu'un frère, pensais-je. Et quelle sorte de sœur préfère un enseignant à son propre père ?

Pourtant, même si je préférais qu'il en soit autrement, je n'avais aucune envie de rentrer chez moi. J'aimais la famille que je m'étais choisie plus que celle qui m'avait été donnée, par conséquent, plus j'étais heureuse à Cambridge, plus la conscience d'avoir trahi Buck's Peak pervertissait mon bonheur. Ce sentiment a fini par faire physiquement partie de moi, j'en sentais le goût sur ma langue ou l'odeur dans mon haleine.

J'ai acheté un billet pour l'Idaho, pour Noël. La nuit précédant mon départ, un banquet était organisé dans mon collège. Un chœur de chambre, dirigé par un de mes amis, devait chanter des cantiques pendant le dîner. Le chœur avait répété des semaines, mais le jour du dîner la soprano était tombée malade, victime d'une bronchite. Mon téléphone a sonné en fin d'après-midi, c'était mon ami : « S'il te plaît, dis-moi que tu connais quelqu'un pour la remplacer. »

Je n'avais plus chanté depuis des années, et jamais sans que mon père ne soit là pour m'entendre, mais quelques heures plus tard je me joignais au chœur sous les chevrons, au-dessus de l'arbre de Noël monumental qui dominait la salle. J'ai béni ce moment précieux, savourant la légèreté que m'inspirait la musique qui flottait à nouveau dans ma poitrine, tout en me demandant si, pour m'entendre chanter, papa aurait bravé l'université et tout son socialisme. Je crois que oui.

Buck's Peak n'avait pas changé. La Princesse était enfouie sous la neige, mais je pouvais distinguer les contours de ses jambes. À mon arrivée, mère était dans la cuisine, elle remuait d'une main un ragoût et tenait un téléphone de l'autre, expliquant les propriétés de l'agripaume. Le bureau de papa était encore inoccupé. Il était au sous-sol, m'a signalé mère. Au lit. Quelque chose lui avait attaqué les poumons.

Un robuste inconnu a franchi la porte de derrière d'un pas traînant. Plusieurs secondes se sont écoulées avant que je ne reconnaisse mon frère. La barbe de Luke était si épaisse qu'il ressemblait à l'une de ses chèvres. Son œil gauche était blanc et mort – quelques mois auparavant, il s'était tiré en plein visage avec un lanceur de paintball. Il a traversé la pièce et m'a flanqué une tape dans le dos. J'ai fixé l'œil valide, pour y chercher un signe familier. C'est seulement en voyant la cicatrice boursouflée de son avant-bras, une marque incurvée de cinq centimètres de large, là où la Cisaille lui avait entaillé les chairs, que j'ai su que cet homme était mon frère[1]. Il m'a expliqué qu'il vivait avec sa femme et une meute d'enfants dans un mobile home derrière la grange, et travaillait sur des forages pétroliers dans le Dakota du Nord.

Deux jours se sont écoulés. Tous les soirs, papa montait à l'étage et s'installait sur un sofa de la Chapelle, où il toussait, regardait la télé ou lisait l'Ancien Testament. Je passais mes journées à étudier ou à aider mère.

Le troisième soir, je lisais à la table de la cuisine, quand Shawn et Benjamin sont entrés d'un pas lourd par la porte de derrière. Benjamin parlait à Shawn d'un coup de poing qu'il avait assené après un accrochage en ville. Il disait qu'avant de sortir de son pick-up pour

---

1. Je me souviens de cette cicatrice que Luke se serait faite en maniant la Cisaille ; toutefois, il se peut qu'elle ait été provoquée par un accident de toiture.

affronter l'autre conducteur, il avait glissé son pistolet dans la ceinture de son pantalon.

« Le type ne savait pas dans quoi il se foutait, s'est vanté Benjamin, avec un grand sourire.

— Il n'y a qu'un idiot pour se ramener avec un pistolet dans ce genre de merdier.

— J'allais pas m'en servir, a bredouillé Benjamin.

— Alors l'emporte pas avec toi. Comme ça, tu seras sûr de pas l'utiliser. Si tu l'as sur toi, tu risques de l'utiliser, c'est comme ça. Une bagarre à coups de poing peut vite se transformer en bagarre à coups de pistolet. »

Shawn s'exprimait calmement, presque pensivement. Ses cheveux blonds, sales, poussaient comme des herbes folles, et son visage était envahi d'une barbe naissante couleur de schiste. Ses yeux brillaient au milieu du cambouis et de la crasse, deux éclairs bleus sous des nuages de cendre. Son expression ainsi que ses mots semblaient être ceux d'un homme bien plus âgé, un homme dont le sang chaud avait refroidi, et qui était en paix.

Il s'est tourné vers moi. Je l'avais évité, mais cela m'a paru soudain injuste. Il avait changé, il aurait été cruel de prétendre le contraire. Il m'a demandé si j'aimerais sortir faire un tour et j'ai accepté. Il avait envie d'une glace, nous sommes donc allés chercher des milkshakes. La conversation était posée, agréable, comme elle l'avait été des années auparavant, durant ces fins de journée crépusculaires dans le corral. Il m'a parlé de l'équipe qu'il dirigeait sans papa, des poumons fragiles de Peter – des opérations et des tubes à oxygène qu'il devait encore porter la nuit.

Nous étions presque à la maison, à moins de deux kilomètres de Buck's Peak, quand il a donné un coup de volant et le véhicule a dérapé sur le verglas. Il a accéléré dans le mouvement, les pneus ont retrouvé leur adhérence, et la voiture a débouché dans une rue de traverse.

«Où allons-nous?» ai-je demandé, sachant très bien où menait cette rue.

L'église était dans le noir, le parking était désert.

Shawn a fait le tour, puis s'est garé près de l'entrée principale. Il a coupé le moteur et les phares ont faibli. J'arrivais à peine à discerner le contour de son visage dans l'obscurité.

«Tu parles beaucoup à Audrey?

— Pas vraiment», ai-je répondu.

Il a eu l'air de se relâcher.

«Audrey est une sale menteuse de merde», a-t-il grommelé.

J'ai fixé des yeux le clocher de l'église, qui se détachait sur le ciel étoilé.

«Je lui mettrais une balle dans la tête, a-t-il sifflé, tandis que son corps se rapprochait du mien. Mais j'ai pas envie de gâcher une bonne balle pour une salope qui vaut rien.»

Il était vital que je ne le regarde pas. Tant que je regardais la flèche de l'église, j'espérais qu'il ne pourrait me toucher. Presque. Parce qu'au moment même où je me raccrochais à cet espoir, je m'attendais à sentir ses mains autour de mon cou. Je savais que j'allais les sentir. Bientôt. Mais je n'osais rien faire qui risque de rompre le sortilège de l'attente. En cet instant, au fond de moi-même, je croyais, comme je l'avais toujours cru, que ce serait moi qui romprais le sortilège, qui en provoquerais la rupture. Quand cette immobilité volerait en éclats et quand sa fureur se ruerait sur moi, je saurais qu'un de mes actes en était la cause, le catalyseur. Une telle superstition comporte un espoir ; elle recèle une illusion de maîtrise.

Je suis restée immobile. Sans une pensée. Sans un geste.

Il y a eu le déclic du démarreur, le moteur s'est réveillé dans un grondement. De l'air chaud est sorti des grilles d'aération.

« T'as envie de voir un film ? » m'a demandé Shawn. Le ton de sa voix était décontracté. J'ai regardé le monde pivoter autour de la voiture qui exécutait un demi-tour et remontait vers la route. « Un film, ça me paraît tout indiqué », a-t-il conclu.

Je n'ai rien dit, refusant de bouger ou de parler, de peur d'offenser l'étrange sorcellerie de la physique qui, croyais-je encore, m'avait sauvée. Shawn semblait ignorer mon silence. Il a parcouru le dernier kilomètre qui nous séparait de Buck's Peak en bavardant gaiement, presque espiègle, sur son envie de regarder *L'homme qui en savait trop*, ou non.

34

La ferme assurance des choses[1]

En approchant mon père ce soir-là, je ne me sentais pas particulièrement courageuse. J'estimais avoir un rôle d'éclaireuse : j'étais là pour relayer une information, pour prévenir papa que Shawn avait menacé Audrey, parce que papa saurait quoi faire.

Ou peut-être étais-je calme parce que je n'étais pas là. Pas vraiment. Peut-être étais-je de l'autre côté de l'océan, sur un autre continent, occupée à lire David Hume sous une arcade de pierre. Peut-être pressais-je le pas dans King's College, le *Discours sur l'inégalité* serré sous le bras.

« Papa, il faut que je te dise quelque chose. »

Je lui ai expliqué que Shawn avait plaisanté sur l'idée de tirer sur Audrey, et selon moi c'était parce qu'Audrey s'était confrontée à lui au sujet de son comportement.

---

1. Hébreux, 11:1 : « Or la foi est une ferme assurance des choses qu'on espère, une démonstration de celles qu'on ne voit pas. » *(N.d.T.)*

Papa m'a dévisagée, et la peau de ses lèvres s'est tendue. Il a appelé maman en hurlant. Lorsqu'elle s'est montrée, elle était d'humeur sombre. Je ne comprenais pas pourquoi elle refusait de me regarder en face.

« Qu'est-ce que tu racontes, au juste ? » m'a-t-il fait.

À partir de ce moment, il n'y a eu qu'une succession de points d'interrogation. Chaque fois que je laissais entendre que mon frère était violent ou manipulateur, papa me hurlait :

« Quelle preuve as-tu ? Tu as la preuve ?

— J'ai mon journal.

— Va me le chercher, je vais le lire.

— Je ne l'ai pas avec moi. » C'était un mensonge : il était sous mon lit.

« Qu'est-ce que je suis censé croire, si t'as pas la preuve ? » continuait-il de vociférer.

Mère était assise au bord du canapé, la bouche ouverte. Elle semblait souffrir le martyre.

« Tu n'as pas besoin de preuve, ai-je répliqué. Tu l'as vu faire. Vous l'avez vu tous les deux. »

Papa m'a répliqué que, selon lui, je ne serais pas satisfaite tant que Shawn ne croupirait pas en prison, que j'étais revenue de Cambridge uniquement pour semer la zizanie. J'ai répondu que ce n'était pas ce que je voulais, envoyer Shawn derrière les barreaux, mais qu'il fallait intervenir, d'une manière ou une autre. Je me suis tournée vers mère, j'attendais qu'elle ajoute sa voix à la mienne, mais elle a gardé le silence. Elle continuait de fixer le sol, comme si papa et moi n'étions pas là.

À un moment, j'ai compris qu'elle ne parlerait pas, qu'elle resterait assise là sans rien dire, que j'étais seule. J'ai essayé de calmer papa, mais ma voix tremblait, se brisait. Ensuite, j'ai pleuré – des sanglots surgis de quelque part, d'une part de moi-même dont j'avais oublié l'existence. J'étais sur le point de vomir.

J'ai couru à la salle de bains. Je tremblais de la tête aux pieds.

Il fallait que je contienne ces sanglots, et vite – si je n'y parvenais pas, papa ne me prendrait jamais au sérieux. Alors j'ai recouru aux vieilles méthodes : j'ai fixé mon reflet dans le miroir en le fustigeant pour chacune de ces larmes. Le procédé m'était si familier que, ce faisant, j'ai fait voler en éclats l'illusion que j'avais soigneusement élaborée depuis un an. Un faux passé, un faux futur, tous les deux envolés.

J'ai contemplé mon reflet. Le miroir était hypnotique, avec ses panneaux triples rehaussés de faux chêne. C'était ce même miroir que j'avais fixé enfant, puis fillette, puis adolescente, moitié femme, moitié fille. Derrière moi, il y avait cette même cuvette de toilettes où Shawn m'avait plongé la tête, pour que j'avoue que j'étais une putain.

Je m'étais souvent enfermée dans cette salle de bains, après que Shawn m'avait relâchée. J'orientais les panneaux jusqu'à ce qu'ils me montrent trois fois mon visage, puis je lançais un coup d'œil furieux à chacun de ces visages, en réfléchissant à ce que Shawn avait dit et à ce qu'il m'avait fait dire, jusqu'à ce que ces mots finissent par me sembler vrais, au lieu d'avoir été proférés pour mettre un terme à la douleur. Et j'étais de nouveau là, immobile. Et le miroir était là, devant moi. Le même visage, répété sur les mêmes trois panneaux.

Sauf qu'il n'en était rien. Ce visage-là, flottant au-dessus d'un pull en cachemire, était plus âgé. Mais le professeur Kerry avait raison : ce n'était pas les habits qui rendaient ce visage, cette femme différents. C'était autre chose, derrière ces yeux-là, dans la crispation de la mâchoire, un espoir, la conviction qu'une vie n'est pas une entité inaltérable. Je n'ai pas de mots pour désigner ce que j'ai vu, mais je suppose que c'était de l'ordre de la *foi*.

Ayant retrouvé une fragile sensation de calme, je suis sortie de la salle de bains en emportant ce calme avec moi, délicatement, comme s'il s'agissait d'assiettes en porcelaine en équilibre sur ma tête. J'ai avancé lentement dans le couloir, à pas mesurés.

« Je vais me coucher, ai-je annoncé en entrant dans la Chapelle. Nous parlerons de tout ça demain. »

Papa était à son bureau, un téléphone dans la main gauche.

« Nous allons en parler maintenant, a-t-il rétorqué. J'ai répété à Shawn ce que tu nous as dit. Il arrive. »

J'ai songé à prendre la fuite. Pourrais-je atteindre ma voiture avant que Shawn n'arrive à la maison ? Où étaient les clés ? Il me fallait mon ordinateur portable, songeais-je. Ainsi que mes travaux dedans. *Laisse-le*, m'a supplié la fille dans le miroir.

Papa m'a priée de m'asseoir et j'ai obéi. Je ne sais combien de temps j'ai attendu, paralysée par l'indécision, et je me demandais encore s'il était temps de s'échapper quand la porte-fenêtre s'est ouverte sur Shawn. Subitement, la vaste pièce m'a paru minuscule. J'ai regardé mes mains. J'étais incapable de lever les yeux.

J'ai entendu des pas. Shawn avait traversé la pièce et il était maintenant assis à côté de moi, dans le canapé. Il attendait que je le regarde, et comme je m'en abstenais, il a pris ma main dans la sienne. Doucement, comme s'il déployait les pétales d'une rose, il a déplié mes doigts et y a déposé quelque chose. J'ai senti le froid de la lame avant de la voir, et j'ai senti le sang avant même d'avoir entrevu la traînée rouge qui maculait ma main.

Le couteau était petit, il ne mesurait qu'une quinzaine de centimètres, vingt peut-être, et il était très fin. La lame brillait, écarlate. J'ai frotté mon pouce contre mon index, puis j'ai approché mes doigts de mon nez et j'ai reniflé l'odeur. Métallique. C'était du sang, indubitablement. Pas le mien – il n'avait fait que me tendre le couteau. Celui de qui, alors?

«Si tu es intelligente, Sedide Pœur, tu vas t'en servir, contre toi. Parce que ça vaudra mieux que ce que je vais te faire, si toi tu ne fais rien.

— Ce n'est pas nécessaire», est intervenue notre mère.

Je l'ai regardée, bouche bée, puis Shawn. À leurs yeux, je devais avoir le même air idiot, mais j'étais incapable de suffisamment saisir ce qui se passait pour réagir. Je me demandais vaguement si je ne devais pas retourner dans la salle de bains, grimper dans le miroir, puis leur renvoyer l'autre fille, celle qui avait seize ans. Elle, elle serait capable de gérer ça, me disais-je. Elle n'aurait pas peur, comme moi. Elle n'aurait pas mal, comme moi. Elle serait faite de pierre, sans tendresse. Je ne comprenais pas encore que c'était justement cette tendresse – d'avoir vécu quelques années d'une vie qui autorisait la tendresse – qui, finalement, me sauverait.

J'ai regardé fixement cette lame. Papa a entamé un sermon, en s'interrompant souvent, afin de laisser maman approuver ses remarques. J'entendais des voix, notamment la mienne, entonner des harmonies dans une très ancienne salle. J'ai entendu un rire, le bruissement liquide du vin qu'on verse d'une bouteille, le tintement des couteaux à beurre heurtant la porcelaine. Je n'ai perçu que peu de choses du discours de mon père, mais je me souviens exactement, comme si cela se produisait au moment même où j'écris ceci, d'avoir été transportée au-dessus d'un océan et d'être repartie en arrière, trois couchers de soleil plus tôt, jusqu'à cette soirée où j'avais chanté avec mes amis dans ce chœur de chambre. J'ai dû m'endormir, ai-je pensé. Trop de vin. Trop de dinde de Noël.

Ayant décidé que je rêvais, j'ai fait ce qu'on fait dans les rêves : j'ai essayé de comprendre les règles de cette curieuse réalité et de m'en servir. J'ai raisonné les ombres étranges qui incarnaient ma famille, et quand les raisonner s'est révélé impossible, j'ai menti. Les imposteurs avaient faussé la réalité. À présent, c'était mon tour. J'ai soutenu à Shawn que je n'avais rien dit à papa. J'ai eu des phrases comme «je ne comprends pas où papa est allé chercher ça» et «papa a dû mal entendre», en espérant que si je refusais leur vérité, elle se dissiperait, tout simplement. Une heure plus tard, nous étions tous les quatre encore assis dans le sofa, et j'ai enfin pu me résoudre à leur permanence. Ils étaient ici, et j'étais là, moi aussi.

Le sang sur mes mains avait séché. Le couteau était tombé sur le tapis, oublié de tous, sauf de moi. Je me suis efforcée de ne pas le regarder. À qui était ce sang? J'ai examiné mon frère. Il ne s'était pas talladé.

Papa avait entamé un autre sermon, et cette fois j'étais assez présente pour l'entendre. Il a expliqué qu'il fallait apprendre aux fillettes à se comporter de façon appropriée au contact des messieurs, afin qu'elles ne se montrent pas trop engageantes. Il avait remarqué des attitudes indécentes chez les filles de ma sœur, dont la plus âgée avait six ans. Shawn demeurait calme. Le discours monocorde de papa l'avait épuisé. Plus encore, il se sentait défendu, légitimé, de sorte que lorsque le sermon s'est terminé, il m'a dit: «Je ne sais pas ce que tu as raconté à papa ce soir, mais je vois bien, rien qu'en te regardant, que je t'ai blessée. Et je suis désolé.»

Nous nous sommes étreints. Nous avons ri comme nous l'avons toujours fait après une dispute. Je lui ai souri comme je l'avais toujours fait, comme *elle*, l'autre fille, l'aurait fait. Mais *elle* n'était pas là, et le sourire était factice.

Je suis allée dans ma chambre, j'ai fermé la porte, en faisant discrètement coulisser le verrou, et j'ai téléphoné à Drew. La panique me rendait presque incohérente, mais il a fini par comprendre. Il m'a conseillé de m'en aller, tout de suite. Il me retrouverait à mi-chemin. Pour l'instant, les choses s'étaient apaisées. Si je tentais de fuir au milieu de la nuit, je ne savais pas ce qui se passerait.

Je me suis mise au lit, mais je n'ai pas pu dormir. J'ai attendu jusqu'à 6 heures du matin, puis j'ai retrouvé mère dans la cuisine. Comme j'avais emprunté à Drew la voiture pour venir à Buck's Peak, je lui ai raconté qu'il y avait un imprévu, que Drew avait besoin de son véhicule à Salt Lake City. J'ai promis d'être de retour d'ici un jour ou deux.

Quelques minutes plus tard, j'étais au volant, je descendais la colline. J'approchais de la nationale quand j'ai aperçu la caravane où Shawn vivait avec Emily et Peter. À quelques pas de cette caravane, près de la porte, la neige était tachée de sang. Quelque chose était mort, là.

Plus tard, mère m'apprendrait qu'il s'agissait de Diego, le berger allemand que Shawn avait acheté quelques années auparavant. Le chien était un véritable animal de compagnie, que Peter adorait. Après l'appel de papa, Shawn était sorti et il avait tué la bête à coups de couteau, pendant que son jeune fils, à quelques mètres, entendait le chien gémir. Mère m'a soutenu que l'exécution n'avait eu aucun rapport avec moi, que c'était nécessaire parce que Diego tuait les poulets de Luke. Une pure coïncidence, disait-elle.

J'avais envie de la croire, sans y parvenir. Diego tuait les poulets de Luke depuis plus d'un an. En plus, Diego était un chien de race. Shawn l'avait acheté cinq cents dollars. Il aurait pu le revendre.

La vraie raison qui m'empêchait de croire à cette histoire, c'était le couteau. J'avais vu mon père et mes frères abattre des dizaines de chiens, au fil des ans – surtout des chiens errants, incapables de se tenir à distance du poulailler. Je n'avais jamais vu personne se servir d'un couteau contre un chien. On les abattait d'un coup de feu dans la tête, ou dans le cœur. C'était rapide. Shawn avait choisi un couteau, et un couteau dont la lame était à peine plus longue que son pouce. C'était le couteau qu'on choisirait pour vraiment expérimenter ce qu'est l'abattage, pour sentir le sang couler sur la main, à l'instant où le cœur cessait de battre. Ce n'était pas le couteau d'un fermier, ni même d'un boucher. C'était un couteau de rage.

Je ne sais pas ce qui s'est passé au cours des journées qui ont suivi. Aujourd'hui encore, en examinant les divers aspects de cette confrontation – la menace, le déni, le sermon, les excuses –, il m'est difficile de les relier. En y réfléchissant, plusieurs semaines après, il m'a semblé avoir commis mille erreurs, plongé mille couteaux dans le cœur de ma propre famille. Ce n'est que plus tard que j'ai compris que je n'avais pas été la seule à créer des dommages, cette nuit-là. Et il m'a fallu plus d'un avant de comprendre ce que j'aurais dû voir tout de suite : ma mère n'avait pas osé affronter mon père, et mon père n'avait pas osé affronter Shawn. Jamais papa n'avait promis de nous aider, Audrey ou moi. Mère avait menti.

Maintenant, quand je repense aux mots de ma mère, tels qu'ils étaient apparus à l'écran, comme par magie, un en particulier émerge du reste : mère avait qualifié mon père de bipolaire. C'était exactement le trouble mental que je suspectais moi-même. Ce terme était le mien, pas le sien. Ensuite, je me demande si ma mère, qui avait toujours si parfaitement traduit la volonté de mon père, n'avait pas, ce soir-là, traduit la mienne.

Non, me dis-je. C'étaient ses mots. Mais qu'il s'agisse des siens ou non, ces mots-là, qui m'avaient tant réconfortée, tant consolée, étaient creux. Je ne crois pas qu'ils aient été impies, mais la sincérité ne réussissait pas à leur prêter assez de fond, et ils furent balayés par d'autres, plus puissants.

35

À l'ouest du soleil

J'ai fui la montagne avec mes bagages à moitié faits et je n'ai pas récupéré ce que j'avais laissé sur place. Je suis allée à Salt Lake City, et j'ai passé le reste des vacances de fin d'année avec Drew.

Je me suis efforcée d'oublier cette nuit-là. Pour la première fois en quinze ans, j'ai fermé mon journal et je l'ai mis de côté. Tenir un journal est un acte contemplatif, et je n'avais aucune envie de contempler quoi que ce soit.

Après le Nouvel An, je suis retournée à Cambridge, mais je suis restée à l'écart de mes amis. J'avais vu la terre trembler, senti le choc avant-coureur ; maintenant, j'attendais l'événement sismique qui transformerait le paysage. Je savais par quoi cela commencerait. Shawn repenserait à ce que papa lui avait dit au téléphone et, tôt ou tard, il se rendrait compte que mon déni – j'avais prétendu que papa m'avait mal comprise – était un mensonge. Quand il saisirait la vérité, il s'en voudrait peut-être, l'espace d'une heure. Ensuite, il reporterait cette haine sur moi.

Cela s'est produit début mars. Shawn m'a envoyé un e-mail qui ne contenait aucune salutation, aucun message. Juste un chapitre de la Bible, avec un verset distinct des autres, en gras : *Ô race de vipères, comment pourrais-tu, mauvaise que tu es, dire de bonnes choses ?* Cela m'a glacé le sang.

Une heure plus tard, il m'a téléphoné. Le ton était nonchalant, et nous avons bavardé une vingtaine de minutes de Peter, de ses poumons qui se développaient. Puis, il m'a dit ceci :

« J'ai une décision à prendre, et j'aimerais avoir ton avis.

— Bien sûr.

— Je n'arrive pas à me décider », a-t-il repris. Il s'est interrompu, et j'ai cru que la ligne était coupée. « Est-ce que je dois te tuer moi-même, ou est-ce que je dois engager un tueur ? » Il y a eu un silence rempli de parasites. « Ce serait peut-être moins cher d'engager quelqu'un, quand on tient compte du prix de l'avion. »

J'ai fait semblant de ne pas avoir compris, ce qui l'a rendu plus agressif. Il s'est mis à m'insulter, d'un ton rageur. J'ai tenté de le calmer, en vain. Nous nous voyions enfin tels que nous étions. J'ai raccroché, mais il a rappelé, en répétant chaque fois les mêmes menaces, que je devais faire très gaffe, que son tueur allait se charger de moi. J'ai appelé mes parents.

« Il ne le pensait pas, a considéré ma mère. De toute manière, il n'a pas cet argent.

— Ce n'est pas la question. »

Papa voulait une preuve.

«Tu as enregistré l'appel ? Comment puis-je savoir s'il était sérieux ?

— Quand il m'a menacée avec ce couteau ensanglanté, il le paraissait, ai-je répliqué.

— Enfin, là, il ne parlait pas sérieusement.

— Ce n'est pas la question.»

Par la suite, les appels téléphoniques ont cessé – mais pas grâce à l'éventuelle intervention de mes parents. Ils ont cessé quand Shawn m'a effacée de sa vie. Il m'a écrit, en m'ordonnant de rester loin de sa femme et de son fils, et de rester loin de lui, bordel. L'e-mail était long, mille mots d'accusation et de fiel, mais, à la fin, le ton était mélancolique. Il concluait en affirmant aimer ses frères, c'étaient les hommes les meilleurs qu'il ait jamais connus. Je t'ai aimée plus qu'eux tous, écrivait-il, et toi, pendant tout ce temps, tu me poignardais dans le dos.

Je n'avais plus de relation avec mon frère depuis des années, mais la perte de ce lien, même anticipée depuis des mois, m'a laissée abasourdie.

Mes parents m'ont soutenu que s'il coupait les ponts, c'était justifié. Papa m'a qualifiée d'hystérique, m'a reproché d'avoir lancé des accusations inconsidérées alors qu'à l'évidence ma mémoire n'était pas fiable. Mère a prétendu que ma rage constituait une véritable menace et que Shawn avait le droit de protéger sa famille. «Ta colère, ce soir-là, m'a-t-elle expliqué au téléphone, en évoquant le soir où Shawn avait tué Diego, était deux fois plus dangereuse que Shawn a jamais pu l'être.»

La réalité est devenue liquide. Le sol s'est dérobé sous mes pieds, m'entraînant vers le bas, tout tournait très vite, comme du sable s'écoulant à toute vitesse par un trou au fond de l'univers. Lorsque nous nous sommes parlé la fois suivante, mère a assuré que ce couteau n'avait jamais été une menace. «Shawn essayait de te mettre à l'aise. Il savait que s'il tenait un couteau, cela t'effraierait, alors il te l'a donné.» Une semaine plus tard, elle m'a certifié qu'il n'y avait jamais eu de couteau.

«Quand on te parle, a-t-elle conclu, ta réalité est tellement déformée. C'est comme de parler à quelqu'un qui ne serait pas là.»

J'ai acquiescé. C'était exactement ça.

Cet été-là, j'ai obtenu une bourse pour aller étudier à Paris. Drew m'a accompagnée. Notre appartement se situait dans le VIe arrondissement, près du jardin du Luxembourg. Ma vie là-bas était totalement inédite – plus cliché, c'était impossible. J'étais attirée par les quartiers de la capitale où l'on pouvait croiser le plus de touristes, afin de me fondre au milieu d'eux. C'était une forme d'oubli dans l'agitation, et j'ai passé mon été à ça : me perdre au milieu d'une foule de voyageurs, m'autoriser à gommer ma personnalité, mon caractère, et mon histoire. Plus l'attraction était minable, plus elle m'attirait.

J'étais à Paris depuis plusieurs semaines quand, un après-midi, en rentrant d'un cours de français, je me suis arrêtée à un café pour consulter mes e-mails. Il y avait un message de ma sœur.

Mon père lui avait rendu visite, semblait-il, mais j'ai dû relire le message plusieurs fois pour comprendre exactement ce qui s'était produit. Notre père avait attesté devant elle que Shawn avait été purifié grâce à l'Expiation du Christ, qu'il était un homme neuf. Papa avait averti Audrey que si jamais elle soulevait encore une fois le passé, cela détruirait notre famille tout entière. C'était la volonté de Dieu qu'Audrey et moi pardonnions à Shawn, avait encore affirmé papa. Si nous refusions, notre péché serait encore plus grand que le sien.

J'imaginais assez facilement cette entrevue, la gravité de mon père, assis en face de ma sœur, le recueillement et l'autorité de ses paroles.

Audrey lui avait répondu qu'elle avait depuis long-temps admis le pouvoir de l'Expiation, et qu'elle avait pardonné à son frère. Elle lui avait expliqué que je l'avais provoquée, que j'avais attisé la colère en elle. Que je l'avais trahie parce que je m'étais abandonnée à la peur, au royaume de Satan, au lieu d'avancer dans la foi, avec Dieu. J'étais dangereuse, concluait-elle, parce que j'étais sous la coupe de cette peur, et du Père de la Peur, Lucifer.

C'est ainsi que ma sœur achevait sa lettre, en m'annonçant que je n'étais plus la bienvenue sous son toit, que mes appels ne l'étaient pas davantage, à moins qu'il y ait quelqu'un d'autre pour surveiller la conversation, afin de l'empêcher de succomber à mon influence. En lisant cela, j'ai éclaté de rire. La situation, d'une extrême perversion, n'était pas dénuée d'ironie : quelques mois plus tôt, Audrey m'avait confié qu'il faudrait surveiller Shawn, en présence des enfants. Maintenant, après tous nos efforts, celle qu'il fallait surveiller, c'était moi.

Le jour où j'ai perdu ma sœur, j'ai perdu ma famille.

Je savais que mon père rendrait à mes frères la même visite qu'à elle. Le croiraient-ils ? Probablement. Après tout, Audrey se chargerait de le confirmer. Mes dénégations n'auraient aucun poids, ne seraient que les divagations d'une étrangère. Je m'aventurais trop loin, je changeais trop, je n'avais plus rien de commun avec la jeune fille aux genoux couronnés de croûtes qui, dans leur souvenir, avait été leur sœur.

Je n'avais guère d'espoir de pouvoir contredire la version que mon père et ma sœur leur apporteraient à ma place. Leur récit rallierait d'abord mes frères, ensuite il s'étendrait à mes tantes, à mes oncles, à mes cousins, puis à toute la vallée. Je perdais tous les miens. Et pour quoi ?

C'est dans cet état d'esprit que j'ai reçu une autre lettre : j'avais obtenu une bourse de recherche à Harvard. Je ne pense pas avoir jamais reçu une nouvelle avec plus d'indifférence. Je savais que j'aurais dû être submergée de gratitude – moi, une ignorante qui s'était hissée hors de la décharge à la force du poignet, j'étais autorisée à étudier là-bas. Cependant, j'étais incapable de puiser cette ferveur en moi. Je commençais à mesurer ce que mon éducation me coûtait, et cela me contrariait de plus en plus.

Après la lecture de la lettre d'Audrey, le passé s'est peu à peu modifié. Cela a commencé par ma mémoire d'elle. Quand je me rappelais telle ou telle partie de notre enfance commune, les moments de tendresse ou d'humour, de la petite fille que j'avais été avec la petite fille qu'elle avait été, ce souvenir s'abîmait, se transformait en pourriture. Le passé devenait aussi horrible que le présent.

Ce changement s'est répété avec chaque membre de ma famille. Mes souvenirs devenaient sinistres, accusateurs. La petite fille, celle que j'avais été, cessait d'être une enfant et devenait autre chose, quelque chose de menaçant et d'impitoyable, quelque chose qui les perdrait tous.

Cette enfant monstre m'a traquée pendant un mois avant que je ne trouve une raison me permettant de la chasser : je devais être folle. Si je l'étais, tout pourrait avoir un sens. Si j'étais saine d'esprit, ce serait impossible. Cette logique semblait accablante, mais elle m'apportait aussi un certain soulagement. Je n'étais pas le mal, j'étais un sujet clinique.

J'ai fini par m'en remettre, systématiquement, au jugement des autres. Si Drew gardait d'une chose un souvenir différent du mien, je le lui concédais aussitôt. Je me suis mise à me fier à lui pour formuler les réalités de nos deux vies. Je prenais plaisir à douter de moi-même, à ne plus savoir si nous avions vu tel ami la semaine dernière ou la précédente, ou si notre crêperie préférée se situait à côté de la bibliothèque ou du musée. Remettre en cause ces faits anodins, et mon aptitude à les saisir, me permettait de douter de tout ce dont je me souvenais.

Mes journaux restaient un problème. Je savais que mes souvenirs n'étaient pas juste des souvenirs – je les avais consignés, ils existaient en noir et blanc. Cela signifiait qu'ils n'étaient pas les seuls à être erronés. L'illusion était plus profonde, elle touchait le centre de mon esprit, qui inventait au moment même des faits, puis enregistrait une fiction.

Au cours du mois suivant, j'étais comme une démente. Devant le soleil qui brillait, je suspectais de la pluie. J'avais continuellement envie de demander aux gens de vérifier s'ils voyaient bien ce qu'ils voyaient. Ce livre est-il bleu ? avais-je envie de demander. Cet homme est-il grand ?

Parfois, ce scepticisme prenait la forme d'une certitude catégorique. Il y avait des jours où plus je doutais de ma propre santé mentale, plus je défendais mes souvenirs, ma « vérité », avec véhémence, comme étant la seule vérité possible. Shawn était violent, dangereux, et mon père était son protecteur. Je ne pouvais tolérer d'entendre un autre avis sur le sujet.

Dans ces moments-là, je cherchais fébrilement une raison de me croire saine d'esprit. Une preuve. J'en avais un besoin vital, comme de l'air. J'ai écrit à Erin – la fille avec laquelle Shawn était sorti avant et après Sadie, et que je n'avais pas revue depuis l'âge de seize ans. Je lui ai confié ce dont je me souvenais et lui ai demandé, sans détour, si j'étais dérangée. Elle m'a immédiatement répondu que je ne l'étais pas. Pour m'aider à reprendre confiance en moi, elle a partagé avec moi ses souvenirs – de Shawn lui criant qu'elle était une putain. Mon esprit s'est accroché à ce terme. Je ne lui avais pas dit que ce mot m'était réservé.

Erin m'a raconté une autre histoire. Un jour, alors qu'elle avait répliqué un peu vivement à Shawn – juste à peine, soulignait-elle, comme si elle en était encore à tester sa manière d'être avec lui –, il l'avait sortie brutalement de chez elle et lui avait frappé la tête contre un mur de briques. Si violemment qu'elle avait cru qu'il allait la tuer. Ses mains étaient serrées autour de sa gorge. *J'ai eu de la chance*, m'a-t-elle écrit. *Avant qu'il ne commence à m'étrangler, j'ai poussé un cri que mon grand-père a entendu. Ça l'a arrêté à temps. Mais je sais ce que j'ai vu dans ses yeux.*

Tel un garde-fou fixé à la réalité, je pouvais tendre la main vers sa lettre, m'y rattraper quand ma tête se mettait à tourner. Du moins, jusqu'à ce que je songe qu'elle pouvait être aussi folle que moi. Elle était atteinte, à l'évidence. Comment pouvais-je me fier à son récit après ce qu'elle avait traversé ? Je ne devais accorder aucun crédit aux propos de cette femme, car j'étais bien placée pour savoir combien les blessures psychologiques étaient invalidantes. J'ai donc continué de chercher un témoignage d'une autre source.

Par un pur hasard, je le recevrais quatre ans plus tard.

Au cours d'un voyage de recherches dans l'Utah, j'ai rencontré un jeune homme que mon seul nom de famille a suffi à irriter.

« Westover ! s'est-il écrié, le visage soudain assombri. Un lien de parenté avec Shawn ?

— Mon frère.

— Eh bien, la dernière fois que j'ai croisé votre frère, m'a-t-il dit, en insistant sur ce dernier mot, comme s'il crachait dessus, il avait les deux mains autour du cou de ma cousine, et il lui cognait la tête contre un mur de briques. Sans mon grand-père, il l'aurait tuée. »

Et voilà. Un témoin. Un récit impartial. Mais lorsque je l'ai entendu, je n'en avais plus besoin. Ma fièvre du doute était tombée depuis longtemps. Cela ne signifie pas que je me fiais complètement à ma mémoire, mais que je m'y fiais autant qu'à celle de n'importe qui d'autre. Et plus qu'à celle de certaines personnes.

Hélas, cela a pris des années.

36

Quatre bras puissants fouettent le vide

C'est par un après-midi ensoleillé de septembre que j'ai tiré ma valise dans Harvard Yard. L'architecture coloniale me semblait étrangère, mais aussi plus épurée et moins imposante que les pinacles gothiques de Cambridge. La bibliothèque centrale, qu'on appelait la Bibliothèque Widener, était la plus grande que j'aie jamais vue et, pendant quelques minutes, j'ai oublié l'année écoulée pour profiter du spectacle, émerveillée.

Ma chambre se situait dans la résidence des étudiants de troisième cycle, près de la faculté de droit. Elle était petite, et ressemblait à une grotte – sombre, humide, glaciale, des murs couleur de cendre et des dalles couleur de plomb. J'y passais le moins de temps possible. L'université m'offrait un nouveau commencement, et j'avais l'intention de saisir ma chance. Je me suis inscrite à autant de cours que le permettait mon emploi du temps – de l'idéalisme allemand à l'histoire du sécularisme, sans oublier l'éthique et le droit. J'ai intégré un groupe d'étude pour pratiquer le français, et un autre pour apprendre le tricot. La faculté proposait également un cours gratuit de dessin au fusain. Je n'avais jamais dessiné de ma vie, mais je m'y suis également inscrite.

J'ai entamé mes lectures – Hume, Rousseau, Smith, Godwin, Wollstonecraft et Mill. Je me suis immergée dans le monde où ils avaient vécu, j'ai exploré les problèmes qu'ils avaient tenté de résoudre. Leurs idées sur la famille ont fini par m'obséder – comment un individu devait confronter ses obligations envers les siens à ses autres obligations envers la société dans son ensemble. Ensuite, je me suis mise à écrire, à tisser les fils que j'avais trouvés dans l'*Enquête sur les principes de la morale* de Hume avec ceux de *L'Asservissement des femmes* de John Stuart Mill. C'était du bon travail, je le savais déjà en rédigeant, et quand j'ai eu fini, je l'ai mis de côté. C'était le premier chapitre de ma thèse de doctorat.

Un samedi matin, à mon retour du cours de dessin, j'ai trouvé un e-mail de ma mère. Nous venons à Harvard, m'annonçait-elle. J'ai lu cette phrase au moins trois fois, certaine qu'elle plaisantait. Mon père ne voyageait jamais – je ne l'avais jamais vu aller nulle part, excepté en Arizona, pour rendre visite à sa mère –, donc l'idée qu'il traverse le pays en avion pour voir une fille qu'il croyait possédée du démon paraissait ridicule. Ensuite, j'ai compris : il venait pour me sauver. Mère précisait qu'elle avait déjà réservé leurs vols et qu'ils séjourneraient dans ma chambre de la résidence.

Je leur ai demandé s'ils voulaient un hôtel.

Ils n'en voulaient pas.

Quelques jours plus tard, je me suis réinscrite à une messagerie que je n'avais plus utilisée depuis des années. Après un jingle guilleret, un nom a viré du gris au vert. *Charles est en ligne*, indiquait l'écran. Je ne sais pas au juste qui a démarré cette session, ou qui a suggéré de poursuivre la conversation au téléphone, toujours est-il que nous avons discuté pendant une heure. C'était comme si le temps n'avait pas passé.

Il m'a demandé où j'étudiais.

«Harvard ? Nom de Dieu de nom de Dieu !

— Hein, qui l'eût cru ? ai-je ironisé.

— Moi ! » Et je savais qu'il disait vrai. Il m'avait toujours vue ainsi, bien avant qu'il y ait eu le moindre indice.

Quand je l'ai interrogé sur ce qu'il avait fait après son diplôme universitaire, il est resté un long moment silencieux.

«Les choses ne se sont pas déroulées comme prévu», a-t-il avoué. Il n'avait jamais eu son diplôme. Il avait abandonné dès sa deuxième année, après la naissance de son fils, parce que sa femme était malade et qu'il y avait trop de factures de soins. Il avait été embauché sur un site de forage pétrolier dans le Wyoming. «C'était censé durer quelques mois. C'était il y a un an.»

Je lui ai parlé de Shawn, de la manière dont je l'avais perdu, dont j'avais perdu le reste de ma famille. Il m'a écoutée en silence, puis il a eu un long soupir.

« Tu n'as jamais songé que tu devais peut-être renoncer à eux ? »

Non, je n'y avais pas songé, pas une fois.

« Ce n'est pas irréversible, ai-je insisté. Je peux y remédier.

— C'est drôle que tu aies tant changé, a-t-il remarqué, mais tu continues de t'exprimer comme à dix-sept ans. »

Mes parents sont arrivés avec la chute des premières feuilles, quand le campus était le plus beau, les rouges et les jaunes de l'automne se mêlant au bordeaux de la brique. Avec sa grammaire de cul-terreux, sa chemise en jean et sa casquette de membre à vie de la NRA, papa aurait toujours détonné à Harvard, mais ses cicatrices accentuaient cet effet. Je l'avais vu maintes fois, depuis la déflagration, mais ce n'est qu'en le voyant à Harvard, dans mon environnement quotidien, que j'ai constaté combien il était défiguré. Je l'ai compris grâce au regard des autres, d'étrangers dont le visage changeait quand ils le croisaient dans la rue, et qui se retournaient sur son passage. C'est en ces moments que je remarquais à mon tour que la peau de son menton, si tendue, avait l'aspect du plastique. Que je remarquais ses lèvres privées de leur rondeur naturelle, ses joues creusées au point d'être squelettiques. Que sa main droite, qu'il levait souvent pour pointer du doigt tel ou tel détail, était noueuse et tordue, et que, là, au milieu des colonnades et des flèches antédiluviennes de Harvard, elle évoquait la serre d'une créature mythique.

Papa s'est peu intéressé à l'université, alors je l'ai conduit en ville. Je lui ai appris à prendre la ligne T du métro – comment insérer son billet dans la fente et franchir le portillon rotatif. Il a eu un rire sonore, comme s'il s'agissait d'une technologie fabuleuse. Un sans-abri a traversé notre wagon et a demandé un dollar. Papa lui a tendu un billet de cinquante encore craquant.

« Si tu continues comme ça, à Boston, tu n'auras vite plus un sou, l'ai-je averti.

— J'en doute, m'a-t-il glissé avec un clin d'œil. Les affaires marchent. On a plus d'argent qu'on ne peut en dépenser ! »

À cause de sa santé fragile, papa a pris le lit. J'avais acheté un matelas gonflable, que j'ai laissé à mère. J'ai dormi sur le dallage. Mes deux parents ronflaient si fort que je n'ai pas fermé l'œil. Quand le soleil s'est levé, je suis restée par terre, les yeux fermés, respirant lentement et profondément, pendant que mes parents pillaient le mini-frigo en parlant de moi à voix basse.

« Le Seigneur m'a ordonné de témoigner, disait papa. On peut encore la ramener au Seigneur. »

Pendant qu'ils complotaient ma conversion, je complotais un moyen de les laisser faire. J'étais prête à céder, même si cela supposait un exorcisme. Un miracle ne serait pas de trop : si je réussissais à mettre en scène une renaissance convaincante, je parviendrais à me dissocier de tout ce que j'avais dit et fait cette dernière année. Je pourrais tout reprendre – incriminer Lucifer et obtenir qu'on passe l'éponge. J'imaginais combien je serais considérée, en tant que réceptacle propre et neuf. Combien je serais aimée. Il me suffisait de troquer mes souvenirs contre les leurs, et je pourrais récupérer ma famille.

Mon père voulait visiter le Bosquet sacré de Palmyra, dans l'État de New York – la forêt où, selon Joseph Smith, Dieu lui était apparu et lui avait ordonné de trouver la véritable Église. Nous avons loué une voiture et, six heures plus tard, nous entrions dans Palmyra. Près du bois, en retrait de la route, se dressait un temple étincelant surmonté d'une statue dorée de l'ange Moroni. Papa s'est arrêté et m'a demandé de traverser l'enceinte du temple. «Touche le temple, m'a-t-il dit. Son pouvoir te purifiera.»

J'ai scruté son visage, son expression tendue – à la fois sincère et désespérée. Tout ce qu'il avait en lui m'insufflait sa volonté que je touche le temple, afin d'être sauvée.

Mon père et moi avons regardé le temple. Il a vu Dieu, j'y ai vu du granit. Nous nous sommes regardés. Il a vu une femme damnée, j'ai vu un vieil homme déséquilibré, défiguré, au sens propre, par ses convictions, et pourtant triomphant. Je me remémorais les paroles de Sancho Pança : «Un chevalier errant c'est une chose qui se voit toujours à la veille d'être empereur, ou roué de coups.»

Quand je repense à ce moment aujourd'hui, l'image se brouille, se recompose en celle d'un chevalier fanatique, chevauchant un destrier, partant à la charge dans une bataille imaginaire, frappant des ombres, taillant dans le vide. Il a la mâchoire crispée, le dos droit. Ses yeux flamboient de conviction, lancent des étincelles qui brûlent tout ce sur quoi ils se posent. Ma mère me lance un regard pâle, incrédule, mais quand il se tourne vers elle, leurs esprits ne font plus qu'un, et ils joutent ensemble avec les moulins à vent.

J'ai traversé les jardins et j'ai plaqué ma main contre la pierre du temple. J'ai fermé les yeux en essayant de croire que ce geste si simple finirait par engendrer le miracle que mes parents appelaient de leurs prières. Il me suffisait de toucher cette relique et, grâce au pouvoir du Tout-Puissant, la guérison serait complète. Mais je n'ai rien senti. Rien qu'une pierre froide.

Je suis retournée à la voiture.

« Allons-y », ai-je dit.

Quand la vie elle-même semble désaxée, qui sait où réside la folie ?

Au cours des journées suivantes, j'ai écrit ces mots partout – de manière inconsciente, compulsive. Je les retrouve dans des livres que je lisais, dans mes notes de lecture, dans les marges de mon journal. Les réciter était mon mantra. Je m'incitais à y croire – à croire qu'il n'y avait pas de réelle différence entre ce que je savais être vrai et ce que je savais être faux. À me convaincre moi-même qu'il y avait de la dignité dans ce que j'avais prévu de faire, en abdiquant mes propres perceptions du bien et du mal, de la réalité, de la raison même, afin de mériter l'amour de mes parents. Pour eux, je croyais pouvoir revêtir l'armure et charger les géants, même si je ne voyais que des moulins à vent.

Nous sommes entrés dans le Bosquet sacré, je marchais devant. J'ai trouvé un banc sous la voûte des arbres. C'était un bois ravissant, chargé d'histoire. C'était la raison de la venue en Amérique de mes ancêtres. Une brindille a craqué, mes parents sont apparus. Ils se sont assis, à ma droite et à ma gauche.

Mon père a parlé durant deux heures. Il a déclaré avoir vu des anges et des démons, des manifestations physiques du mal. Il avait été visité par le Seigneur Jésus-Christ, comme les prophètes du temps jadis, comme Joseph Smith l'avait été lui-même, dans ce bois. Sa foi n'était plus une foi, disait-il, mais une parfaite connaissance.

« Tu as été enlevée par Lucifer, m'a-t-il chuchoté, sa main sur mon épaule. Je l'ai senti au moment où je suis entré dans ta chambre. »

J'ai pensé à ma chambre, dans la résidence étudiante – aux murs sombres et aux dallages glacés, mais aussi aux tournesols que m'avait envoyés Drew et au batik qu'un ami du Zimbabwe avait rapporté de son village.

Mère n'a rien dit. Elle contemplait la terre, les yeux brillants, les lèvres pincées. D'un petit geste insistant, papa m'a réclamé une réponse. J'ai fouillé en moi, en profondeur, à la recherche des mots qu'il avait besoin d'entendre. Mais ils n'étaient pas en moi, pas encore.

Avant notre retour à Harvard, j'ai convaincu mes parents d'effectuer un détour par les chutes du Niagara. Dans la voiture, l'atmosphère était si pesante que j'ai regretté d'avoir suggéré pareille visite. Mais dès l'instant où papa a découvert les chutes, ça l'a transformé.

Il était enchanté. J'ai sorti un appareil photo. Mon père avait toujours détesté ces appareils, mais quand il a vu le mien, ses yeux ont brillé d'excitation. « Tara ! Tara ! s'est-il exclamé, en courant devant mère et moi. Prends une photo sous cet angle. C'est joli ! » Comme s'il se rendait compte que nous nous créions un souvenir, quelque chose de beau dont nous pourrions avoir besoin plus tard. Peut-être fais-je simplement une projection, parce que c'était ce que je ressentais. *Il y a quelques photos de cette journée qui pourraient m'aider à oublier le Bosquet sacré*, ai-je écrit dans mon journal. *Il y a une photo de papa et moi heureux, ensemble. La preuve que c'est possible.*

À notre retour à Harvard, j'ai proposé de leur offrir l'hôtel. Ils ont refusé d'y aller. Pendant une semaine, nous nous sommes marché dessus dans ma chambre. Tous les matins, mon père montait péniblement une volée de marches jusqu'à la douche commune sans rien d'autre autour de la taille qu'une petite serviette blanche. À la Brigham Young University, je me serais sentie humiliée, mais à Harvard, je me contentais de hausser les épaules. J'étais au-delà de la gêne. Quelle importance si quelqu'un le voyait, ou ce qu'il dirait, ou si ce quelqu'un était choqué ? C'était l'opinion de papa qui m'importait. C'était lui que je perdais.

Est arrivée leur dernière nuit, et je n'avais toujours pas ressuscité.

Mère et moi nous sommes affairées dans la cuisine partagée, nous avons préparé un ragoût de bœuf et de pommes de terre, que nous avons rapporté dans la chambre sur des plateaux. Mon père a examiné le plat en silence, comme s'il était seul. Ma mère a émis quelques observations sur la nourriture, avant de rire nerveusement, et de se taire.

À la fin du repas, papa m'a annoncé qu'il avait un cadeau pour moi. «C'est pour ça que je suis venu. Pour t'offrir la bénédiction de la prêtrise.»

Dans le mormonisme, la prêtrise est le pouvoir donné par Dieu d'agir sur terre – de recommander, de conseiller, de guérir les malades et de rejeter les démons. Elle est offerte aux hommes. C'était le moment : si j'acceptais cette bénédiction, mon père me purifierait. Il poserait ses mains sur ma tête et repousserait l'entité maléfique qui m'avait poussée à dire ce que j'avais dit, qui m'avait rendue indésirable dans ma propre famille. Tout ce qu'il fallait, c'était que je cède, et en cinq minutes ce serait terminé.

Je me suis entendue dire non.

Papa en est resté coi, incrédule, puis il s'est mis à témoigner – non pas à propos de Dieu, mais à propos de mère. Les plantes, disait-il, étaient un appel divin du Seigneur. Tout ce qui était arrivé à notre famille, chaque blessure, chaque mort frôlée, c'était parce que nous avions été choisis, nous étions particuliers. Dieu avait tout orchestré pour que nous puissions dénoncer la Médecine officielle et témoigner de Son pouvoir.

«Tu t'souviens quand Luke s'est brûlé la jambe ? m'a-t-il demandé, comme si je pouvais oublier. C'était le dessein du Seigneur. Cela faisait partie du cursus.

517

C'était pour ta mère. Afin qu'elle soit prête, pour ce qui allait m'arriver, à moi. »

La déflagration, les brûlures. C'était le plus grand des honneurs spirituels, assurait-il, de devenir le témoignage vivant du pouvoir de Dieu. Papa a pris mes mains dans ses doigts mutilés en m'affirmant que cette défiguration était prédestinée. Que c'était une tendre miséricorde. Qu'elle avait conduit des âmes vers Dieu.

Mère a apporté son témoignage, avec des chuchotements respectueux. Elle se disait capable d'enrayer une congestion cérébrale en ajustant un chakra, capable d'arrêter une crise cardiaque rien qu'en utilisant l'énergie, en mesure de guérir le cancer si les gens avaient la foi. Elle-même avait eu un cancer du sein, a-t-elle ajouté, et elle l'avait guéri.

Je me suis redressée brusquement.

« Tu as eu un cancer ? Tu es sûre ? Tu as fait des examens ?

— Je n'ai pas eu besoin de faire des examens. J'ai effectué le test musculaire. C'était un cancer. Je l'ai guéri.

— Nous aurions pu également guérir grand-mère, a renchéri papa. Mais elle s'est détournée du Christ. Elle manquait de foi et c'est pour ça qu'elle est morte. Dieu ne guérira pas les impies. »

Mère a opiné, sans lever la tête.

« Le péché de grand-mère était grave, a continué papa. Mais tes péchés sont plus graves encore, parce que la vérité t'a été donnée et que tu t'en es détournée. »

La pièce demeurait silencieuse, excepté le bourdonnement sourd du trafic dans Oxford Street.

Papa continuait de me fixer. Il avait le regard d'un
devin, d'un saint oracle dont le pouvoir et l'autorité
émanaient de l'univers même. J'avais envie de soutenir ce regard frontalement, de prouver que je pouvais résister à son intensité, mais au bout de quelques
secondes quelque chose en moi a flanché, une force
intérieure a cédé, et j'ai baissé les yeux.

« J'en appelle à Dieu pour témoigner qu'un désastre
t'attend, a repris papa. Il va venir bientôt, très bientôt.
Et il te brisera. Il te brisera totalement. Il te précipi-
tera dans les profondeurs de l'humilité. Et quand tu
en seras là, quand tu resteras, gisante, brisée, tu en
appelleras au Divin Père. » La voix de papa, qui s'était
élevée jusqu'au paroxysme, est devenue un murmure.
« Et Il ne t'entendra pas. »

J'ai croisé son regard, brûlant de conviction. Je pouvais quasiment sentir la chaleur s'échapper de lui. Il
s'est penché en avant, de sorte que son visage a presque
touché le mien.

« Mais moi, si. »

Un silence est tombé, inexorable, oppressant.

« Je vais offrir, une ultime et dernière fois, de te donner la bénédiction. »

La bénédiction était un acte de miséricorde. Il
m'offrait les mêmes conditions de reddition que celles
qu'il avait offertes à ma sœur. J'imaginais le soulagement qu'elle avait dû éprouver quand elle avait compris qu'elle pouvait troquer sa réalité – celle qu'elle

partageait avec moi – contre la sienne à lui. Elle avait dû se sentir tellement reconnaissante d'avoir à payer un prix aussi modeste. Rien ne m'autorisait à la juger pour ce choix, mais à cet instant je savais que je ne réussirais pas en faire autant. Tout ce pour quoi j'avais travaillé, toutes mes années d'études avaient existé afin que je puisse m'offrir ce privilège : voir et vivre plus de vérité que celles qui m'étaient données par mon père, et me servir de ces vérités-là pour me construire mon propre esprit. Je savais à présent que la faculté de remettre en question des idées, des histoires, des points de vue, était au cœur de ce que signifie la création de soi. Si je cédais maintenant, je perdrais davantage qu'une bataille. Je perdrais la maîtrise de mon esprit. C'était le prix qu'on me demandait de payer, je le comprenais à présent. Ce que mon père voulait rejeter loin de moi, ce n'était pas un démon : c'était moi.

Papa a plongé la main dans sa poche et il en a retiré un flacon d'huile consacrée, qu'il a placé dans ma paume. Je l'ai examiné. Cette huile était la seule chose nécessaire à l'accomplissement du rituel, avec la sainte autorité qui reposait dans les mains difformes de mon père. J'imaginais ma reddition, je m'imaginais fermer les yeux et renier mes blasphèmes. Je m'imaginais décrire mon changement, ma divine transformation, les paroles de gratitude que je proférerais. Ces mots étaient prêts, pleinement formés, en attente de franchir mes lèvres.

Pourtant, dès que j'ai ouvert la bouche, ils se sont envolés.

«Je t'aime, ai-je dit. Mais je ne peux pas. Je suis désolée, papa.»

Brusquement, mon père s'est levé.

Il a répété qu'il sentait une présence maléfique dans ma chambre, qu'il ne saurait rester une nuit de plus. Leur vol ne décollait pas avant le lendemain matin, mais il a décrété qu'il valait mieux dormir sur un banc qu'avec le diable.

Ma mère s'est agitée dans la pièce, fourrant chemises et chaussettes dans leur valise. Cinq minutes plus tard, ils étaient partis.

37

Le pari de la rédemption

Quelqu'un criait, un long beuglement soutenu, si fort qu'il m'a réveillée. Il faisait noir. Il y avait des réverbères, un trottoir, le grondement sourd des voitures au loin. Je me tenais au milieu d'Oxford Street, à un demi-pâté d'immeubles de ma chambre universitaire. J'étais pieds nus, et je portais un haut sans manches et un bas de pyjama en flanelle. J'avais la sensation que les gens me regardaient, bouche bée, mais il était 2 heures du matin et la rue était déserte.

Je ne sais comment, je suis rentrée dans mon bâtiment. Puis je me suis assise sur mon lit et j'ai essayé de reconstituer ce qui s'était passé. Je me souvenais de m'être couchée. Je me souvenais du rêve. Ce dont je ne me souvenais pas, c'était d'être sortie précipitamment de mon lit et d'avoir foncé dans le couloir, dans la rue, d'avoir hurlé. C'était pourtant ce que j'avais fait.

Le rêve se situait à la maison. Papa avait construit un labyrinthe sur Buck's Peak et m'avait prise au piège à l'intérieur. Les murs étaient hauts de trois mètres et constitués des vivres de son cellier à légumes – sacs de céréales, boîtes de munitions, bidons de miel. Je cherchais quelque chose, quelque chose de précieux que je ne réussirais jamais à remplacer. Je devais m'échapper du labyrinthe pour récupérer cette chose, mais j'étais incapable de trouver la sortie, et papa me poursuivait, fermant les issues avec des sacs de céréales empilés en guise de barricades.

J'ai cessé de me rendre à mon cours de français, puis à mon cours de dessin. Au lieu de lire en bibliothèque ou d'assister à des conférences, je regardais la télé dans ma chambre, en m'enfilant toutes les séries les plus populaires de ces vingt dernières années. Quand un épisode se terminait, je commençais le suivant sans réfléchir, comme une respiration en suit une autre. Je regardais la télé dix-huit ou vingt heures par jour. Quand je dormais, je rêvais de la maison, et au moins une fois je me suis réveillée dans la rue au milieu de la nuit, en me demandant si c'était mon propre cri que j'avais entendu juste avant de me réveiller.

Je n'étudiais pas. J'essayais de lire, mais les phrases étaient vides de sens. J'avais besoin qu'elles soient vides de sens. Je ne pouvais supporter de relier des phrases ou de tisser une trame de pensée à partir de ces fils épars. Les idées étaient trop similaires à des réflexions, et les miennes reflétaient toujours l'expression du visage creusé de mon père au moment où il m'avait fuie.

L'ennui, quand on fait une dépression nerveuse, c'est qu'il a beau être évident qu'on est en plein dedans, je ne sais pourquoi, pour soi-même, cela n'a rien d'évident. *Je vais bien*, pensez-vous. *Hier, j'ai regardé la télé vingt-quatre heures d'affilée, et alors ? Je ne suis pas en train de me démantibuler. Je suis juste paresseuse.* Pourquoi vaut-il mieux se croire paresseuse que se croire en détresse ? Je ne sais pas vraiment. Mais cela était préférable. Mieux que cela : c'était vital.

En décembre, j'avais tellement de retard dans mon travail que, m'arrêtant une nuit pour attaquer un nouvel épisode de *Breaking Bad*, j'ai pris conscience que je risquais de rater mon doctorat. Face à l'ironie de la chose, j'ai ri comme une démente pendant dix minutes : j'avais sacrifié ma famille à mon éducation, et je risquais de perdre ça aussi.

Au bout de quelques semaines supplémentaires de ce régime, un soir, je suis sortie de mon lit en chancelant et j'en ai conclu que j'avais commis une erreur. Lorsque mon père m'avait proposé cette bénédiction, j'aurais dû l'accepter. Mais il n'était pas trop tard. Je pouvais réparer les dégâts. Tout arranger.

J'ai acheté un billet d'avion pour l'Idaho, à l'occasion de Noël. Deux jours avant le vol, je me suis réveillée avec des sueurs froides. J'avais rêvé que j'étais à l'hôpital, allongée sur des draps blancs et frais. Papa était au pied de la civière, en train d'expliquer à un policier que je m'étais poignardée. Mère l'imitait, les yeux paniqués. J'étais surprise d'entendre la voix de Drew, qui criait qu'il fallait me transférer dans un autre hôpital. «Il la retrouvera là-bas», n'arrêtait-il pas de répéter.

J'ai écrit à Drew, qui vivait au Moyen-Orient. Je lui ai dit que j'allais à Buck's Peak. Quand il m'a répondu, son ton était incisif et pressant, comme s'il essayait de tailler dans le brouillard où je vivais. *Ma chère Tara*, m'a-t-il répondu. *Si Shawn te poignarde, on ne te conduira pas à l'hôpital. On te descendra au sous-sol et on te donnera un peu de lavande, pour ta blessure.* Il me suppliait de ne pas y aller, me répétait cent choses que je savais déjà et dont je me moquais. Et comme cela ne suffisait pas, il a ajouté : *Tu m'as raconté ton histoire pour que, si jamais tu commettais une folie, je puisse t'en empêcher. Eh bien, Tara, nous y sommes. C'est une folie.*

Je peux encore arranger ça, me répétais-je quand l'avion a décollé de la piste.

Je suis arrivée à Buck's Peak par une matinée d'hiver lumineuse. Je me souviens de l'odeur piquante de la terre gelée lorsque je me suis approchée de la maison et de la sensation de la glace et des graviers sous les semelles de mes chaussures de marche. Le ciel était d'un bleu saisissant. J'ai humé le parfum des aiguilles de pin.

J'ai contemplé le bas de la Princesse et j'en ai eu le souffle coupé. Quand grand-mère était encore en vie, à force de harceler mon père, de vitupérer, de le menacer, elle avait réussi à circonscrire sa ferraille. Désormais, les rebuts couvraient toute la ferme et rampaient vers le pied de la montagne. Les collines vallonnées, naguère de parfaits lacs de neige, étaient parsemées de camions estropiés et de fosses septiques rouillées.

Lorsque j'ai franchi le seuil de la maison, mère était aux anges. Je ne lui avais pas annoncé ma venue, espérant ainsi éviter Shawn. Elle me parlait sur un débit rapide, nerveux.

« Je vais te préparer des biscuits de viande en sauce ! a-t-elle proposé avant de filer dans la cuisine.

— Je viens t'aider dans une minute, ai-je lancé. Je dois juste envoyer un e-mail. »

L'ordinateur familial se situait dans l'ancienne partie de la maison, ce qui était le salon avant la rénovation. Je me suis assise pour écrire à Drew, parce que je lui avais promis, comme une sorte de concession entre nous, que pendant mon séjour dans la montagne, je lui écrirais toutes les deux heures. J'ai touché la souris et l'écran s'est allumé. Le navigateur était déjà ouvert, quelqu'un avait oublié de fermer la session. J'allais ouvrir une autre page, mais en voyant mon nom, j'ai interrompu mon geste. Il figurait dans le message ouvert à l'écran, que mère venait d'envoyer quelques instants auparavant. À Erin, l'ex-petite amie de Shawn.

Le fond du message, c'était que Shawn avait connu une renaissance, il était spirituellement purifié. Son Expiation avait guéri notre famille, et tout était rentré dans l'ordre. Tout, sauf moi. L'esprit m'a murmuré la vérité au sujet de ma fille, avait écrit ma mère. Ma pauvre enfant s'est abandonnée à la peur, et cette peur l'a poussée à vouloir à tout prix valider ses fausses perceptions. Je ne sais pas si elle représente un danger pour notre famille, mais j'ai des raisons de croire que c'est possible[1].

Je savais, avant même de lire ce message, que ma mère partageait la vision obscure de mon père, qu'elle croyait que j'étais sous l'emprise du diable, que j'étais dangereuse. Mais le fait de voir ces mots sur l'écran, de les lire et d'entendre *sa* voix en eux, la voix de ma mère, m'a refroidi le corps.

Le mail ne contenait pas que cela. Au dernier paragraphe, elle évoquait la naissance du deuxième enfant d'Emily, une fille, née un mois auparavant. Mère avait mis l'enfant au monde. La naissance avait eu lieu à la maison et, d'après elle, Emily avait failli mourir d'une hémorragie, avant qu'ils aient pu la conduire à l'hôpital. Mère achevait son récit en témoignant : cette nuit-là, Dieu avait œuvré à travers ses mains, écrivait-elle. La naissance était une nouvelle preuve de Son pouvoir.

Je me remémorais le drame de la naissance de Peter : comment il était sorti du ventre d'Emily à un peu plus d'un demi-kilo ; comment devant son étrange teint gris, ils l'avaient cru mort ; comment ils avaient bravé une tempête de neige pour les conduire à l'hôpital, pour s'entendre dire que cela ne suffirait pas, et qu'aucun hélicoptère ne volait ; comment on avait envoyé deux ambulances à l'hôpital McKay-Dee, à Ogden. Avec de tels antécédents, conseiller à une femme – qui, à

---

1. Ici, le caractère choisi indique que l'e-mail auquel je me réfère n'est pas cité mot pour mot, mais le sens en a été préservé.

l'évidence, était à risque – de tenter une seconde naissance à domicile relevait d'une imprudence qui confinait à l'aveuglement.

Si la première fois était la volonté de Dieu, de qui la seconde était-elle la volonté ?

Je m'interrogeais encore sur la naissance de ma nièce quand la réponse d'Erin est apparue. *Tu as raison au sujet de Tara*, disait-elle. *Sans la foi, elle est perdue*. Erin ajoutait que mes doutes envers moi-même – le fait que je lui écrive à elle, Erin, pour lui demander si je me trompais, si mes souvenirs pouvaient être faux – étaient la preuve que mon âme était en péril, qu'on ne pouvait se fier à moi : *Elle édifie sa vie sur la peur. Je vais prier pour elle*. Erin achevait son message en félicitant ma mère pour ses talents de sage-femme. *Tu es un véritable modèle*, écrivait-elle.

J'ai fermé la page et mon regard est resté fixé sur le papier peint, derrière l'écran. C'était le même motif à fleurs que dans mon enfance. Depuis combien de temps avais-je rêvé de le voir ? J'étais venue reprendre possession de cette vie, la sauvegarder. Mais il n'y avait rien à sauvegarder, rien à saisir. Il n'y avait que sables mouvants, loyautés mouvantes, histoires mouvantes.

Je me remémorais le rêve, le labyrinthe. Je me remémorais les murs faits de sacs de céréales et de boîtes de munitions, des peurs et des paranoïas de mon père, de ses Saintes Écritures et de ses prophéties. J'avais voulu m'échapper du labyrinthe, de ses méandres déroutants, de ses chemins sans cesse remodelés, pour aller trouver une chose précieuse. À présent, je comprenais :

la chose précieuse, c'était le labyrinthe. C'était tout ce qui restait de ma vie ici : une énigme dont je ne comprendrais jamais les règles, parce qu'il n'y avait aucune règle, juste une sorte de cage conçue pour m'enfermer. Je pouvais rester, et chercher ce qui avait été mon foyer, ou je pouvais m'en aller, maintenant. Avant que les murs ne se déplacent et que la voie ne soit obstruée.

Mère glissait des biscuits dans le four quand je suis entrée dans la cuisine. J'ai regardé autour de moi, scrutant mentalement la maison. *De quoi ai-je besoin, ici ?* Il n'y avait qu'une chose : mes souvenirs. Je les ai retrouvés sous mon lit, dans une boîte, où je les avais laissés. Je les ai emportés dans la voiture et les ai posés sur la banquette arrière.

« Je sors faire un tour », ai-je dit à mère. Je me suis efforcée de garder une voix lisse. Je l'ai serrée dans mes bras, puis j'ai longuement regardé Buck's Peak, tâchant de mémoriser le moindre de ses contours, la moindre de ses ombres. Mère m'avait vue emporter mes journaux dans le véhicule. Elle avait dû comprendre ce que cela signifiait, elle a dû sentir l'adieu dans ce geste, parce qu'elle est allée chercher mon père. Il m'a embrassée avec raideur.

« Je t'aime, tu le sais, ça ? a-t-il affirmé.

— Je sais. Ça n'a jamais été le problème. »

Ces mots sont les derniers que j'aie dits à mon père.

J'ai roulé vers le sud, sans savoir où j'allais. C'était presque Noël. J'avais pris la décision de prendre le prochain vol pour Boston, quand Tyler m'a téléphoné.

Je ne lui avais plus parlé depuis des mois – après ce qui s'était passé avec Audrey, il m'avait paru inutile de me confier à aucun de mes frères. J'étais certaine que ma mère aurait déjà tenu à chacun de mes frères, cousins ou cousines, tantes et oncles le discours qu'elle avait tenu à Erin : que j'étais possédée, dangereuse, sous l'emprise du diable. Je ne me trompais pas. Mère les avait tous avertis. Elle avait cependant commis une erreur.

Après mon départ de Buck's Peak, elle avait paniqué. Elle redoutait que je ne contacte Tyler et, si je le faisais, qu'il ne compatisse. Elle avait décidé d'aller le voir la première, pour nier tout ce que je risquais de lui dire. Toutefois, elle n'avait pas mesuré l'impression que ces dénégations, surgies de nulle part, allaient créer.

«Bien sûr que Shawn n'a pas tué Diego à coups de couteau et menacé Tara avec cette arme», lui avait-elle assuré. Mais pour Tyler, qui jusque-là ne connaissait rien de cette histoire, c'était tout sauf rassurant. Il venait de dire au revoir à mère, et il m'avait aussitôt téléphoné, exigeant de savoir ce qui s'était passé et pourquoi je n'étais pas venue le voir.

J'ai cru qu'il allait me traiter de menteuse, ce qu'il n'a pas fait. Il a presque immédiatement accepté la vérité que je niais depuis un an. Je n'ai pas compris pourquoi il se fiait à moi, mais il m'a ensuite raconté ses propres histoires. Et je me suis souvenue : Shawn était son frère aîné, à lui aussi.

Au cours des semaines qui ont suivi, il a entrepris de sonder mes parents sur un mode subtil, non conflictuel, qui lui était propre. Il a laissé entendre que la situation avait peut-être été mal gérée, que je n'étais peut-être pas possédée. Que je n'avais peut-être rien de maléfique.

J'aurais pu me sentir réconfortée par le fait qu'il essayait de m'aider, mais le souvenir de ma sœur était trop à vif, et je ne lui faisais pas confiance. Je savais que s'il affrontait mes parents – s'il les affrontait véritablement –, ils le forceraient à choisir entre eux et moi, entre moi et le reste de la famille. Et mon expérience avec Audrey me l'avait appris : ce n'était pas moi qu'il choisirait.

Ma bourse à Harvard touchait à son terme au printemps. Je me suis envolée vers le Moyen-Orient, où Drew achevait un programme d'échange dans le cadre d'une bourse Fulbright. Non sans efforts, j'ai essayé de lui cacher à quel point j'étais mal – du moins le croyais-je. En réalité, je n'y suis sans doute pas parvenue. Après tout, Drew m'avait couru après dans son appartement quand je me réveillais au milieu de la nuit, en criant et en m'agitant en tous sens, sans savoir où j'étais, mais avec un besoin désespéré de m'échapper.

Nous avons quitté Amman et roulé vers le sud. Nous sommes arrivés dans un camp de Bédouins en plein désert jordanien, le jour où les Navy SEALs ont tué

Ben Laden. Drew parlait l'arabe, et quand la nouvelle a éclaté, il a parlé des heures avec nos guides. «Il n'est pas musulman», répétaient ceux-ci alors que nous étions assis sur le sable froid, en regardant mourir les flammes d'un feu de camp. «Il ne comprend pas l'islam, sinon il n'aurait pas commis les actes terribles qu'il a commis.»

J'ai regardé Drew discuter avec les Bédouins, j'ai écouté ces sonorités étranges, soyeuses franchir ses lèvres, et j'ai été frappée par le caractère invraisemblable de ma présence ici. Quand les tours jumelles étaient tombées, dix ans plus tôt, je n'avais jamais entendu parler de l'islam. À présent, je buvais du thé sucré avec des Bédouins Zalabia et j'étais accroupie au creux de cette dune de sable du Wadi Rum, la vallée de la Lune, à moins de trente kilomètres de la frontière avec l'Arabie saoudite.

La distance – à la fois physique et mentale – parcourue au cours de cette dernière décennie m'a presque coupé le souffle. Avais-je trop changé? Toutes mes études, mes lectures, mes réflexions, mes voyages m'avaient-ils transformée en une femme qui n'était plus à sa place nulle part? Je songeais à la jeune fille qui, ne connaissant rien en dehors de sa casse et de sa montagne, était restée pétrifiée devant deux avions de ligne qui fonçaient droit sur deux étranges piliers blancs. La salle de classe de cette jeune fille n'était qu'un monceau de ferraille. Ses manuels, des matériaux de récupération. Et pourtant, elle possédait une chose précieuse – malgré toutes les opportunités, ou à cause d'elles – qui me faisait défaut.

Je suis retournée en Angleterre, où tout a continué de partir à vau-l'eau. La première semaine, après mon retour à Cambridge, je me réveillais presque toutes les nuits dans la rue, où j'étais sortie en courant, en hurlant, dans mon sommeil. Je souffrais de migraines qui duraient plusieurs jours. Mon dentiste m'a signalé que je grinçais des dents. J'avais de si vilaines éruptions de peau qu'à deux reprises de parfaits inconnus m'ont abordée pour me demander si je ne déclenchais pas une réaction allergique. «Non, ai-je dit. J'ai toujours cet air-là.»

Un soir, je me suis disputée avec une amie pour un motif futile et, avant de comprendre ce qui m'arrivait, je m'étais blottie contre un mur, les bras refermés autour des genoux, les genoux contre la poitrine, tentant d'empêcher mon cœur de bondir hors de ma poitrine. Mon amie s'est précipitée vers moi pour me venir en aide, et j'ai crié. Avant de pouvoir la laisser me toucher, avant de trouver en moi la volonté de m'écarter de ce mur, il m'a fallu une heure. C'est donc ça, une crise de panique, ai-je pensé le lendemain matin.

Peu après, j'ai envoyé une lettre à mon père. Je ne suis pas fière de cette missive. Elle est pleine de colère, de haine d'une enfant hargneuse envers l'un de ses parents. Elle est remplie de mots comme «brute» et «tyran», et cela continue sur des pages et des pages. Un torrent de frustration et d'injures.

C'est ainsi que j'ai annoncé à mes parents que je rompais tout contact avec eux. Entre les insultes et les crises de colère, j'avais besoin d'une année pour me guérir. Ensuite, peut-être serais-je en mesure de retourner vers leur monde de folie, afin d'y trouver un sens.

Ma mère m'a suppliée d'emprunter une autre voie. Mon père n'a rien dit.

38

Famille

Mon doctorat s'acheminait vers un échec.

Si j'avais expliqué à mon superviseur, le professeur Runciman, pourquoi j'étais incapable de travailler, il m'aurait sans doute aidée : il m'aurait procuré des aides financières supplémentaires, il aurait sollicité un délai auprès du département. Il ignorait totalement pourquoi je ne lui avais remis aucun travail depuis près d'un an. Aussi, quand nous nous sommes vus dans son bureau, par un après-midi nuageux de juillet, il m'a suggéré d'abandonner.

« Un doctorat est extrêmement exigeant, a-t-il précisé. Si vous n'y arrivez pas, ce n'est pas grave. »

J'ai quitté son bureau, furieuse contre moi-même. Je suis allée à la bibliothèque et j'ai rassemblé une dizaine de volumes, que j'ai transportés jusqu'à ma chambre et disposés sur ma table de travail. Mais les pensées rationnelles me rendaient nauséeuse et, dès le lendemain matin, les livres avaient migré sur mon lit et me servaient à caler mon ordinateur portable, pendant que j'étudiais avec assiduité tous les épisodes de *Buffy contre les vampires*.

Cet automne-là, Tyler a affronté mon père. Il a d'abord parlé à notre mère, au téléphone. Ensuite, il m'a appelée et m'a rapporté leur conversation. Il m'a affirmé que mère était «de notre côté», qu'elle jugeait la situation avec Shawn inacceptable et qu'elle avait convaincu papa d'intervenir. «Papa s'en charge, m'a-t-il dit. Tout ira bien. Tu peux venir à la maison.»

Deux jours plus tard, mon téléphone a sonné de nouveau, et j'ai mis *Buffy* sur pause pour répondre. C'était Tyler. Toute l'affaire lui avait explosé à la figure. Après sa conversation avec notre mère, il avait appelé notre père pour s'enquérir de ce qui avait été décidé à propos de Shawn. Papa s'était mis en colère. Il avait hurlé à Tyler que s'il remettait encore une fois le sujet sur le tapis, il le renierait. Puis il avait raccroché.

Imaginer cette conversation me fait horreur – dès que Tyler s'adressait à notre père, son bégaiement empirait. Je me représente mon frère penché sur le combiné, tâchant de se concentrer pour faire sortir les mots restés coincés dans sa gorge, pendant que son père lui balançait tout un arsenal d'injures.

Tyler était toujours sous le coup de la menace paternelle quand son téléphone avait sonné. Il avait cru que notre père le rappelait pour s'excuser, mais c'était Shawn. Papa lui avait tout raconté. «Je peux t'éjecter de cette famille en deux minutes, l'avait averti Shawn. Tu sais que je peux. Demande juste à Tara.»

J'ai écouté Tyler me relater cet épisode tout en regardant l'image figée de Sarah Michelle Gellar. Il a parlé longtemps, en m'exposant rapidement la chronologie des événements, tout en s'enlisant dans un marécage d'excuses et d'incriminations. Papa avait dû mal comprendre, disait-il. Il y avait eu une erreur, une mauvaise communication. C'était peut-être sa faute à lui, peut-être n'avait-il pas prononcé les mots de la bonne façon. C'était ça. C'était lui le responsable. Lui seul pouvait arranger ça.

En l'écoutant, j'ai éprouvé une étrange sensation de distance qui ressemblait à de l'inintérêt, comme si mon avenir avec Tyler, ce frère que je connaissais et que j'aimais depuis toujours, se réduisait à un film que j'avais déjà vu et dont je connaissais la fin. Je n'ignorais rien de la forme qu'allait prendre ce drame car je l'avais déjà vécu, avec ma sœur. Lorsque j'avais perdu Audrey, c'était là que le prix était devenu réalité, que l'impôt avait été levé, le loyer dû. Quand elle avait compris qu'il était plus facile de s'éloigner, qu'échanger une famille entière contre une simple sœur était une mauvaise transaction.

Avant même que cela se produise, je savais que Tyler suivrait la même voie. De là où je me trouvais, je percevais son angoisse portée par l'écho longue distance du téléphone. Il était en train de décider quoi faire, mais je savais une chose qu'il ignorait : la décision avait déjà été prise, et ce qui l'occupait maintenant n'était qu'un laborieux travail de justification.

C'est au mois d'octobre que j'ai reçu la lettre.

Elle est arrivée sous la forme d'un PDF en pièce jointe d'un e-mail de Tyler et Stefanie. Le message expliquait que cette missive avait été mûrement réfléchie, rédigée avec un soin particulier, et qu'un exemplaire serait envoyé à mes parents. En lisant cela, j'ai su ce que ça signifiait. Que Tyler était sur le point de me dénoncer, de prononcer les mots de mon père, que j'étais possédée, dangereuse. La lettre était une sorte de sauf-conduit, de bon d'accès qui lui permettait de réintégrer la famille.

Je ne pouvais me résoudre à ouvrir la pièce jointe. Une réaction instinctive me figeait les doigts. Je me souvenais de Tyler quand il était jeune, de ce grand frère silencieux qui lisait ses livres pendant que j'étais blottie sous son bureau, les yeux rivés sur ses chaussettes et respirant sa musique. Je n'étais pas certaine d'être capable de le supporter, d'entendre ces mots-là dans *sa* voix.

J'ai cliqué sur la pièce jointe, qui s'est ouverte. Je me sentais si éloignée de moi-même que j'ai lu la lettre entière sans la comprendre : *Nos parents sont prisonniers des chaînes de la maltraitance, de la manipulation et du contrôle. [...] Ils croient le changement dangereux et banniront quiconque le réclame. C'est une conception pervertie de la loyauté familiale. [...] Ils invoquent la foi, mais ce n'est pas ce qu'enseigne l'Évangile. Prends garde à toi. Nous t'aimons.*

Stefanie, la femme de mon frère, m'apprendrait l'histoire de cette lettre. Comment, au cours des jours qui avaient suivi la menace de reniement proférée par notre père, Tyler s'était chaque soir mis au lit en se demandant, sans relâche : « Qu'est-ce que je suis censé faire ? C'est ma sœur. »

Quand j'ai entendu ça, j'ai pris la seule bonne décision depuis des mois : je me suis inscrite au service d'aide psychologique de l'université. On m'a dirigée vers une femme d'âge mûr, très vive, aux cheveux courts et très bouclés, aux yeux perçants. Elle parlait rarement durant nos séances, préférant me laisser vider mon sac – ce que j'ai fait, semaine après semaine, mois après mois. Au début, ce suivi psychologique n'a rien donné – je suis incapable de songer à une séance que je qualifierais d'« utile » –, mais avec le temps, leur influence cumulée s'est révélée indéniable. Je ne l'ai pas compris sur le moment, et je ne le comprends toujours pas, mais il y avait quelque chose d'enrichissant dans le fait de me réserver ce temps-là, chaque semaine, et d'admettre ainsi que j'avais besoin de quelque chose que je ne pouvais me procurer moi-même.

Tyler a bel et bien envoyé cette lettre à mes parents et ensuite, il n'a jamais flanché. Cet hiver-là, j'ai passé plusieurs heures au téléphone avec lui et Stefanie, qui est devenue une sœur pour moi. Chaque fois que j'avais besoin de parler, ils étaient toujours présents et, à cette époque, j'en avais particulièrement besoin.

Mon frère a toutefois payé le prix de cette lettre, même si ce prix reste difficile à définir. Il n'a pas été totalement renié, ou du moins son reniement n'a pas été définitif. Par la suite, il a pu négocier une trêve avec mon père, mais leur relation ne sera jamais plus la même.

J'ai maintes fois présenté mes excuses à ce frère pour le prix qu'il a eu à payer, à cause de moi. Mais les mots s'agencent si difficilement que je trébuche dessus. Quelle est la meilleure disposition des mots ? Comment formuler des excuses pour avoir affaibli les liens entre un fils et son père, avec sa famille ? Il n'existe peut-être pas de mots pour ça. Comment remercier un frère qui a refusé de vous laisser tomber, qui vous a prise par la main et vous a aidée à remonter à la force du poignet, juste au moment où vous aviez décidé de vous laisser couler ? Il n'y a aucun mot pour ça non plus.

L'hiver a été long, cette année-là, une grisaille seulement ponctuée par mes séances de psychothérapie et l'étrange sentiment de solitude, presque de deuil, que j'éprouvais chaque fois que j'arrivais au bout d'une série télé et qu'il me fallait en trouver une autre.

Ensuite, le printemps est arrivé, puis l'été. Et enfin, alors que l'été se transformait en automne, j'étais de nouveau capable de me concentrer sur mes lectures, de garder en tête d'autres pensées que de la colère et de l'autoaccusation. J'ai repris le chapitre que j'avais écrit près de deux ans plus tôt à Harvard. J'ai relu Hume, Rousseau, Smith, Godwin, Wollstonecraft et Mill. J'ai recommencé à réfléchir à la famille. Elle recelait une énigme, un élément irrésolu. Que doit faire un individu, me demandais-je, quand ses obligations envers sa famille se heurtent à *d'autres* obligations – envers les amis, la société, ou soi-même ?

J'ai entamé ma recherche. J'ai resserré la question, je l'ai rendue plus théorique, plus spécifique. Ensuite, j'ai choisi quatre mouvements intellectuels du XIXᵉ siècle et j'ai examiné en quoi ils s'achoppaient à la question de l'obligation familiale. L'un des mouvements que j'ai retenus était le mormonisme du XIXᵉ siècle. J'ai travaillé pendant une bonne année, et au bout de ces douze mois je tenais le premier jet de ma thèse : « La Famille, la moralité et les sciences sociales dans la pensée coopérative anglo-saxonne, 1813-1890. »

Le chapitre sur le mormonisme était mon préféré. Enfant, à l'école du dimanche, on m'avait appris que toute l'histoire n'était qu'une préparation au mormonisme : depuis la mort du Christ, chaque événement avait été façonné par Dieu pour rendre possible le moment où Joseph Smith s'agenouillerait dans le Bosquet sacré et où Dieu rétablirait la seule véritable Église. Les guerres, les migrations, les catastrophes naturelles n'étaient que de simples préludes à l'histoire mormone. A contrario, les histoires séculières tendaient à ignorer les mouvements spirituels tels que le mormonisme.

Ma thèse donnait à l'histoire un contour différent, qui n'était ni mormon ni antimormon, ni spirituel ni profane. Elle ne traitait pas du mormonisme en tant qu'objectif de l'histoire de l'humanité, même si elle ne niait pas son apport aux réflexions de l'époque. Elle traitait l'idéologie mormone comme un chapitre de l'histoire humaine au sens large. Dans mon texte, l'histoire n'excluait pas les mormons de la famille humaine, il les y reliait.

J'ai envoyé ce premier jet au professeur Runciman et, quelques jours plus tard, nous nous sommes rencontrés à son bureau. Assis en face de moi, il m'a déclaré, avec une expression d'étonnement, que c'était bon. «Certaines parties sont excellentes», a-t-il souligné. À présent, il souriait. «Je serais surpris que cela ne mérite pas un doctorat.»

En rentrant chez moi à pied, chargée de mon manuscrit, je me suis rappelé un des cours du professeur Kerry, qu'il avait débuté en inscrivant au tableau noir : «Qui écrit l'histoire ?» Je me souvenais combien cette question m'avait parue étrange, sur le moment. Je ne concevais pas l'historien comme un humain ; je le concevais comme mon père, moins homme que prophète, dont les visions du passé, autant que celles du futur, ne pouvaient être remises en question, ni même étoffées. En cet instant, en traversant King's College, dans l'ombre de l'imposante chapelle, mon manque d'assurance d'alors semblait presque cocasse. Qui écrit l'histoire ? ai-je pensé. *Moi !*

Pour mon vingt-septième anniversaire, l'anniversaire que j'avais choisi, j'ai présenté ma thèse. La soutenance a eu lieu en décembre, dans une petite salle au mobilier simple. J'ai été reçue et suis retournée à Londres, où Drew était en poste, et nous avons loué un appartement. En janvier, près de dix ans jour pour jour après que j'avais mis les pieds dans ma première salle de classe à la Brigham Young University, j'ai reçu confirmation de l'université de Cambridge : j'étais Tara Westover, docteure en histoire.

Je m'étais construit une nouvelle vie, une existence heureuse, mais j'éprouvais un sentiment de manque et de perte qui allait bien au-delà de la famille. J'avais perdu Buck's Peak, pas qu'en partant, mais en partant en silence. J'avais battu en retraite, j'avais fui de l'autre côté de l'océan et laissé mon père raconter mon histoire à ma place, me définir aux yeux de tous les êtres que j'avais connus. J'avais cédé trop de terrain – pas seulement la montagne, mais l'entière province de notre histoire commune.

Il était temps de retourner à la maison.

39

En guettant le buffle

C'était le printemps, quand je suis arrivée dans la vallée. J'ai roulé sur la grande route, jusqu'en bordure de la ville, puis je me suis arrêtée sur l'aire de repos donnant sur Bear River. De là, je pouvais contempler tout le bassin, un patchwork de champs riches de leurs récoltes futures, qui s'étendaient vers Buck's Peak. La montagne se détachait nettement, avec sa toison de résineux, lumineuse sur un fond brun et gris, de schiste argileux et de calcaire. Jamais je n'avais vu la Princesse aussi éclatante. La vallée entre nous, elle se dressait face à moi, diffusant sa pérennité.

La Princesse m'avait hantée. De l'autre côté de l'océan, je l'avais entendue me faire signe, comme si j'étais un veau turbulent égaré loin de son troupeau. Au début, sa voix était prévenante, câline, mais comme je ne répondais pas, que je restais à distance, elle s'était muée en furie. Je l'avais trahie. J'imaginais son visage tordu de rage, sa posture lourde et menaçante. C'est ainsi que je la gardais à l'esprit depuis des années. En divinité outragée.

Mais en la voyant monter la garde au-dessus des champs et des pâturages, j'ai compris que je m'étais trompée sur son compte. Elle n'était pas en colère contre moi parce que j'étais partie. Car s'en aller faisait partie de son cycle. Son rôle n'était pas de regrouper les buffles, de les rassembler et de les enfermer par la force. Son rôle consistait à fêter leur retour.

Je suis revenue sur mes pas, d'environ cinq cents mètres, et je me suis garée à côté de la palissade blanche de grand-mère-en-ville. Dans ma tête, c'était encore sa palissade, même si elle ne vivait plus ici : on l'avait placée dans une maison de retraite près de Main Street.

Je n'avais plus vu mes grands-parents depuis trois ans, depuis que mes parents s'étaient mis à raconter à la famille élargie que j'étais possédée. Mes grands-parents adoraient leur fille. Ils avaient cru au récit qu'elle leur avait fait à mon sujet, j'en étais certaine. J'avais donc renoncé à eux. Il était trop tard pour renouer avec grand-mère – elle souffrait de la maladie d'Alzheimer et ne m'aurait pas reconnue –, et je suis donc allée voir mon grand-père, pour savoir s'il y aurait encore une place pour moi dans sa vie.

Nous avons pris place au salon. Le tapis était du même blanc éclatant que dans mon enfance. La visite a été courte et polie. Il a parlé de grand-mère, dont il s'était occupé longtemps après qu'elle avait cessé de le reconnaître. Je lui ai parlé de l'Angleterre.

Grand-père a mentionné ma mère, et quand il a parlé d'elle, c'était avec la même expression de respect mêlé de crainte que j'avais déjà vue sur le visage de ses adeptes. Je ne lui en ai pas tenu rigueur. D'après ce que j'avais entendu, mes parents étaient des gens puissants, dans la vallée. Mère faisait la promotion de ses produits en tant qu'alternative spirituelle à l'Obamacare, et ce qu'ils produisaient s'écoulait si vite qu'ils avaient du mal à suivre, malgré des dizaines d'employés.

Dieu devait se trouver derrière une telle réussite, estimait grand-père. Pour accomplir ce qu'ils avaient accompli, pour être d'aussi grands guérisseurs, pour amener les âmes à Dieu, mes parents avaient été appelés par le Seigneur. J'ai souri et me suis levée pour prendre congé. Il était resté le même vieil homme aimable que dans mon souvenir, mais la distance qui s'était installée entre nous m'a bouleversée. À la porte, je l'ai embrassé, et je lui ai adressé un long regard. Il avait quatre-vingt-sept ans. Je doutais de réussir, au cours des années qui lui restaient à vivre, à lui prouver que je n'étais pas celle que mon père affirmait que j'étais, que je n'étais pas une créature malfaisante.

Tyler et Stefanie habitaient à environ cent cinquante kilomètres au nord de Buck's Peak, à Idaho Falls. C'était là que j'avais prévu de me rendre ensuite, mais avant de quitter la vallée, j'ai écrit à ma mère. C'était un bref message. Je l'ai informée que j'étais dans les parages et que je souhaitais la retrouver en ville. Je n'étais pas prête à voir papa, ai-je précisé. Cela faisait des années que je n'avais pas revu le visage de ma mère. Accepterait-elle de me rejoindre ?

J'ai attendu sa réponse sur le parking, devant Stokes. Il n'a pas fallu longtemps.

Cela me navre que tu juges acceptable de me demander cela. Une épouse ne va pas là où son époux n'est pas le bienvenu. Je ne serai pas complice d'un manque aussi flagrant de respect[1].

Le message était long et sa lecture m'a autant épuisée que si j'avais couru sur une longue distance. Pour l'essentiel, c'était un sermon sur la loyauté : les familles pardonnent, et si pardonner la mienne était au-dessus de mes forces, je le regretterais pour le restant de mes jours. *Le passé, quel qu'il soit, devrait être enseveli cinquante pieds sous terre et laissé à la pourriture.*

Mère achevait en me disant que j'étais bienvenue au foyer, qu'elle priait pour le jour où je franchirais en courant la porte de derrière, en m'exclamant : « Je suis à la maison ! »

J'avais envie de répondre à sa prière – j'étais à peine à plus d'une quinzaine de kilomètres de la montagne –, mais je savais quel pacte tacite je conclurais si je franchissais cette porte. Je pourrais avoir l'amour de ma mère, mais il y aurait des conditions, les mêmes que celles qu'elle m'avait offertes trois ans avant : que j'échange ma réalité contre la leur, que je prenne ma

---

1. Ici, le caractère choisi indique que l'e-mail auquel je me réfère n'est pas cité mot pour mot, mais le sens en a été préservé.

conscience des choses et que je l'enfouisse, que je la laisse pourrir en terre.

Le message de mère équivalait à un ultimatum : je pourrais la voir, elle, et mon père, ou alors je ne la reverrais jamais. Elle ne s'est jamais rétractée.

Pendant que je lisais, le parking s'était rempli. J'ai laissé ses mots reposer, puis j'ai démarré et me suis engagée dans Main Street. Au carrefour, j'ai tourné vers l'ouest, vers la montagne. Avant de sortir de la vallée, j'allais jeter un œil sur ma maison.

Au fil des ans, j'avais entendu quantité de rumeurs au sujet de mes parents : ils étaient millionnaires, ils édifiaient une forteresse sur la montagne, ils avaient caché assez de vivres pour tenir des décennies. Les histoires les plus intéressantes, et de loin, concernaient l'embauche et le congédiement des employés par papa. La vallée n'avait jamais surmonté la récession, les gens avaient besoin de travailler. Mes parents étaient devenus les patrons les plus importants du comté, mais d'après ce que je savais, à cause de son état mental, papa avait du mal à garder ses employés sur le long terme : dès qu'il piquait une crise de paranoïa, il avait tendance à licencier les gens sans grand motif. Quelques mois plus tôt, il avait viré Diane Hardy, l'ex-femme de Rob, le même Rob qui était venu nous chercher après le second accident. Diane et Rob étaient amis avec mes parents depuis vingt ans. Jusqu'à ce que papa mette Diane à la porte.

C'est peut-être à la suite d'une autre crise de paranoïa que papa a mis dehors Angie, la sœur de ma mère. Certaine que jamais sa sœur ne traiterait la famille de la sorte, Angie était allée parler à notre mère. Quand j'étais enfant, c'était l'entreprise de maman. Maintenant, c'était celle de papa et elle. Tous les deux ensemble. Pourtant, lors de ce test dont tout l'enjeu était de savoir à qui l'affaire appartenait réellement, mon père l'a emporté : Angie a été congédiée.

Il est difficile de reconstituer ce qui s'est produit ensuite, mais d'après ce que j'ai appris plus tard, Angie s'est inscrite au chômage. Et lorsque le Département du Travail a téléphoné à mes parents pour confirmer qu'il avait été mis un terme à son contrat, papa avait perdu le peu de raison qu'il lui restait. Ce n'était pas le Département du Travail au téléphone, avait-il affirmé, c'était le Département de la Sécurité intérieure, qui se faisait passer pour le Département du Travail. Angie avait fait inscrire son nom sur la liste de surveillance des terroristes, affirmait-il. Le Gouvernement en avait après lui – après son argent, ses armes et son carburant. Un remake de Ruby Ridge.

Je suis sortie de la route nationale et me suis engagée sur la route gravillonnée. Je suis descendue de voiture et j'ai regardé en direction de Buck's Peak. Il m'est immédiatement apparu qu'une partie au moins des rumeurs étaient vraies – mes parents gagnaient des sommes énormes. La maison était imposante. Le foyer où j'avais grandi se limitait à cinq chambres. À présent, la maison s'était étendue et paraissait en compter au moins quarante.

Ce n'est qu'une question de temps, me dis-je, avant que papa ne se mette à employer cet argent pour préparer la Fin des Temps. J'imaginais le toit tapissé de panneaux solaires, disposés comme un jeu de cartes. «Il faut qu'on soit autosuffisants», l'imaginais-je répéter en tirant ses panneaux sur la toiture de sa maison titanesque.

Au cours de l'année à venir, papa dépenserait des centaines de milliers de dollars à acheter des équipements et à creuser la montagne pour trouver de l'eau. Il n'avait aucune envie d'être dépendant du Gouvernement, et il était persuadé que Buck's Peak contenait de l'eau – si seulement il réussissait à la trouver. Des brèches de la taille d'un terrain de football apparaîtraient au pied de la montagne, laissant un paysage désolé d'arbres arrachés ou abattus là où poussait naguère la forêt. Le jour où il a grimpé dans un half-track pour tailler sa route au milieu de champs de blé couleur satin, il devait sans doute rabâcher : «Faut qu'on soit autonomes.»

Grand-mère-en-ville est morte le jour de la fête des Mères.

Je faisais des recherches dans le Colorado quand j'ai appris la nouvelle. J'ai immédiatement quitté le laboratoire pour l'Idaho, puis, sur la route, je me suis rendu compte que je n'avais nulle part où aller. Je me suis alors souvenue de ma tante Angie, que mon père accusait à qui mieux mieux d'avoir placé son nom sur une liste de surveillance des terroristes. Mère l'avait rejetée, j'espérais pouvoir la récupérer.

Angie habitant à côté de chez mon grand-père, je me suis une nouvelle fois garée le long de la palissade blanche. J'ai frappé. Elle m'a accueillie poliment, comme l'avait fait grand-père. Il était clair qu'elle avait appris quantité de choses à mon sujet, de la bouche de ma mère et mon père.

« Je vais te proposer un marché, ai-je dit. Je vais oublier tout ce que papa m'a dit de toi, si tu oublies tout ce qu'il t'a dit de moi. »

Elle a éclaté de rire, en fermant les yeux et en renversant la tête en arrière, une réaction qui m'a brisé le cœur, tant cela ressemblait à ma mère.

Je suis restée chez elle jusqu'à l'enterrement.

Au cours des journées précédant le service funéraire, les frères et sœurs de ma mère se sont peu à peu réunis dans la maison de leur enfance. C'étaient mes tantes et mes oncles, mais je n'avais plus revu certains d'entre eux depuis ma propre enfance. Mon oncle Daryl, que je connaissais à peine, a suggéré que ses frères et sœurs passent un après-midi ensemble dans un de leurs restaurants préférés, à Lava Hot Springs. Mère a refusé de venir. Elle n'irait pas sans mon père, et ce dernier ne voulait rien avoir à faire avec Angie.

Ainsi, par un lumineux après-midi de mai, nous nous sommes tous entassés dans un grand van pour un trajet d'une heure. J'étais mal à l'aise, tant j'avais conscience de prendre la place de ma mère en me rendant avec ses frères et sœurs, et le seul de ses deux parents qui lui restait, à une sortie en mémoire de sa mère, ma grand-mère, que j'avais si peu connue. J'ai vite compris que ces instants étaient merveilleux pour ses enfants, qui regorgeaient de souvenirs et adoraient répondre à mes questions. À chacune de ces histoires, l'image de ma grand-mère ressortait plus nettement, mais la femme qui émergeait de leurs souvenirs collectifs n'avait aucun rapport avec celle que je me rappelais. J'ai réalisé alors combien je l'avais cruellement jugée, combien ma perception d'elle était déformée, parce que je l'avais regardée à travers le prisme très sévère de mon père.

Sur la route du retour, ma tante Debbie m'a invitée à lui rendre visite dans l'Utah. Mon oncle Daryl a renchéri : « Nous adorerions t'avoir dans l'Arizona. » En l'espace d'une journée, j'avais renoué avec une famille – pas la mienne, celle de ma grand-mère.

L'enterrement avait lieu le lendemain. Retranchée dans un coin, j'ai observé le défilé de mes frères et sœurs.

Il y avait là Tyler et Stefanie. Ils avaient décidé d'éduquer leurs sept enfants à domicile et, d'après ce que j'ai pu voir, ils étaient élevés selon des exigences très strictes. Luke s'est présenté ensuite, escorté d'une progéniture si nombreuse que je n'ai pu les compter. M'ayant vu, il a traversé la pièce, et nous avons bavardé quelques minutes, sans relever que nous ne nous étions plus vus depuis cinq ans, et en nous abstenant l'un et l'autre de toute allusion au pourquoi du comment. Crois-tu ce que papa dit de moi ? avais-je envie de lui demander. Me crois-tu dangereuse ? Luke travaillait pour mes parents et, privé d'instruction, il avait besoin de cet emploi pour subvenir aux besoins de sa famille. Le forcer à prendre parti n'aurait engendré que du chagrin.

Richard, qui terminait un doctorat de chimie, était descendu de l'Oregon avec Kami et leurs enfants. Il m'a souri, du fond de la chapelle. Quelques mois plus tôt, il m'avait écrit. Il m'avait dit qu'il était désolé d'avoir cru papa, qu'il aurait aimé en faire davantage pour m'aider quand j'en avais eu besoin, et qu'à partir de maintenant, je pourrais compter sur son soutien. Nous sommes une famille, disait-il.

Audrey et Benjamin avaient choisi un banc dans le fond. Audrey était arrivée tôt, alors que la chapelle était vide. Elle m'avait saisie par le bras et m'avait susurré que mon refus de voir notre père était un grave péché. «C'est un homme formidable, a-t-elle ajouté. Pour le restant de tes jours, tu vas regretter de ne pas avoir eu l'humilité de suivre son conseil.» C'étaient les premiers mots qu'elle me disait depuis des années, et je n'avais pas de réponse.

Shawn est arrivé quelques minutes avant le service religieux, avec Emily, Peter et une petite fille. C'était la première fois que je me trouvais au même endroit que lui depuis la nuit où il avait tué Diego. J'étais tendue, mais c'était inutile. Il ne m'a pas regardée une seule fois de tout le service.

L'aîné de mes frères, Tony, était assis avec mes parents, et ses cinq enfants. Tony était titulaire d'un GED, le diplôme d'équivalence d'études secondaires, et il avait créé une société de transport routier, à Las Vegas, qui marchait bien mais n'avait pas survécu à la crise. Il travaillait à présent pour mes parents, comme Shawn, Luke et leurs épouses, ainsi qu'Audrey et son mari, Benjamin. Maintenant que j'y pensais, je me rendais compte que tous mes frères et sœurs, excepté Richard et Tyler, étaient économiquement dépendants de mes parents. Ma famille se scindait en deux – les trois qui avaient quitté la montagne, et les quatre qui étaient restés. Les trois titulaires de doctorats, et les quatre sans diplômes. Un fossé était apparu, et se creusait.

Une année s'écoulerait avant que je ne retourne dans l'Idaho.

Quelques heures avant que mon avion décolle pour Londres, j'ai écrit à ma mère – comme je l'ai toujours fait, et le ferai toujours – pour lui demander si elle accepterait de me voir. Encore une fois, la réponse a été immédiate. Elle n'acceptait pas, elle n'accepterait jamais, à moins que je ne voie mon père. Me voir sans lui, disait-elle, serait irrespectueux envers son mari.

Sur le moment, ce pèlerinage annuel vers une maison qui continuait de me rejeter m'a semblé vain. Devais-je y retourner ? Ensuite, j'ai reçu un message de tante Angie. Elle m'informait que grand-père avait annulé tous ses projets pour le lendemain, et qu'il refusait même d'aller au temple, comme il le faisait d'habitude le mercredi, parce qu'il voulait être à la maison au cas où je passerais. À quoi Angie ajoutait : *Je te revois dans à peu près douze heures ! Mais qui va compter ?*

40

Éduquée

Quand j'étais enfant, j'attendais que mon esprit grandisse, que mes expériences s'accumulent et que mes choix se solidifient, se façonnent et donnent forme à un semblant de personne. Cette personne, ou son semblant, avait sa place à elle. J'étais de cette montagne, la montagne qui m'avait faite. C'est seulement en grandissant que je me suis demandé si je finirais comme j'avais commencé – si la première forme que revêt une personne est sa seule véritable forme.

Alors que j'écris les derniers mots de ce récit, je n'ai pas revu mes parents depuis des années, depuis l'enterrement de ma grand-mère. Je suis proche de Tyler, Richard et Tony, et grâce à eux, ainsi qu'à d'autres membres de la famille, je suis informée des drames en cours sur la montagne – les blessures, la violence et les revirements de loyauté. Cela me parvient comme une rumeur lointaine, ce qui est un bienfait. Je ne sais si cette séparation est définitive, si un jour je trouverai un moyen de revenir, mais elle m'a apporté la sérénité.

Cette sérénité ne m'est pas venue facilement. J'ai passé deux années à énumérer les défauts de mon père, à constamment mettre ce décompte à jour, comme si me réciter tous les motifs de ressentiment, tous les actes de cruauté, de négligence, réels ou imaginaires, devait justifier ma décision de l'exclure de mon existence. Si elle était justifiée, je croyais que la culpabilité qui m'étranglait desserrerait son étreinte, et que je finirais par reprendre mon souffle.

Mais la justification n'a aucun pouvoir sur la culpabilité. Aucune colère, aucune fureur dirigées contre les autres ne peuvent la soumettre, parce que la culpabilité n'est jamais liée à eux. La culpabilité, c'est la peur de sa propre détresse. Elle n'a rien à voir avec les autres.

Je me suis défaite de ma culpabilité quand j'ai accepté ma décision en tant que telle, sans nourrir de vieux griefs à l'infini, sans mettre en balance les péchés de mon père par rapport aux miens. Sans plus du tout penser à lui. J'ai appris à accepter ma décision pour moi-même, à cause de moi, pas à cause de lui. Parce que j'en avais besoin, non parce qu'il le méritait.

C'était mon seul moyen de réussir à l'aimer.

Quand mon père était là, dans ma vie, luttant corps à corps avec moi pour gagner le contrôle de cette vie, je le percevais avec les yeux d'un soldat, au milieu d'un brouillard conflictuel. Je n'arrivais pas à discerner sa tendresse. Lorsqu'il était devant moi, dominateur, indigné, j'étais incapable de me remémorer son rire, qui lui secouait les tripes et faisait briller ses lunettes, quand j'étais jeune. Face à sa présence si sévère, je ne parvenais jamais à retrouver la vision du joli tic de ses lèvres qui se pinçaient quand un souvenir lui tirait des larmes, avant qu'il ne se les brûle. C'est aujourd'hui seulement que je peux me souvenir de tout cela, avec une vaste étendue de kilomètres et d'années entre nous.

Mais ce qui s'est interposé entre mon père et moi, c'est plus que du temps et de la distance. C'est un changement de soi. Je ne suis plus l'enfant que mon père a élevée, mais il reste le père qui a élevé cette enfant.

S'il y a eu un seul moment où la brèche entre nous, qui se fissurait et craquait depuis vingt ans, est devenue finalement trop large pour être comblée, je crois que ç'a été par cette nuit d'hiver, quand j'ai fixé mon reflet dans le miroir de la salle de bains, alors que, sans que je le sache, mon père s'était saisi du téléphone et avait appelé mon frère. Diego, le couteau. Ce qui avait suivi était certes dramatique. Mais le véritable drame s'était déjà joué dans la salle de bains.

Il s'était joué quand, pour des raisons que je ne comprends pas, je n'ai pas été capable d'enjamber le cadre de ce miroir et d'envoyer mon autre moi-même, âgée de seize ans, à ma place.

Jusqu'à ce moment, cette autre moi-même avait toujours été en moi. Peu importait l'ampleur de mon changement – le caractère prestigieux de mon éducation, la modification de mon apparence –, j'étais encore cette *autre*. Dans le meilleur des cas, j'étais deux personnes, un esprit fractionné. *Elle* demeurait à l'intérieur, et chaque fois que je franchissais le seuil de la maison de mon père, elle ressurgissait.

Cette nuit-là, je l'avais convoquée et elle n'avait pas répondu. Elle m'avait quittée. Elle est restée dans le miroir. Les décisions que j'ai prises dès lors n'ont pas été celles qu'elle aurait prises. C'étaient les choix d'une personnalité transformée, d'un nouveau moi.

Vous pourriez attribuer quantité de noms à cette individualité. Transformation. Métamorphose. Fausseté. Trahison.

J'appelle cela une éducation.

REMERCIEMENTS

J'ai envers mes frères, Tyler, Richard et Tony, la plus grande gratitude, puisqu'ils ont rendu ce livre possible, d'abord concernant le vécu, ensuite concernant l'écrit. Grâce à eux et à leurs épouses, Stefanie, Kami et Michele, j'ai appris l'essentiel de ce que je sais de la famille.

Tyler et Richard en particulier se sont montrés généreux de leur temps et de leurs souvenirs, en lisant de nombreux jets successifs, y ajoutant leurs propres détails et, de manière générale, en m'aidant à rendre le livre aussi exact que possible. Même si nos points de vue ont pu différer sur certains détails, leur bonne volonté à vérifier les faits de cette histoire m'a permis de l'écrire.

Le professeur David Runciman m'a encouragée à écrire ces mémoires et il a été parmi les premiers à lire le manuscrit. Sans sa confiance dans ce texte, je n'aurais peut-être jamais eu moi-même cette confiance.

Je suis reconnaissante envers ceux qui font de la création des livres le travail de leur vie et qui ont donné une part de cette vie à cet ouvrage : mes agents, Anna Stein et Karolina Sutton ; et mes merveilleux éditeurs, Hilary Redmon et Andy Ward, chez Random House, et Jocasta Hamilton, chez

Hutchinson ; ainsi que les nombreuses autres personnes qui ont édité, composé typographiquement et assuré le lancement de ce récit. Surtout Boaty Boatwright, chez ICM, qui en a été un infatigable défenseur. Je dois des remerciements tout particuliers à Ben Phelan, qui s'est vu confier la difficile mission de vérifier les faits de ce livre, et qui s'en est acquitté avec tant de rigueur mais aussi beaucoup de sensibilité et de professionnalisme.

Je suis particulièrement reconnaissante envers ceux qui ont cru à ce texte avant qu'il ne soit devenu un livre, quand ce n'était encore qu'un fouillis de feuillets imprimés. Parmi ces tout premiers lecteurs, je dois mentionner les professeurs Marion Kant et Paul Kerry, Annie Wilding, Livia Gainham, Sonya Teich, Dunni Alao et Suraya Sidhi Singh.

Mes tantes Debbie et Angie sont revenues dans ma vie à un moment crucial et leur soutien signifie beaucoup pour moi. Parce qu'il a cru en moi, toujours, merci au professeur Jonathan Steinberg. Et parce qu'il m'a apporté un refuge de paix, tant émotionnel que pratique, où écrire ce livre, je suis infiniment redevable à mon cher ami, Drew Mecham.

Un mot sur le texte

Certaines notes de bas de page ont été ajoutées pour donner une voix à des souvenirs qui diffèrent des miens. Les notes concernant deux histoires – la brûlure de Luke et la chute de Shawn du haut de la palette – sont importantes et réclament un commentaire supplémentaire.

Pour ces deux événements, les divergences entre les récits sont nombreuses et variées. Prenons la brûlure de Luke. Parmi ceux présents ce jour-là, certains ont vu quelqu'un qui n'y était pas, d'autres n'ont pas vu quelqu'un qui y était. Papa a vu Luke, et Luke a vu papa. Luke m'a vue, mais je n'ai pas vu papa et papa ne m'a pas vue. J'ai vu Richard et Richard m'a vue, mais Richard n'a pas vu papa, et ni papa ni Luke n'ont vu Richard. Que doit-on retenir d'un tel carrousel de contradictions ? À la fin des fins, après tous les tours et détours que chacun décrit, la seule présence sur laquelle tout le monde s'accorde ce jour-là, c'est Luke.

La chute de Shawn du haut de la palette est encore plus déconcertante. Je n'étais pas là. J'ai recueilli la matière de mon récit auprès des autres, mais j'étais convaincue que c'était la vérité, parce que je l'avais entendu raconter pendant des années, par beaucoup de gens, et parce que Tyler avait entendu la même histoire. Quinze ans plus tard, il en gardait un souvenir identique au mien. Je l'ai donc couchée par écrit. Ensuite, cette autre version a fait son apparition : *Il n'y a pas eu d'attente*, insiste-t-on. *L'hélicoptère a été appelé tout de suite.*

Je mentirais si je disais que ces détails n'ont pas d'importance, que le « tableau d'ensemble » demeure inchangé, quelle que soit la version à laquelle vous adhérez. Ces détails comptent. Soit mon père a renvoyé Luke en bas de la montagne, seul, soit il ne l'a pas renvoyé ; soit il a laissé Shawn au soleil avec une grave blessure à la tête, soit il n'en a rien fait. Un père différent, un homme différent, naît de ces détails.

Je ne sais pas quel récit de la chute de Shawn croire. Plus remarquable encore, j'ignore à quel récit de la brûlure de Luke ajouter foi. Et pourtant *j'étais là*. Je suis capable de revenir à ce moment. Luke est dans l'herbe. Je regarde autour de moi. Il n'y a personne d'autre, pas l'ombre de mon père, pas même l'idée qu'il fasse irruption à la périphérie de ma mémoire. Il n'est pas là. Or, dans le souvenir de Luke, il est bel et bien là, il l'allonge délicatement dans la baignoire, lui administre un remède homéopathique censé traiter son état de choc.

Ce que j'en retiens, c'est une rectification, non pas de ce que je me remémore, mais de ce que je comprends. Nous sommes tous plus compliqués que les rôles qu'on nous assigne dans les histoires racontées par les autres. C'est particulièrement vrai au sein d'une famille. Quand l'un de mes frères a lu mon récit de la chute de Shawn, il m'a écrit : « Je n'imagine pas papa appelant le 911. Shawn serait mort d'abord. » Mais peut-être pas. Peut-être qu'après avoir entendu le crâne de son fils craquer, le cognement sourd et sinistre de l'os et de la cervelle sur le béton, notre père n'était plus l'homme que nous avions cru qu'il serait, et supposé qu'il était pendant des années après cela. J'ai toujours su que mon père aimait ses enfants, et avec force ; j'ai toujours cru que sa haine des docteurs était plus forte. Mais peut-être pas. À ce moment, peut-être, ce moment de crise réelle, son amour a pu dominer à la fois sa peur et sa haine.

Peut-être la réelle tragédie réside-t-elle dans le fait que notre père ait pu exister dans nos têtes de la sorte, dans celle de mes frères et dans la mienne, parce que sa réaction, en d'autres circonstances – des milliers de drames plus modestes et de crises de moindre ampleur –, nous avait conduits à le voir dans ce rôle. À croire que, si nous devions tomber, il n'interviendrait pas. Nous mourrions d'abord.

Nous sommes tous plus compliqués que les rôles qui nous sont attribués dans telle ou telle histoire. Rien ne m'a mieux révélé cette vérité que d'écrire ces mémoires – d'essayer de coucher les gens que j'aime sur le papier, de saisir toute leur signification en quelques mots, ce qui est naturellement impossible. C'est le mieux que je puisse faire : raconter cette autre histoire à côté de celle dont je me souviens. Celle d'une journée d'été, d'un feu, de l'odeur de chair calcinée, et d'un père aidant son fils à redescendre de la montagne.

Table

Table